OPROER

Dirk Wanrooij

Oproer

Een kroniek van de Egyptische revolutie

2015
DE BEZIGE BIJ
AMSTERDAM | ANTWERPEN

Deze publicatie is tot stand gekomen met steun van het
Fonds Bijzondere Journalistieke Projecten,
www.fondsbjp.nl

FONDS Bijzondere
JOURNALISTIEKE PROJECTEN

INHOUD

OVERZICHTSKAART CAÏRO

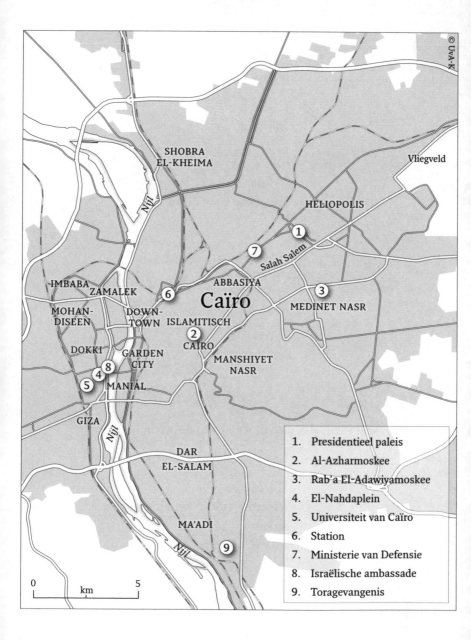

SHOBRA
EL-KHEIMA

Vliegveld

HELIOPOLIS

① 1

⑦ 7

Salah Salem

IMBABA ZAMALEK   ABBASIYA

MOHAN-   ③ 3
DISEEN   ⑥ 6   Caïro   MEDINET NASR

DOWN-   ISLAMITISCH
TOWN

DOKKI   ② 2
         CAÏRO

GARDEN   MANSHIYET
④ 4 CITY NASR
⑧ 8

⑤ 5 MANIAL

Nijl

GIZA

DAR
EL-SALAM

1. Presidentieel paleis

2. Al-Azharmoskee

3. Rab'a El-Adawiyamoskee

4. El-Nahdaplein

5. Universiteit van Caïro

MA'ADI   6. Station

⑨ 9   7. Ministerie van Defensie

8. Israëlische ambassade

9. Toragevangenis

0   km   5

HET CENTRUM VAN CAÏRO

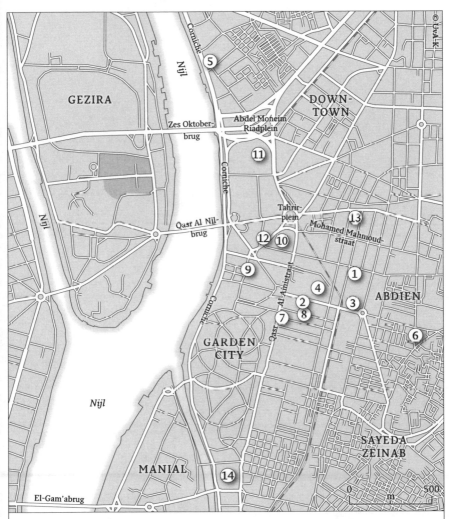

1. Ministerie van Binnenlandse Zaken
2. Ministerie van Gezondheid
3. Ministerie van Justitie
4. Parlement
5. Maspiro
6. Ons huis, van juli 2009 tot juli 2010
7. Ons huis, van april 2011 tot 29 juni 2012
8. Ons huis, vanaf 30 juni 2012
9. Amerikaanse ambassade
10. Mugamma'
11. Egyptisch Museum
12. Omar Makrammoskee
13. Bab El-Loeqmarkt
14. Qasr Al-Ainiziekenhuis

INLEIDING

De mensenmassa bij metrohalte Shobra El-Kheima keek ons onderzoekend aan. We stonden met zijn vijftienen buiten bij het noordelijke eindpunt van een van de drie metrolijnen van de Egyptische hoofdstad. Maar we hoorden daar niet, dat was duidelijk.

Hoewel we ons kilometers buiten de vertrouwde bubbel van centraal Caïro bevonden, was de rand van de stad nog altijd niet in zicht. Zover het oog reikte werden we omringd door een stedelijke wildernis.

Het was 6 februari 2009. Van een Arabische lente werd alleen nog maar gedroomd en de Egyptische president Hosni Mubarak zat ogenschijnlijk stevig in het zadel.

De onverharde wegen en overvolle kruispunten van deze lawaaierige achterbuurt lagen vol vuilnis. Een ingewikkeld maaswerk van licht zoemende elektriciteitskabels spreidde zich uit boven de hoofden van de mensen. Het was vrijdag, normaal gesproken een vrije dag, maar niet in de arme wijken van een wereldstad als Caïro, waar de mensen van dag tot dag leven. Het ochtendgebed was voorbij en dat betekende dat er gewerkt moest worden.

Een bus vol vrouwen met gerimpelde gezichten die van de markt terugkeerden, bracht ons vanaf de metrohalte naar het eerste dorp buiten de stad, in de grotendeels verstedelijkte Nijldelta, aan de rand van de provincie Qalyubiyya. De borden en spandoeken die we bij ons hadden, hielden we uit het zicht van anderen. We wilden geen aandacht trekken.

De Israëlische aanval op de Gazastrook, ook wel bekend als operatie-Cast Lead, was enkele weken eerder beëindigd, maar nog altijd domineerde het nieuws over deze kortstondige maar buitengewoon felle oorlog wereldwijd de voorpagina's. In drie weken tijd kwamen 1167 Palestijnse burgers om het leven door Israëlisch geweld, terwijl de hele wereld in stilzwijgen had toegekeken.

Nog tijdens die oorlog landde ik voor het eerst op de luchthaven van Caïro voor een zes maanden durende cursus Arabisch als onderdeel van mijn studie Arabische taal en cultuur aan de Universiteit van Amsterdam. Ik wilde mijn Arabisch verbeteren, maar misschien nog wel belangrijker: ik wilde de politieke realiteit van het Midden-Oosten van dichtbij meemaken. Te lang had ook ik óver de regio gepraat zonder ervaring uit de eerste hand. Ik wist dat er sinds enkele jaren sprake was van een groeiende protestbeweging. Geen beter moment om binnen te komen dan tijdens een oorlog, leek me.

Activisten die ik via internet op het spoor was gekomen, hadden die dag een protestmars georganiseerd om de aandacht te vestigen op de voortdurende humanitaire crisis in de Palestijnse Gazastrook. Ook nadat het Israëlische leger zich op 17 januari had teruggetrokken, was de situatie in de vijfenveertig kilometer lange strook nauwelijks verbeterd. De nadruk van de mars zou echter vooral liggen op de rol van Egypte in het conflict.

Egypte had geweigerd de grensovergang bij Rafah te openen en liet de inwoners van het overbevolkte Gaza als ratten in de val zitten terwijl Israël fosforbommen liet neerkomen op de opgesloten inwoners van Gaza.[1] Daarmee was het regime van Mubarak in de ogen van veel Egyptenaren medeplichtig aan het bloedbad.

Het dappere maar naïeve plan was om vanaf de noordgrens van Caïro symbolisch in de richting van Gaza te marcheren en onderweg met mensen te praten over de situatie in Gaza en de rol van het Egyptische regime. Deelnemers aan de mars waren stuk voor stuk hoogopgeleide jongeren van begin en midden twintig die droomden van een ander Egypte. Zij behoorden tot een generatie die niets anders had gekend dan het verstikkende en corrupte regime van Hosni Mubarak. Hoewel armoede hun bespaard was gebleven, hadden zij met afschuw aanschouwd hoe de Egyptische staat in samenspraak met een handjevol zakenrelaties en onder toezicht van het Westen Egypte in de laatste decennia kaal had geplukt. Tegelijkertijd hadden ze weinig met het materialistische consumentisme van de Egyptische elite.

Deze jongeren stonden meer dan ooit in contact met andere delen van de wereld en waren vastbesloten om een positieve, progressieve verandering af te dwingen. In hun dagelijks leven probeerden ze oplossingen te vinden voor de verwrongen politieke realiteit en corrupte politieke instituties waar Egyptenaren dagelijks mee geconfronteerd werden. Daarnaast hadden deze jongeren, in tegenstelling tot hun ouders, de politieke onrust en de daaropvolgende teleurstellingen van de jaren zeventig niet meegemaakt en geloofden zij nog volop in het nut van politieke strijd.[2]

Sterker nog, zij hadden ervaren hoe straatprotest, na jarenlange afwezigheid, een spectaculaire comeback had gemaakt in Egypte. Ze waren onderdeel van een levendige protestbeweging die de grenzen van het toelaatbare opzocht en geregeld overschreed.

De mars leek aanvankelijk een succes. Tijdens de urenlange tocht door stoffige straatjes van dorpjes zonder naam langs de noordgrens van de Egyptische hoofdstad werden we toegezwaaid en welkom geheten door omstanders die ons aankeken alsof we van een andere planeet kwamen. Toch kon onze boodschap van solidariteit met de Palestijnen rekenen op waardering. Kinderen namen de door ons meegebrachte Palestijnse vlaggen gretig ter hand, en hun ouders schreeuwden: 'Leve het verzet!' en: 'Vrijheid voor Palestina!' Voor aan de mars werd een bord vastgehouden met daarop de tekst: 'Genoeg is genoeg, open de grens!'

Uit alles bleek echter de onwennigheid. Hoewel de meeste deelnemers zeker niet voor het eerst meededen aan een demonstratie, was het de eerste keer dat zij zelf iets dergelijks organiseerden. Gedurende de mars braken er discussies uit over de te volgen route, over welke leuzen wel of niet zouden aanslaan en wat het precieze doel eigenlijk was. Ging het erom met mensen langs de route in discussie te treden over de gebeurtenissen – mensen die in het dagelijks leven niet met dergelijk politiek activisme in aanraking kwamen – of was het de bedoeling in de publiciteit te komen en op die manier te proberen het publieke debat te beïnvloeden? Het bleef een onopgeloste kwestie.

Tegen het vallen van de avond, toen het stof zich in alle poriën van mijn lichaam had genesteld en de borden en spandoeken nauwelijks meer te lezen waren, kwam er een abrupt einde aan de mars. Terwijl de gebedsoproep synchroon uit de minaretten van nabijgelegen moskeeën klonk, werden we staande gehouden door een stel brede veiligheidsagenten in burger met een slecht humeur.

Op een onbebouwde akker langs de kant van een drukke tweebaansweg die ons terug naar de stad had moeten brengen, werden we urenlang vastgehouden. We kregen te horen dat we moesten wachten, punt. We moesten wachten tot iemand, ergens, in een of ander kantoortje, op basis van een totaal onduidelijke afweging, had besloten wat er met ons moest gebeuren. Een typische gang van zaken voor een Egyptische ambtenaar die vanwege bureaucratische chaos, corruptie en vriendjespolitiek niet werkt met protocollen maar met schreeuwerige orders uit krakerige telefoons.

In de spaarzame momenten dat we in gesprek raakten met onze bewakers, werd ons grommend te kennen gegeven dat we ons geen zorgen moesten maken. Hun slecht geveinsde vriendelijkheid deed echter anders vermoeden.

Het gevoel van angst en nieuwsgierigheid dat zich op dat moment van mij meester maakte, zou me later tijdens de revolutie permanent vergezellen. Het is een vreemde mix van enerzijds warme saamhorigheid onder dreiging van een gedeeld gevaar en anderzijds een bevreemdend bewustzijn dat zegt dat je er geen deel van uitmaakt, dat wat voor mijn medestanders bittere ernst en dagelijkse realiteit is voor mij niet meer dan een uitstapje of een spannend avontuur hoeft te zijn. Voor hen was het noodzaak of een historische onvermijdelijkheid. Voor mij was het interessant, en meer hoefde het niet per se te zijn. Hun inzet was groter en dat voelde ik.

Op de gezichten van de mensen om mij heen zag ik echter mijn eigen angst en vertwijfeling terug. Hoewel met name de aanwezige vrouwen de nodige stampij maakten en tekeergingen tegen de agenten van de veiligheidsdienst, probeerden we allemaal onze onzekerheid te maskeren met een al dan niet geveinsde vastberadenheid.

Na enkele uren wachten werden we meegenomen naar een vervallen politiebureau in het dorp Abu Zabal, waar onze identiteitspapieren werden gekopieerd. Het bureau was een betonnen constructie en straalde een angstaanjagende soberheid uit. De straatlantaarns van het dorp brachten een zachtoranje gloed voort, maar het bureau was in duisternis gehuld. Het leek geen plek waar men compassie kon verwachten.

Ik wist echter dat mijn Nederlandse paspoort – dat ik per ongeluk thuis had laten liggen – mij uiteindelijk zou behoeden voor al te grote problemen.[3] Het regime van Mubarak was er veel aan gelegen westerlingen zo veel mogelijk af te schermen van de realiteit van de politieke onderdrukking. In het Westen werd al jarenlang beweerd dat Egypte 'aan het democratiseren was', en er werden miljoenen uitgegeven om dit proces (of althans de schijn ervan) te ondersteunen. Het regime van Mubarak en de economische orde in Egypte bestonden bij de gratie van deze schijn. Uit de Verenigde Staten alleen al werd jaarlijks ruim anderhalf miljard dollar overgemaakt. De economie was bovendien voor een groot gedeelte afhankelijk van de hordes toeristen die jaarlijks hun geld kwamen spenderen. Mede daarom was een westers paspoort meestal een garantie voor een goede behandeling door de Egyptische veiligheidsdiensten. Wel maakte ik me grote zorgen om de Egyptenaren om me heen. Zij zouden zich niet kunnen verweren tegen de willekeur van de Egyptische wet. En hoewel ik nieuw was in het land, kende ik de reputatie van de veiligheidsdiensten maar al te goed.

Tegen middernacht werd duidelijk dat de meesten van ons, vooral de aanwezige buitenlanders – journalisten en sympathisanten –, niet hoefden in te zitten over de koude vloeren en het slechte eten in een van de martelkamers van het regime. Op bijna vleiende doch dringende wijze werd ons te kennen gegeven dat we allemaal weer spoedig thuis zouden zijn, maar dan moesten we wel direct vertrekken. Zij hadden alleen nog even iets te bespreken met de organisator van de mars, de Duits-Egyptische Philip Rizk.

De in Egypte opgegroeide Rizk is voor veel Egyptenaren een moeilijk te plaatsen en daarom bij voorbaat verdacht individu. Met zijn bijna twee meter lange, uiterst slanke lijf, lichte huid, toegeknepen ogen en rijke zwarte haardos is hij een opvallende verschijning in een land waar de gemiddelde man niet boven de 1,80 meter uitkomt en na zijn vijfentwintigste een dikke buik ontwikkelt. Philip is noch koptisch christelijk noch moslim, maar behoort tot een piepkleine geloofskring van enkele duizenden evangelisten.

Zowel zijn moeder, een Duitse zendelinge, als zijn Egyptische vader, een uitgever van bijbels en andere christelijke werken, geschreven met het doel om moslims te bekeren, werkte in de zieltjeswinnerij en van hem en zijn twee zussen werd op zijn minst verwacht dat ze het geloof in ere zouden houden.

Maar in gelijke tred met zijn groeiende politieke belangstelling namen Philips religieuze twijfels en daarmee de afstand tot zijn ouders toe. Toen ik hem leerde kennen was hij zich nog altijd aan het ontdoen van de laatste restanten van het conservatief christelijke keurslijf waar zijn vroegere sociale omgeving hem van jongs af aan in had gehesen – een proces dat pas voltooid werd aan de vooravond van de revolutie.

In zijn studietijd woonde en werkte Philip twee jaar in de Gazastrook en wegens zijn contacten daar werd hij gezien als een eventuele bedreiging voor de Egyptische staatsveiligheid, zo hoorden we later. Juist zijn affiniteit met de mensen daar had hem ertoe bewogen de mars te organiseren: het waren zijn vrienden die in de Gazastrook moesten vrezen voor hun leven. Voor de Egyptische veiligheidsdienst was dit echter een verdachte relatie en een mogelijke bron van onrust. Van een korte ondervraging was dus ook geen sprake. De laatste keer dat ik hem die avond zag, was op de parkeerplaats van het politiebureau van Abu Zabal, waar hij geblinddoekt en met een angstige glimlach op zijn gezicht door vier zware jongens richting een minibus zonder kentekens werd geleid. Ondanks pogingen van de andere aanwezigen om het minibusje de doorgang te beletten werd Philip die avond ontvoerd door de veiligheidsdiensten en vijf dagen lang op een onbekende locatie vastgehouden.

Bovenstaande ervaring was mijn politieke ontgroening in Egypte en bleek bepalend voor mijn verdere verblijf. Het was een realistische eerste kennismaking met de meedogenloze politiestaat die schuilging achter het gastvrije voorkomen van de populaire toeristenbestemming Egypte. Ik ontdekte die dag wat de consequenties waren van het uiten van een politieke voorkeur in een door het Westen gesteunde dictatuur en hoeveel moed het vereiste om je hoofd boven het maaiveld uit te steken.

Daarnaast plaatste deze gebeurtenis mij midden in een uiterst inspirerende sociale omgeving van activisten en politiek geëngageerde jongeren die niet terugdeinsden voor de confrontatie met de door hen zo gehate dictatuur. Philip Rizk, die fysiek ongeschonden maar geestelijk aangeslagen en politiek een stuk wijzer uit dit avontuur tevoorschijn kwam, en de andere aanwezigen bij de mars groeiden uit tot goede vrienden met wie ik een revolutionair avontuur tegemoet zou gaan. Op die zesde februari stonden we gezamenlijk op de drempel van een politieke gebeurtenis waarvan we op dat moment slechts durfden dromen.

Twee jaar en vele grote én kleine protestacties later stonden wij namelijk tussen tienduizenden anderen op het Tahrirplein aan de frontlinie van een revolutie. Het was onder meer de vastberadenheid van mijn vrienden die de weg vrij had gemaakt voor de explosie van onvrede die begin 2011 het einde inluidde van het Mubarakregime. Want hoeveel steun een idee ook mag genieten, er moeten altijd pioniers zijn die de anderen laten zien dat het mogelijk is. Hun dromen leken in vervulling te gaan toen zij en honderdduizenden in het hele land na achttien dagen van massaal protest op 11 februari 2011 uiteindelijk de genadeklap konden uitdelen aan de dertigjarige dictatuur van Hosni Mubarak. Maar de vreugde was van korte duur.

In de drie jaar die volgden op de val van Mubarak, bleven zij vechten voor een vrij en rechtvaardig Egypte terwijl traditionele machtsblokken met hun revolutie aan de haal gingen.

Dit boek is mijn verslag van die revolutie en dat avontuur. Een verslag vanuit de linies van de revolutionairen. Niet in een poging om een zogenaamd objectief beeld te schetsen van de ontwikkelingen in Egypte, maar om het verhaal te vertellen zoals het op straat werd beleefd. Ik viel met mijn neus in de boter door als politiek geëngageerde, Arabisch sprekende jongere op het juiste moment in Egypte te gaan wonen en betrokken te raken bij een beweging die de toekomst van dat land definitief zou beïnvloeden. Want hoewel het stof nog altijd niet volledig is neergedaald in de straten van Egypte, kunnen we met zekerheid zeggen dat de gebeurtenissen van de afgelopen jaren een blijvende invloed zullen hebben. Ik geloof dat het van belang is om de Egyptische revolutie te begrijpen door de ogen van de revolutionairen. Wat waren hun redenen om de straat op te blijven gaan, en waar vochten zij voor? Ik hoop met dit boek bij te dragen aan dit begrip.

Mijn verblijf, dat aanvankelijk slechts zes maanden zou duren, duurt nu, in de nazomer van 2014, al vijfenhalf jaar. Veel van die tijd heb ik doorgebracht in demonstraties op straat, verwikkeld in politieke discussies met boeren en arbeiders en in de nabijheid van de activisten die ik tijdens de mars naar Gaza leerde kennen. Het was een tijd vol euforische hoogtepunten en collectieve depressies.

De politieke transitie die volgde op het aftreden van Mubarak verliep rommelig. Eerst kwam het leger, daarna de Moslimbroederschap, en toen weer het leger. Brood, vrijheid en sociale rechtvaardigheid – de eisen van de revolutie – bleven echter uit.

Het leger, dat sinds 3 juli 2013 de lakens uitdeelt onder leiding van generaal Abdul Fatah al-Sisi, wil stabiliteit boven alles. Bijgestaan door een fascistisch aandoende propagandacampagne tegen 'terroristen' worden de teugels stevig aangehaald. Maar onder de oppervlakte smeult de woede nog altijd. Toen de Egyptenaren in opstand kwamen tegen Mubarak, eisten ze niet een ander repressief regime, ze eisten vrijheid.

Nog altijd wordt er gemarteld in Egypte. Nog altijd is de overgrote meerderheid van de bevolking arm en leeft een kleine minderheid in ongelooflijke weelde. Nog altijd geniet de politie onschendbaarheid en zijn de rechten van de armen uiterst beperkt. Westerse overheden – waaronder de Nederlandse – die applaudisseerden toen Egyptenaren zich in 2011 ontdeden van hun dictator, zijn inmiddels weer in hun oude gewoontes vervallen. Het regime van Sisi wordt politiek en financieel gesteund door westerse overheden. Terwijl ten minste 41.000 politieke gevangenen vastzitten in speciaal daarvoor gebouwde gevangenkampen, zijn de mantra's over de 'democratisering in Egypte' opnieuw van stal gehaald.

De geslaagde opstand tegen Mubarak werkte als een buitengewone stimulans voor een emancipatiebeweging die al langer aanwezig was in de marge van de Egyptische maatschappij. Deze beweging komt in golven, zij is de revolutie.

DEEL I

Mubarak en de aanloop naar Tahrir

2000-11 FEBRUARI 2011

'Het volk eist de val van het regime'

I

Na de ontvoering van Philip besloot ik mij gedurende de rest van mijn studietijd in Egypte gedeisd te houden. Ik sprak nog wel af met activisten en hoorde gretig hun verhalen en analyses over de situatie in Egypte aan, maar ik vreesde dat als ik nog vaker in aanraking zou komen met de veiligheidsdiensten, ik net als de andere buitenlanders die aan de mislukte 'mars naar Gaza' hadden deelgenomen op de lijst van ongewenste vreemdelingen zou komen te staan.

In de vijf maanden die volgden, richtte ik me op de taal en het land en al hun eigenaardigheden. Ik reisde rond, praatte met mensen, las boeken, bezocht kerken, moskeeën en achterbuurten in een poging zo veel mogelijk te begrijpen.

Overdag was ik bezig met mijn studie en in de avonduren zat ik vaak in een van de grauwe kroegen of koffiehuizen die de binnenstad van Caïro rijk is. Ik luisterde naar de gesprekken om me heen, nam de geuren en de klanken in me op en raakte vertrouwd met de cynische humor en de warme begroetingen van de Egyptenaren. Onder de nooit uit de mode rakende, melancholieke tonen van zangeres Umm Kulthum leerde ik langzaam maar zeker converseren in het grove, schreeuwerige dialect waar de inwoners van Caïro in de Arabische wereld om bekendstaan.

In mijn stamkroeg werd ik regelmatig vergezeld door kettingrokende jongens die overdag hun geld verdienden met het verkopen van praatjes en andere zaken aan toeristen en 's avonds hun ponden opmaakten aan alcohol en sigaretten. Het afgeleefde stadshart waar ik me in begaf, werd bevolkt door een verzameling van dergelijke semi-onfure types aangevuld met kunstenaars (in de dop), handelaren, jongeren die probeerden te ontsnappen aan de sociale controle van hun woonwijken, dagjesmensen, bedelaars, ambtenaren en de vergrijsde overblijfselen van een seculiere intelligentsia.

De laatstgenoemde groep zette de toon in mijn stamkroeg. Als de sfeer goed was, en het gesprek ten einde, zongen zij met tranen in hun ogen oude liederen uit de tijd waarin zij de voorhoede vormden van de strijd tegen dictatuur en buitenlandse bemoeienissen. Leeggestreden en opgebrand genoten ze van de herfst van hun leven door te drinken en hasj te roken en, op een enkele politieke discussie na, serieuzere zaken aan anderen over te laten. Zij vormden het toepasselijke interieur van de vervallen maar levendige binnenstad van Caïro en droegen bij aan de sfeer in dit deel van de stad.[4]

Downtown Caïro, of Wust El-Balad – het deel van de hoofdstad dat na de val van Mubarak het kloppende hart van de Egyptische revolutie zou worden –, wekt de indruk van een eiland, een vrijhaven waar de strikte normen van de samenleving met een korreltje zout genomen kunnen worden. Niet dat men er de hedonistische droom leeft, maar de sociale regels en controle zijn er flexibeler dan in andere delen van het land.

Hitsige ongetrouwde stelletjes zitten er hand in hand op de Corniche, de boulevard langs de Nijl, zichtbaar hunkerend naar meer lichamelijk contact. Gezinnen, groepen giechelende meisjes met kleurige hoofddoekjes en jongens die vriendschappelijk elkaars hand vasthouden, struinen langs de felverlichte etalages waar honderden schoenen staan opgesteld en wijzen elkaar welke zij de mooiste vinden. Gesluierde vrouwen staan uitvoerig stil bij lingeriewinkels waar schaarsgeklede etalagepoppen tentoonstellen wat de vrouwen verborgen houden onder hun sluiers. De koffietentjes in populaire uitgaansgebieden rondom Bursa, de Egyptische effectenbeurs, en bij het Urabiplein zitten vol jongeren en dagjesmensen, mannen en vrouwen die gezamenlijk theedrinken en waterpijp roken terwijl het luidruchtige leven van de stad voorbijtrekt.

Koopmannen lopen er af en aan met sokken, aanstekers, kleerhangers, dvd's, goedkope parfums, zonnebrillen, pinda's en goedkoop Chinees speelgoed terwijl de zware bassen van Egyptische popmuziek uit de boxen dreunen die bij vrijwel elke winkel staan opgestapeld. De geur van de houtskool die de waterpijp gaande houdt, zweet, autobanden, kattenpis, gebrande pinda's en uitlaatgassen is onontkoombaar. In het drukkende klimaat van de rivierbedding van de Nijl is frisse lucht vrijwel afwezig.

Langs de Nijl liggen paardenmenners onderuitgezakt in hun koets te wachten op toeristen terwijl ballon-, sap-, thee- en suikerspinverkopers hun koopwaar proberen te slijten. Even verderop proberen brutale jongens dagjesmensen te strikken voor boottochtjes op het water; slechts twee pond voor twintig minuten. Eenmaal op het water worden de speakers opengezet en klinken de nieuwste Egyptische en westerse hits terwijl de bootjes veranderen in een dansvloer waar de opvarenden hun nieuwste danspassen uitproberen.

Telefoonwinkels etaleren de nieuwste namaak en bioscopen pronken met de laatste Egyptische kaskrakers – steevast een mengelmoes van liefdesdrama en actiekomedie waarin de hoofdpersoon zichzelf al schreeuwend en gebarend in de meest benarde situaties werkt. Computer- en kledingwinkels, sapbarretjes, schoteltelevisie-installatiebedrijfjes, werkplaatsen, reisbureaus, kantoren, eet- en koffietentjes en natuurlijk toeristenwinkels wisselen elkaar af en blijven tot diep in de nacht open. Caïro is de stad met de langste werktijden ter wereld.[5]

Volgens een studie uit 2008 brengt deze neonkleurige zee van lawaai en bedrijvigheid overdag gemiddeld tussen de 85 en 95 decibel voort, vergelijkbaar met een grasmaaier die permanent ratelt.

Bijrijders van minibusjes roepen hun eindbestemming tegen niemand in het bijzonder, taxichauffeurs claxonneren naar medeweggebruikers en potentiële klanten langs de weg, terrasmedewerkers roepen elkaar van ver bestellingen door, luidsprekers op passerende scooters staan op maximaal volume, de gasflesverkoper ratelt met een stuk gereedschap langs zijn gasflessen en de lompenman maakt met schel stemgeluid zijn aanwezigheid kenbaar.

Naast de verstikkende stroom auto's zijn de wegen in dit deel van de stad het domein van voetgangers, bedelaars, schoenpoetsers, handelaren en de incidentele ezel, paard-en-wagen, pindakar of vuilnisman. Aangemoedigd door het getoeter om hem heen en te midden van een constante stroom verwensingen en grappen van overige chauffeurs, probeert iedere automobilist zijn weg te vinden in de straten van de stad. Volgens schattingen bewegen er dagelijks meer dan twee miljoen auto's door het grootstedelijk gebied van Caïro. Tachtigduizend daarvan zijn taxi's, die gemiddeld 150 kilometer per dag rijden. Dit komt neer op twaalf miljoen kilometer per dag.[6] Daarmee zijn taxi's mede debet aan de smogwolk die boven de stad hangt. De schatting is dat in Caïro gemiddeld twintigduizend mensen per jaar door aan luchtvervuiling gerelateerde ziektes het leven laten, en grofweg een half miljoen mensen melden zich jaarlijks met uiteenlopende klachten, van ernstige ademhalingsproblemen tot loodvergiftiging.

De taxi's zijn in de meeste gevallen eigendom van investeerders die de auto's twee keer per dag verhuren aan een chauffeur voor een vast bedrag per acht uur durende dienst. De auto is dus zestien uur op straat. De investeerder verdient een lekker zakcentje. De chauffeur doet dat op een goede dag ook, maar op slechte dagen neemt hij slechts wisselgeld mee naar huis.

Verkeersagenten in groezelige uniformen dienen het geheel in goede banen te leiden, maar ze zitten liever op hun krent langs de kant van de weg. Doorgaans worden 'kleine overtredingen', zoals spookrijden, fout parkeren en te hard rijden, door de vingers gezien. De agenten zijn echter berucht om hun willekeur en reageren hun frustraties af op weggebruikers door smeergeld te eisen voor misstappen van weggebruikers. Toch worden de meeste geschillen opgelost met kortstondig geschreeuw, humor en gebaren.

Het decor van dit overweldigende schouwspel wordt gevormd door de sierlijke maar inmiddels door stof en uitlaatgassen grijs geblakerde gebouwen van koloniaal Caïro, gebouwd tussen 1863 en 1952, toen Europese mogendheden een flinke vinger in de Egyptische pap hadden.

In dit deel van de stad, dat zich uitstrekt van Abbasiya in het noordoosten tot aan Garden City in het zuiden, woonden in het begin van de vorige eeuw driemaal zoveel buitenlanders als Egyptenaren. In de lanen van dit stadsdeel kon een bezoeker in 1908 slechts één autochtoon onderscheiden: een Soedanese portier die voor een van de reusachtige villa's op een bankje zat (Soedan en Egypte vormden tot 1956 één land).[7] Tot aan de Tweede Wereldoorlog bleven Grieken, Britten, Fransen, Italianen en Armeniërs zich vestigen in dit deel van de stad, waarop zij een blijvende invloed zouden uitoefenen.

Op foto's uit die tijd is te zien hoe mannen met bolhoeden en vrouwen in lange rokken zich in koetsjes voortbewogen door de brede, schone en vrijwel verlaten lanen van Caïro. Waar nu geparkeerde auto's staan te roesten onder een dikke laag stof, stonden ooit rijen bomen die de vooraanstaande bezoekers van de stad dienden te beschermen tegen de woestijnzon. De stijlvolle panden die het asfalt in de binnenstad flankeren, zijn verkleurd en verzakt. Het zijn de in verval geraakte overblijfselen van een tijd waarin Europese normen dominant waren en de afstand tussen stad en platteland vele malen groter was dan nu. De transformatie van de stad in de afgelopen eeuw is bijna niet voor te stellen.

Ver vóór de onafhankelijkheid van 1952 waren Caïro en Alexandrië, de tweede stad van Egypte, gelegen aan de Middellandse Zee, onderdeel van een netwerk van koloniale steden waar een kosmopolitische elite de dienst uitmaakte. Deze negentiende-eeuwse nouveaux riches verdienden een vermogen met de handel in Egyptisch katoen die cruciaal was voor de ontluikende industrialisering van Engeland en West-Europa, en lieten hun weelderige woonhuizen bouwen langs de westrand van het oude middeleeuwse Caïro.

Franse, Duitse, Oostenrijk-Hongaarse en Italiaanse, vaak Joodse architecten werden ingehuurd om het nieuwe stadsdeel een internationale allure te geven in lijn met de moderne Europese opvattingen van die tijd. De nieuwe stad moest zich kunnen meten met de wereldsteden van dat moment, en een waardig voorkomen bieden aan Egypte, overeenkomstig de belangrijke rol die het land speelde in het koloniale economische netwerk.

Officieel behoorde Egypte weliswaar tot het Ottomaanse Rijk, maar de zieke man van Europa was reeds ziek, en Europese kapers hielden de Egyptische kust nauwlettend in de gaten. Gedurende de tweede helft van de negentiende eeuw wisten met name Frankrijk en Engeland invloed uit te oefenen vanwege de exorbitante leningen die Egyptische leiders waren aangegaan. Verblind door de rijkdom van Europa hadden zij jarenlang geld geleend voor prestigeprojecten om de uiterlijke glorie van Europa na te bootsen.

Met de opening van het Suezkanaal in 1869 vormde Egypte vooral voor Engeland een belangrijke schakel in de handel met India. Toen in 1879 een nationalistische opstand, geleid door kolonel Ahmed Urabi, zich tegen kedive Tawfiq Pasja keerde, die de belangen van de Ottomanen en de buitenlandse crediteuren vertegenwoordigde, grepen de Engelsen in 1882 militair in.[8] Vanaf dat moment was Egypte de facto een Engelse kolonie. Deze toestand werd echter pas officieel in 1914, aan de vooravond van de Eerste Wereldoorlog.

Het verarmde middeleeuwse deel van de stad werd verwaarloosd en het mondaine Caïro werd de gevel van de stad. Maar de glans was slechts oppervlakkig. De rijkdom was in handen van buitenlanders en een kleine Egyptische elite.[9] De winsten verdwenen naar de koloniale hoofdsteden van Europa. De strategische ligging van Egypte, op de grens tussen Afrika en Azië, het Suezkanaal, de relatief goede infrastructuur en de overvloedige aanwezigheid van vruchtbaar land en goedkope arbeid maakten Egypte tot een goudmijn. Maar de bijbehorende mijnwerkers, de boeren en de arbeiders die de winsten van de grootgrondbezitters en de handelaren produceerden, zagen maar weinig terug van de inspanningen die ze leverden. Voor hen bestonden er meer plichten dan rechten in koloniaal Egypte en stond het chique stadshart symbool voor de economische ongelijkheid.

Hoewel er halverwege de twintigste eeuw serieuze pogingen werden ondernomen om een einde te maken aan deze economische tegenstellingen, leek er aan de vooravond van de Egyptische revolutie weinig te zijn veranderd. In 2011 leefden veruit de meeste Egyptenaren nog altijd in armoede terwijl een kleine elite immense rijkdommen vergaarde. In de koloniale tijd woonden deze *happy few* afgeschermd van het gepeupel in de tegenwoordige binnenstad. De huidige zakenelite woont in vergelijkbare bubbels, *gated communities* genaamd, ver buiten de stad. Werd Downtown gebouwd volgens Europese maatstaven, de oorden van de nieuwe generatie rijken zijn perfecte kopieën van de Amerikaanse *suburbs* waar privéondernemingen de functie van de staat hebben overgenomen en arme mensen slechts komen om te werken. Aan vrijwel elke zijde van de stad liggen deze nederzettingen met uitheemse namen als Pyramid View, Palm Hills, Le Reve en Beverly Hills.

Net als in de Britse tijd werd de economie onder Mubarak gedragen door investeringen uit het buitenland, een megalomane staat en financiële hulp uit het Westen – met name uit de Verenigde Staten. En net als in de Britse tijd stond economische macht gelijk aan politieke invloed. De Britten steunden de Egyptische monarchie en wisten op die manier invloed uit te oefenen. Amerika hield Mubarak in het zadel.

De militaire koloniale bezetting mocht dan al sinds 1952 ten einde zijn, onafhankelijk was Egypte onder Mubarak slechts in naam.

———

Na zes maanden Arabische studie besloot ik in de zomer van 2009 mijn verblijf in Egypte te verlengen. Nu mijn studie achter de rug was, zocht ik Philip weer op. Na jaren in het verre zuiden van de stad te hebben gewoond was hij ook klaar om naar het bruisende hart van de stad te verhuizen. We besloten huisgenoten te worden en vonden een appartement in de wijk Abdien, op de vierde verdieping, boven een levendige markt. Ik vond een parttimebaan bij een Nederlandse basisschool en begon te schrijven voor zowel Engelstalige Egyptische kranten als Nederlandse media.

Op werkdagen reisde ik per metro langs de arbeidershuizen van El-Malek El-Saleh, de eeuwenoude christelijke wijk Mar Girgis (Sint Joris) en de op elkaar gestapelde sloppenflats van Dar El-Salam naar de lommerrijke wijk Ma'adi in het zuiden van de stad. Als de bruggen en fly-overs die het aangezicht van de hoofdstad bepalen verkeersaders zijn, vormen de drie metrolijnen van de stad de aorta. Ruim vier miljoen mensen maken er dagelijks gebruik van. Zowel 's ochtends als 's avonds zit de metro stampvol uitgeputte, ongezond uitziende mensen: Caïro's werkende bevolking. Mannen met bezwete gezichten en verweerde aktetassen vechten tegen de slaap terwijl ze de afstand van woning naar werk afleggen, of andersom. Luidruchtige studenten stappen uit bij de universiteit, gezinnen zitten dicht tegen elkaar aan en boeren kijken enigszins onwennig om zich heen terwijl ze een of ander vergeeld document in hun knoestige handen geklemd houden.[10]

Om de haverklap stappen verkopers de coupé binnen. De handelswaar, boekjes om Engels te leren, kleine korans voor op reis of het nieuwste keukengerei, wordt tijdens een oorverdovend verkooppraatje achteloos bij de reizigers in de schoot geworpen. De meesten kijken niet op of om. Even later komt de verkoper terug om de koopwaar weer op te halen, of, in een enkel geval, geld in ontvangst te nemen. Een enkeling praat, of reciteert fluisterend verzen uit de Koran, maar de meeste reizigers kijken moedeloos en slaperig voor zich uit. In de metro van Caïro is de zwaarte van het bestaan van Egyptes werkenden voelbaar. Zo levendig als de straten van de stad zijn, zo uitgewrongen lijken de mensen in de metro. Het is niet ongewoon voor mensen om twee banen te hebben om de eindjes aan elkaar te knopen. Sayyid, de zwaarlijvige barman in mijn stamkroeg de Stellabar, werkt overdag als ambtenaar bij het ministerie van Onderwijs en haast zich na zijn dagtaak naar Downtown voor de avonddienst in het piepkleine barretje. En zo zijn er ook duizenden taxichauffeurs die na hun dagtaak of studie in de auto stappen om iets extra's te verdienen.

Voor mijn werk als journalist kwam ik in aanraking met de keerzijde van Egypte en verdween de gloed van de vergane glorie van Downtown naar de achtergrond. Ik leerde over systematische martelingen, armoede en machtsmisbruik. Het werkelijke Egypte bleek een keiharde en cynische politiestaat, een staat die aan elkaar hing van corruptie en nepotisme, die de rechten van zijn burgers minachtte.

Sinds 1981, het jaar waarin Mubarak aan de macht kwam, geldt in Egypte de noodtoestand. De daarvoor in het leven geroepen noodwet stelde veiligheidsdiensten in staat demonstraties op te breken of te verbieden, publicaties te censureren, persoonlijke communicatie af te luisteren en personen willekeurig te arresteren en voor onbepaalde tijd zonder aanklacht vast te houden. Verdachten konden bovendien in speciale militaire rechtbanken worden berecht zonder advocaat of mogelijkheid om in beroep te gaan. Deze wet was een reactie op de spectaculaire moord op president Anwar Sadat, de voorganger van Mubarak, en werd sindsdien elke zoveel jaar verlengd op basis van een veronderstelde terreurdreiging. Toch waren het niet alleen potentiële terroristen die moesten lijden onder de sadistische praktijken van de Egyptische veiligheidsdiensten.

De noodwet was het voornaamste middel in handen van de staat om de gehele bevolking angst aan te jagen en op afstand te houden. Volgens mensenrechtenorganisatie Human Rights Watch was er onder Mubarak sprake van 'wetteloosheid': er was geen enkel werkend mechanisme dat de veiligheidsdiensten kon beteugelen. De politie kon dus ongestraft haar gang gaan. Marteling was daarbij aan de orde van de dag. Tussen 1993 en 2004 registreerde de Egyptische Organisatie voor Mensenrechten 532 gevallen van marteling, waarvan in 120 gevallen het slachtoffer zijn ervaringen niet kon na-vertellen. Politieke oppositie, criminelen, lastpakken en iedereen die niet de juiste contacten of voldoende middelen had, was een potentieel slachtoffer. Volgens Aida Seif El-Dawla, een psychiater en voorzitter van het El-Nadim Centrum voor de Rehabilitatie van Slachtoffers van Geweld, was marteling geen uitzondering. In een publicatie uit 2009 stelt zij dat het regime van Mubarak systema-tisch gebruikmaakte van marteling om de bevolking te terroriseren en gehoorzaamheid af te dwingen. De 532 gedocumenteerde geval-len vormen dus slechts het topje van de ijsberg.

De martelpraktijken van het regime maakten dat Egypte de meest logische partner was in het illegale *extraordinary rendition*-programma van de Amerikaanse inlichtingendiensten. Vanuit de hele wereld werden terreurverdachten naar Egypte gevlogen om daar verhoord en gemarteld te worden.[11]

In het najaar van 2009 sprak ik met twee arme broers uit Kafr el-Dawwar, een middelgrote stad in het noorden van het land, die bij een geschil om een stuk landbouwgrond opgepakt en uitgebreid gemarteld waren door de politie. De mannen beweerden dat de huidige eigenaar van het stuk land in kwestie, een invloedrijke (en dus corrupte) zakenman uit een nabijgelegen dorp, opdracht had gegeven voor hun arrestatie. Toen de broers met vrienden en fa-milieleden genoegdoening gingen eisen bij het politiebureau waar ze gemarteld waren, werden ze uitgescholden en bedreigd. In de daaropvolgende weken werden de broers en leden van hun familie er herhaaldelijk aan herinnerd dat zwijgen toch echt het beste was voor hun veiligheid. Dergelijke gevallen waren talrijk.

De status-quo die door de martelingen in stand werd gehouden, was er een van pijnlijke economische tegenstellingen. Van de drie-entachtig miljoen Egyptenaren leefde meer dan 20 procent onder de internationaal vastgestelde armoedegrens van twee dollar per dag. Nog eens miljoenen leefden daar net boven. Volgens studies was in totaal meer dan de helft van de bevolking in meerdere of mindere mate afhankelijk van de overheidssubsidies op levensmiddelen als tarwe, bakolie, suiker en rijst. Elke dag stonden er lange rijen voor staatsbakkerijen, waar gesubsidieerde broden voor vijf piaster (een zevende van een eurocent) werden verkocht.[12] Tegelijkertijd ontving de rijkste 10 procent van de bevolking 30 procent van het totale inkomen. In Egypte leefden rijk en arm in totaal andere werelden. De permanente dreiging van geweld door de staat hield deze situatie in stand.

Naarmate de tijd verstreek, leerde ik beide werelden beter kennen. In de ene zag ik drukte, armoede en benauwde sociale normen. In de andere zag ik overbodige luxe en eindeloze mogelijkheden. Ik ontmoette jongeren die rondreden in gloednieuwe auto's, die beter Engels dan Arabisch spraken en geobsedeerd waren door de nieuwste merken die overwaaiden uit Amerika of de Arabische Golf. Zij waren niet al te geïnteresseerd in sociale verandering of verzet tegen de politieke en economische stand van zaken, juist omdat zij er wel bij voeren. Zij behoorden tot de hogere middenklasse en hadden hun vizier strak gericht op wat er zich boven hen bevond in de hoop daar ooit te komen. Zij waren de zoons van de (financiële) ondernemers die hadden geprofiteerd van het Mubarakregime – economie- en bedrijfskundestudenten aan privé-universiteiten, voor wie een succesvolle carrière geen onmogelijkheid was mits politieke stabiliteit gewaarborgd bleef en zij hun kostbare netwerk van hooggeplaatste contacten handig wisten te bespelen.

Net als elders in de wereld was er in Egypte in de laatste dertig jaar een nieuwe laag van bestuurders ontstaan, salesmanagers die behendig waren in het internationale jargon van het hedendaagse kapitalisme, die contacten hadden in binnen- en buitenland en die uitstekend waren gepositioneerd om te profiteren van de liberalisering onder Mubarak. Managers van internationale ketens boerden goed, net als ondernemers met netwerken in het Westen, China en uiteraard de Arabische Golfstaten. Zij waren het die maximaal profiteerden van de neoliberale koers van Mubarak en de weelderige maar beperkte vruchten plukten van zijn beleid. Lokale ambachten gingen verloren ten koste van goedkope producten uit China die de straten van Egypte overspoelden. De ambachtsman verloor zijn afzetmarkt, en sloot zich aan bij de grijze massa van het stedelijk proletariaat, de handelaar in Chinese prullaria verdiende bakken met geld.

Ik kwam in contact met Adam, een jongen van in de twintig die zijn typisch Egyptische naam Ahmed Abdel Aziz had ingeruild voor het hippere en internationaal klinkende Adam Nour. Hij was een prototype van de hierboven beschreven klasse en speelde zijn rol met verve. Omdat hij gedeeltelijk was opgegroeid in de Verenigde Staten, was zijn Amerikaans-Engelse accent niet aangeleerd en week hij daadwerkelijk af van de maatschappij waarin hij zich bevond.

De innemende Adam geloofde in God, en verzekerde me altijd dat hij ooit een vroom leven zou leiden, maar nu nog niet. Hij manoeuvreerde handig door de bevoorrechte klassen van de Egyptische maatschappij. Hij bezat een auto, woonde bij zijn moeder (zijn vader bekleedde een hoge functie binnen het veiligheidsapparaat), studeerde af en toe iets economisch, danste dagelijks in de chique nachtclubs van Caïro en had elke maand een andere vriendin. Daartussendoor richtte hij zich op zijn passie: telemarketing. Vanwege zijn Amerikaanse tongval, zijn bijzonder vlotte babbel en zijn gulle lach blonk hij uit in zijn vak: hij smeerde Amerikanen verzekeringen aan.

Adam was bevoorrecht en stoorde zich niet aan de grenzen van de politieke vrijheid. Het systeem werkte voor hem. Hoewel hij zichzelf een liberaal noemde, was hij bang voor de mening van de massa en zag hij de politiestaat als een noodzakelijk kwaad. Hij was eraan gewend geraakt dat de wetten voor hem flexibel waren en behandelde zijn armere landgenoten met achterdocht en dedain. Verandering was bedreigend voor hem. Tijdens de protesten tegen Mubarak in 2011 – en daarna – hield Adam zich afzijdig van de ontwikkelingen in zijn land in de hoop dat de onrust spoedig zou overwaaien. In de maanden die volgden op de val van Mubarak, verloren we elkaar uit het oog.

Via vrienden in die welvarende wereld leerde ik dat alles in Egypte te krijgen of te regelen was, mits je in staat was te betalen en de juiste mensen kende. Parkeerboetes, gevangenisstraffen en zelfs militaire dienst konden worden omzeild door je netwerk in te schakelen. Egyptische jongens moeten nog altijd tussen de één en drie jaar in militaire dienst, maar met de juiste *wasta* (connectie) hoeft de dienstperiode uit niet meer te bestaan dan eens in de zoveel tijd een hooggeplaatste militair rondrijden in zijn privéauto. De jongens zonder wasta – de meerderheid – dienden meestal drie jaar lang in ruim zittende soldatenkleding op wacht in een vervallen wachttoren van een snikhete woestijnkazerne.

Een goede vriend in die dagen, Ahmed Hefnawy, kende iemand op het ministerie van Verkeer. Voor slechts 100 pond (iets meer dan 10 euro) kon ik via hem een geldig rijbewijs bemachtigen, een doodnormale zaak, zo verzekerde hij mij. Hoe dacht ik dat hij aan zijn rijbewijs was gekomen?

In uitgestrekte volkswijken als Imbaba en Waraq op de westoever van de Nijl, Ramlet Bulaq ten noorden van het centrum, delen van Moqattam aan de oostrand van de stad, Manshiyet Nasr, Helwan, Ard el-Lewa of welke buurt dan ook was de situatie echter anders. In deze wijken werd de staat als partijdig of zelfs vijandig ervaren en woog de last van corruptie en machtsmisbruik het zwaarst. In deze delen van de stad werd het vuilnis nauwelijks opgehaald, werden scholen niet gebouwd en moest elektriciteit door bewoners illegaal worden afgetapt van het reguliere netwerk. De overgrote meerderheid woonde in Caïro in dergelijke wijken.[13]

Men werkte er over het algemeen als dagloner of als manusje-van-alles in de informele economie – door de Wereldbank aangeduid als werkenden die geen belasting betalen of bijdragen aan sociale lasten. Volgens schattingen zijn er maar liefst tien miljoen informele banen in Egypte. In 2010 was bovendien 85 procent van alle middelgrote en kleine bedrijven actief in de informele sector.

Werknemers in de informele sector maakten soms (veel) winst, maar van een zeker bestaan was geenszins sprake. Omdat ze geen

enkele rechtspositie hadden, werden ze vaak meedogenloos uitgebuit en vormden ze een makkelijke prooi voor politieagenten die
een aanvulling zochten op hun karige loon. Meer dan eens zag ik
hoe de politie een razzia hield op een informele of zwarte markt –
provisorische kraampjes die waren samengeklonterd op de stoepen
van woonwijken of aan de randen van een officiële markt. Wanneer
de politie arriveerde, stoven de verkopers uiteen om een boete of
smeergeld te vermijden. Protesteren had geen zin. Als de verkoper
zich verzette, kon hij zich opmaken voor een pak slaag en een gevangenisstraf.

Beginnende agenten verdienden onder Mubarak vaak niet meer
dan 500 pond (65 euro) per maand. Toch was een baan 'in dienst
van het volk', zoals staat geschreven boven de ingang van elk politiebureau in het land, gewild. Het was een manier om aan de armoede
te ontsnappen. Extra inkomsten waren bovendien makkelijk te genereren. Niet alleen waren er de sporadisch in beslag genomen hoeveelheden drugs of andere (smokkel)waren die agenten onderling
verdeelden.[14] Ook kleine ondernemingen en automobilisten kon
makkelijk geld afhandig worden gemaakt. Onjuiste papieren, een
niet-werkend achterlicht, een zwijgende claxon en een haperende
ruitenwisser waren allemaal reden voor een boete en een lange gang
langs de Egyptische bureaucratie – tenzij het slachtoffer een beetje
smeergeld wenste te betalen. Om gedoe te voorkomen verstopte de
automobilist in de meeste gevallen een bankbiljet tussen zijn auto-
papieren. Het was een alledaags verschijnsel.

In een taxi moest mijn praatgrage chauffeur ooit met geld over
de brug komen toen een in het wit geklede politieagent met snor
hem met een simpel handgebaar tot stoppen maande. Dit tot grote
woede van de chauffeur, die wist dat de aanhouding zou betekenen
dat hij zijn zojuist verdiende geld zou moeten afstaan. Nadat hij
plichtsgetrouw een verfrommeld briefje van vijf pond had overhan-
digd, dezelfde prijs die we onderling overeen waren gekomen voor
mijn ritje, spuugde hij uit woede op zijn stuur en schreeuwde met
tranen in zijn ogen allerlei verwensingen naar de agent, die inmid-

dels ver achter ons was. 'De mensen in dit land worden gedwongen elkaar op te eten!' schreeuwde hij.

Amir, destijds een van mijn buurjongens, handelde in en gebruikte zelf verbluffende hoeveelheden hasj en andere verdovende middelen zoals tramadol, een pijnstiller die als drug de laatste jaren enorm populair is geworden bij de Egyptische jeugd. Met ingevallen ogen, maar energiek als altijd vertelde hij dat politieagenten in de buurt wisten wat hij uitspookte en hem zijn gang lieten gaan. Ze waren zelfs medeplichtig. Elke week moest Amir een bescheiden deel van zijn koopwaar afstaan aan de dienders, die er op hun beurt voor zorgden dat Amir het alleenrecht op de handel behield in zijn wijk – een soort gedoogbeleid dus. De vrienden van Amir, die overdag en 's avonds werkloos in de buurt rondhingen of computerspelletjes speelden in de lokale arcade, pikten allemaal een graantje mee van zijn handel, en werkten af en toe bij een van de kleine autowerkplaatsen in de buurt – zwart uiteraard.

Dat de staat door en door corrupt was, was algemeen aanvaard. Cynici stelden tijdens hoogoplopende gesprekken in koffiehuizen dat het beter was als het regime van Mubarak voor eeuwig aan de macht zou blijven. Eenieder die de afgelopen dertig jaar verbonden was geweest met het regime, had zijn zakken namelijk flink gevuld. Bij een nieuw regime zou dat proces van voren af aan beginnen, ten koste van de gewone man, zo redeneerde de cynicus. In een evaluatie van het investeringsklimaat in Egypte schreef de Wereldbank in 2008 dat 51 procent van de ondervraagde industriële ondernemingen en 40 procent van de bouwbedrijven gedwongen waren een betaling of gift te doen aan een hooggeplaatste ambtenaar van de staat om de nodige vergunningen te verkrijgen. Hierbij geldt wederom dat de werkelijkheid waarschijnlijk erger is dan de cijfers doen vermoeden.[15]

De grootste ergernis van de mensen was in die tijd echter niet eens de corruptie, het machtsmisbruik van de politie, de noodwet of de martelingen. Waar men zich echt druk over maakte, waren de haperende economie en het gebrek aan sociale mobiliteit. Bijna 70 procent van de Egyptenaren was in 2006 onder de dertig. Veel van hen hadden gestudeerd, maar kwamen nu nauwelijks meer aan een baan. In het gemiddelde Egyptische gezin gaan de kinderen niet uit huis voor ze getrouwd zijn, en wordt er niet getrouwd voor men een baan en een acceptabele woning heeft. Het gebrek aan banen leidde dus tot sociale stagnatie; hoogopgeleide twintigers en dertigers woonden vaak nog thuis en konden derhalve weinig tot geen seksuele ervaring opdoen. De reeds genoemde Ahmed Hefnawy, een dertiger, had bijvoorbeeld nog nooit intiem contact gehad met een meisje. Hij wachtte op de ware, zei hij altijd schuchter. Jongeren zoals Ahmed hadden gestudeerd en waren grootgebracht met ideeën over eeuwig toenemende welvaart en geloofden dat een degelijke opleiding de sleutel vormde tot succes. Tegenvallende economische groei en grootschalige corruptie hadden die droom echter uiteen doen spatten. In 2010 was 20 procent van de jonge mannen en 15 procent van de jonge vrouwen hoogopgeleid. Tegelijkertijd kon volgens officiële cijfers een vijfde van de mannen en meer dan de helft van de vrouwen geen passend werk vinden. De meesten van hen verdwenen vervolgens in de informele economie.

Niet alleen in de steden was het leven de laatste jaren grimmiger geworden. Ook in de landbouw – traditioneel de grootste sector van Egypte – ging het onder Mubarak de verkeerde kant op. Sinds eeuwen werden de vruchtbare gronden van het Nijldal bezongen. Wereldrijken werden erdoor gevoed. In de laatste dertig jaar is de lokale agricultuur echter uitgehold ten gunste van megalomane landbouwbedrijven die produceren voor de wereldmarkt; tegenwoordig is Egypte voor meer dan 50 procent van zijn voedselbehoefte afhankelijk van import en is het de grootste importeur van tarwe ter wereld.

In de jaren vijftig van de vorige eeuw werden progressieve landhervormingen doorgevoerd om de positie van kleine en middelgrote boeren te verstevigen. President Mubarak draaide die wetten veertig jaar later terug en faciliteerde de terugkeer van het grootgrondbezit. Kleinere boeren werden van hun land verdreven en eindigden in veel gevallen in de immer uitdijende informele wijken aan de rand van urbaan Egypte of in loondienst bij een van de immense landbouwfabrieken.

Het witte goud van de Egyptische landbouw, hoogwaardig katoen, verdween in hetzelfde tijdsbestek vrijwel volledig van de uitgestrekte akkers aan beide zijden van de Nijl. Tot en met de vroege jaren negentig was de katoenteelt het paradepaardje van de Egyptische landbouw die met protectionistische wetten werd beschermd tegen internationale concurrentie. Op advies van het IMF verwijderde Mubarak de handelsbarrières, waardoor duizenden voorheen zelfstandige boeren hun inkomsten zagen dalen.

Voor een artikel reisde ik door de noordelijke Nijldelta waar een bioloog en verschillende boeren mij wezen op de gevolgen van verzilting in de omgeving. Steeds meer boeren trokken weg uit de regio of stapten over op de veel minder lucratieve visteelt omdat de grond in veel gevallen te zout was geworden. De verzilting van de vruchtbare deltagrond was een indirect gevolg van de bouw van de Hoge Dam bij Aswan eind jaren vijftig, waardoor de uitwaartse druk van de Nijl was afgenomen. Tegelijkertijd zorgden verouderde irrigatiemethodes stroomafwaarts ervoor dat miljoenen liters water verdampten. Er was dus minder aanvoer van zoet water uit het binnenland waardoor het zoute water langzaam maar zeker landinwaarts kwam. Een ramp voor de lokale economie en voor de toekomst van de Egyptische landbouw.

Die ontwikkeling was exemplarisch voor de algehele toestand van het land. Natuurlijke rijkdommen – water, grond en mensen – werden uitgebuit of regelrecht misbruikt. Kortetermijnplanning, corruptie en hebzucht hadden Egypte op de rand van de afgrond gebracht. Het land leefde op de pof bij internationale donoren die hun leningen verbonden aan politieke en economische invloed.[16] De belangen van geldschieters uit de olierijke Arabische Golf en uit het Westen werden daardoor belangrijker dan de noden van de eigen bevolking. Lokale beleidsbepalers, opportunistische politici en zakenlieden speelden het spel gewillig mee. Zij hadden zelden oog gehad voor het geheel en wisten zich gesteund door de staat.

Deze realiteit stuitte echter op verzet. Want hoeveel onrecht ik ook zag, en hoeveel schijnbaar onoplosbare problemen waarmee Egyptenaren werden geconfronteerd, er was sinds een aantal jaren een nieuwe wind gaan waaien. Tijdens mijn eerste twee jaar in Egypte waren het de stakingen en andere vormen van protest die het meest in het oog sprongen. De staat mocht dan een gewelddadig en roekeloos instituut zijn, overal zag ik mensen terugvechten.

Zo bezocht ik in de eerste maanden van 2010 arbeiders van textielfabriek Amonseto in de Tiende van Ramadan, een satellietstad van Caïro vernoemd naar de islamitische datum waarop Egypte een verrassingsaanval uitvoerde op de Israëlische linies bij het Suezkanaal in de oorlog van 1973.[17] De arbeiders waren al jaren verwikkeld in een conflict over hun pensioenregelingen met Banque Misr, een staatsbank, nadat de eigenaar van de fabriek geweigerd had zijn werknemers uit te betalen en het land was ontvlucht. Na vele loze beloftes van de bank besloten de arbeiders in maart van 2010 de stoepen voor het parlement te bezetten, midden in het hart van de hoofdstad. De Amonseto-arbeiders lagen drie weken lang op wollen dekens voor de deur van het parlement om de regering onder druk te zetten. Tegelijkertijd hield een aantal van hen de wacht bij de verlaten fabriek. Met zaklampen in hun handen vertelden zij dat de bank af en toe knokploegen langs de fabriek stuurde om de arbeiders angst aan te jagen. De bank wilde de enorme machines en de grond waarop de fabriek was gebouwd verkopen, maar kon weinig beginnen zolang de arbeiders weigerden mee te werken. Aan de vooravond van de revolutie was dit conflict nog altijd onopgelost.

Dit patroon van protest werd in die dagen de norm. Allerlei maatschappelijke groepen met uiteenlopende eisen trokken in de eerste maanden van 2010 naar het parlement. Alle andere manieren om aandacht te vestigen op hun grieven waren nutteloos gebleken en ten einde raad nam men het besluit om hun protest naar het veronderstelde centrum van de macht te brengen. Er waren fabrieksarbeiders, leraren, studenten, boeren en zelfs gehandicapten die elkaars voorbeeld volgden. Zij protesteerden op de stoepen van het parlement, soms dagen achtereen. Op sommige dagen was de gehele straat vol met provisorisch opgezette tentjes, dekens, en roepende en picknickende betogers. Het was iets minder dan een jaar voor het uitbreken van de revolutie maar het was een teken aan de wand.

Naast deze ongereguleerde, veelal arbeidsgerelateerde protesten werd er in die tijd vrijwel wekelijks een betoging georganiseerd op het bordes van het journalisten- of advocatensyndicaat. Beide plekken waren gedoogde vrijhavens waar men in die tijd, mits het binnen de perken bleef, een afwijkende politieke mening mocht verkondigen. De enkele tientallen betogers die meestal naar een dergelijk protest toe kwamen, werden dan omsingeld door een overmacht aan veiligheidspersoneel zodat anderen zich niet zouden aansluiten zonder twee keer na te denken.

Philip was in die tijd betrokken bij verschillende campagnes. Overdag schreef hij zijn scriptie en in de avonduren probeerde hij soms als journalist maar vooral als filmmaker bepaalde maatschappelijke problemen aan te kaarten. Gedurende zijn jaren in de Gazastrook had hij een korte film gemaakt over het alledaagse verzet tegen de Israëlische bezetting. Nu deed hij hetzelfde in Egypte. Zo maakte hij onder andere een korte film om het gebruik van marteling aan te kaarten. Na de vertoning van de film tijdens een bijeenkomst op het journalistensyndicaat sprak hij het publiek toe en zei hij: 'Alleen gezamenlijk kunnen we in actie komen tegen marteling.'

Samen bezochten we dat jaar talloze demonstraties. Hoewel ons huis zich midden in een volkswijk bevond, lagen de meeste ministeries en het parlement slechts enkele honderden meters verderop. De betogers die daar hun eisen kenbaar kwamen maken, lagen dus min of meer in onze achtertuin. Vrijwel dagelijks liep ik langs deze wanhopige menigte en af en toe ging ik naast hen zitten om hun verhalen aan te horen. De details liepen uiteen, maar de kern was altijd dezelfde. Deze mensen leefden al jaren met het onrecht dat hun werd aangedaan door de staat. Zij konden zich tot niemand richten en kwamen daarom nu zelf in actie.

Ik besefte dat de protesten een noviteit waren – het bewijs van het feit dat Egyptenaren mondiger werden in hun verzet. De geest van protest waarde rond, zoveel was duidelijk. De spreekwoordelijke emmer was vol, maar niemand leek het in de gaten te hebben. Protest werd alledaagser maar het regime weigerde de voortekenen te erkennen. Tegelijkertijd was de (economische) situatie van de doorsnee-Egyptenaar niet langer houdbaar. Een confrontatie kon niet heel lang uitblijven.

2

Aan de vooravond van de Egyptische revolutie, in de namiddag van 25 januari 2011, terwijl demonstraties tegen het bewind in Egypte pas net waren begonnen, stelde de Amerikaanse minister van Buitenlandse Zaken Hillary Clinton dat het regime van Mubarak 'stabiel' was en, zoals altijd, zocht naar 'manieren om tegemoet te komen aan de wensen van de Egyptenaren'. Het was een grove misvatting.

Die dag klonk de slogan die de Arabische wereld maandenlang zou beheersen voor het eerst langs de oevers van de Nijl: 'Het volk wil het regime ten val brengen!' Deze simpele zin, gemunt in de straten van Tunesië, drukte het verlangen uit van miljoenen mensen in de regio, die na jaren van repressieve stabiliteit verlangden naar verandering. Nog geen twee weken na de vlucht van de Tunesische dictator Ben Ali naar Saoedi-Arabië trokken Egyptenaren onder dezelfde banier ten strijde. Men eiste het vertrek van het regime, brood, vrijheid en sociale rechtvaardigheid.

Dit was het begin van de zogenaamde Arabische Lente, die van Marokko tot Bahrein en van Jemen tot Syrië blijvende sporen achter zou laten. Regimes die decennia aan de macht waren geweest en die zich veilig waanden voor binnenlands oproer, werden ten val gebracht of wakker geschud door de echo van deze kreet uit de straten van Tunesië.

Wat begon met een wanhoopsdaad van een eenling, werd een beweging van volkeren, een beweging die de toekomst van de regio drastisch zou veranderen. Als een moderne Gavrilo Princip zette een fruitkoopman in de Tunesische woestijn een kettingreactie in gang die hij zelf nooit voor mogelijk had kunnen houden. Maar evenals de moordaanslag van Princip, die in 1914 met een enkel schot in Sarajevo de Eerste Wereldoorlog in gang zette, was de zelfverbranding van Mohamed Bouazizi niet de oorzaak, het was slechts de vonk in een uiterst ontvlambare situatie.

Van de leiders in Noord-Afrika die in 2011 na meer of minder gewelddadig protest het veld moesten ruimen, was Zine El Abidine Ben Ali van Tunesië relatief gezien een groentje. Hij was 'slechts' drieëntwintig jaar aan de macht geweest op het moment dat zijn volk in opstand kwam. Aan zijn oostgrens was kolonel Gaddafi sinds 1969 alleenheerser van Libië, en in Egypte was Mubarak aan de macht sinds 1981. Ze waren bejaarde giganten uit een ander tijdperk die met hun verstikkende politiek de regio gesloten hielden en positieve verandering in de weg stonden.

Alle drie onderhielden ze, ondanks hun dictatoriale neigingen en eindeloze mensenrechtenschendingen, nauwe banden met het Westen. Met name Egypte vormde sinds de vrede met Israël van 1979 een van de steunpilaren in een door Washington ontworpen stabiliteitsplan voor de regio.[18] Alle drie regeerden ze op basis van patronagenetwerken en vriendjespolitiek en alle drie hadden ze al lang geleden hun krediet bij het volk verspeeld.

Dus hoe kon het dat de Amerikaanse minister van Buitenlandse Zaken een dergelijke opmerking kon maken, slechts achttien dagen voordat de ad hoc benoemde vicepresident Omar Suleiman het gedwongen vertrek van president Mubarak via de staatstelevisie bekendmaakte? Was deze golf van protest werkelijk zo onverwacht?

Ik denk het niet. Je moest alleen weten waar je moest kijken.

Op 25 januari zat ik thuis, alleen, in een studentenkamer driehoog in Amsterdam. Na anderhalf jaar in Caïro te hebben gewoond besloot ik in de zomer van 2010 terug te keren naar Nederland om mijn studie voort te zetten.

Sinds de val van de Tunesische president Ben Ali weergalmde de oproep voor een Egyptische 'Dag van Woede' op de sociale media waar ik mijn Egyptische vrienden bleef ontmoeten. Als reactie op de gebeurtenissen in Tunesië hadden activisten 25 januari bestempeld als dag van protest tegen het regime. Deze datum was in 2009 door Mubarak uitgeroepen tot Nationale Dag van de Politie, een feestdag om stil te staan bij de offers van het Egyptische politiekorps in de strijd voor onafhankelijkheid zestig jaar eerder.[19] In de tussenliggende jaren was de rol van de politie echter nogal ingrijpend veranderd. Egyptische agenten waren niet meer de eventuele bondgenoten in een strijd tegen repressieve machtsstructuren. Onder Mubarak en zijn dictatoriale voorgangers vormden zij de eerste verdedigingslinie van een repressief regime en de sterke arm der willekeurige wet. De *yom al-shurta* (dag van de politie) was dus een mooie gelegenheid voor protest.

De avond ervoor zag ik op mijn laptop hoe Selma Saïd, een vriendin die ik twee jaar eerder had leren kennen tijdens het avontuur met Philip en de veiligheidsdienst, op een van Egyptes commerciële televisiekanalen kwam uitleggen waarom zij de volgende dag de straat op zou gaan. In de studio van het programma *Baladna* ('Ons Land') zei ze tegen presentatrice Reem Maged dat het simpelweg een dag moest worden waarop Egyptenaren hun woede zouden uiten. 'Er zijn zoveel redenen om woedend te zijn,' voegde ze daar zelfverzekerd aan toe.

De toen vijfentwintigjarige Selma is een telg uit een familie van politieke activisten en was ondanks haar jonge leeftijd sinds een jaar of acht zelf ook een bekend gezicht bij protestacties in de straten van Caïro. Ze had Engels gestudeerd, was getrouwd met een Engelsman, en werkte bij een culturele instelling in Caïro. In haar vrije tijd deed ze aan toneel en hield ze zich bezig met politiek activisme.

Haar grootvader was een van de oprichters van de communistische partij van Egypte en zat onder de verschillende regimes van de laatste vijfenzestig jaar af en toe tijdelijk in de gevangenis, vijftien jaar in totaal. Haar ouders – haar moeder is christen en haar vader moslim, een unicum in Egypte – ontmoetten elkaar tijdens de hoogtijdagen van de studentenbeweging in de jaren zeventig, waar ze allebei actief bij betrokken waren. Politiek werd er bij Selma met de paplepel ingegoten, evenals een afkeer van de politie.

In 1989, Selma was toen vier, viel de staatsveiligheidsdienst binnen bij de familie Saïd, op zoek naar de man des huizes die betrokken was geweest bij de organisatie van een staking in een staalfabriek in Helwan, een zuidelijke satellietstad van Caïro. 'Ik weet het nog goed,' vertelde Selma op een avond. 'Ze kwamen binnen met wapens en gooiden alles in het huis omver. Ik besefte eerst niet wat er gaande was en vroeg aan mijn vader waarom zijn vrienden wapens droegen. Hij keek me streng aan en zei toen: dit zijn niet onze vrienden. Uiteindelijk gingen de agenten ook mijn kamer binnen. Ik probeerde hen toen te slaan met een groot Chinees potlood dat ik van mijn ouders had gekregen. Even later namen ze mijn vader mee. Voor hem was dat geen groot probleem. Hij wist maar al te goed wat de risico's waren. Voor mij was het een openbaring.'

In 2003 werd ook haar moeder gearresteerd voor haar rol in het politieke activisme. Maar toen was Selma al ouder. Ze had inmiddels al meer gezien en begreep beter hoe de vork in de steel zat. Haar moeder werd twee weken vastgehouden. Dergelijke gebeurtenissen bepaalden Selma's blik op de wereld.

Vol zelfvertrouwen en met een onschuldige blik vertelde Selma die avond waarom men de volgende dag de straat op moest gaan. 'We zijn woedend vanwege de armoede in Egypte, vanwege de werkloosheid en het onrecht in de straten van Egypte, vanwege het gebrek aan vrijheden en de stijgende prijzen. We worden al dertig jaar geregeerd door een noodwet die ons zogenaamd dient te beschermen. Maar wat betekent die bescherming in werkelijkheid? Wij willen een einde aan die noodwet en een vervolging van de politieagenten die verantwoordelijk zijn voor de marteling en dood van Khaled Saïd.'[20]

Samen met activist en advocaat Haitham Mohamedein nam Selma het in het programma op tegen twee aanhangers van het regime die geloofden dat de protesten buitenlandse belangen dienden en tot doel hadden Egypte op te splitsen (de buitenlandse samenzwering om de eenheid van Egypte te ondermijnen is een eeuwig terugkerend en door de staat gekoesterd waanidee). Ene Marwa Hudhud, voorzitter van de campagne 'Mubarak is de beschermer van Egypte', stelde bovendien dat de president Egypte dertig jaar had behoed voor oorlog en interne verdeeldheid, een bewonderenswaardige prestatie volgens haar. Ze presenteerde het regime als het enige obstakel voor totale chaos en anarchie, een veelgehoord argument onder aanhangers van het regime. De betogers vertegenwoordigden volgens haar slechts een kleine minderheid van de Egyptenaren die zich bovendien alleen maar konden uitspreken vanwege de democratische hervormingen van de president.

De uitzending eindigde in een chaotische patstelling. De twee aanhangers van de president probeerden elkaar en de twee andere gasten te overschreeuwen in een poging de protesten in diskrediet te brengen. De twee activisten glimlachten tevreden. Zij hadden op de nationale televisie kunnen oproepen tot een historisch protest.

Geen van beiden durfde die avond echter het woord 'revolutie' in de mond te nemen. Hoewel de interactieve oproep voor het protest op 25 januari stoutmoedig sprak over 'de aanstaande Egyptische revolutie', was zowel Selma als Haitham die avond terughoudend. Volgens de twee activisten zou het een belangrijke dag worden in de strijd voor verandering in Egypte. Maar wat er de volgende dag ook zou gebeuren, het einde van de strijd was volgens beiden sowieso nog lang niet in zicht. 'We zullen ook na morgen de straat op blijven gaan totdat onze eisen zijn ingewilligd,' zei Selma aan het eind van het programma.

———

Terwijl Selma met tienduizenden anderen de straat op ging, beleefde ik de ontwikkelingen van de volgende dag via diverse interactieve kanalen en enkele kortstondige telefoongesprekken vanachter mijn bureau.

Selma was die dag vroeg op pad gegaan met twee goede vrienden. 'In de auto onderweg maakten we grappen over de revolutie die zogenaamd op het punt stond uit te breken. We lachten om de vraag waar we ons bij die revolutie zouden voegen. En we waren bang dat als we te laat zouden komen, we de revolutie zouden missen.'

Tijdens een voorbereidende bijeenkomst twee dagen eerder hadden activisten en politieke organisaties overeenstemming bereikt over een strategie voor 25 januari. Vanaf verschillende locaties verspreid door de stad zouden demonstraties proberen het Tahrirplein te bereiken. Confrontaties met de politie zou men zo veel mogelijk uit de weg gaan.

Selma en haar twee vrienden sloten zich aan bij een demonstratie in de wijk Mohandiseen. Ze waren uitzinnig. Zodra ze de menigte in het oog kregen, sprongen ze uit de auto en renden ze naar de demonstratie. Daar vlogen ze hun vrienden en bekenden in de armen. Ze voelden zich sterker dan ooit.

De leuzen die in de demonstraties werden aangeheven, richtten zich aanvankelijk tegen Habib el-Adly, de toenmalige minister van Binnenlandse Zaken die verantwoordelijk was voor de politie en de veiligheidsdiensten. Maar hoe meer mensen zich bij de betoging voegden, hoe radicaler de leuzen werden. De demonstraties die dag waren bedoeld als protest tegen het machtsmisbruik van de politie en tegen Habib el-Adly, maar groeiden uit tot een roep om de val van het regime. Die omslag vond plaats tijdens de mars.

De veiligheidstroepen waren duidelijk niet voorbereid op een dergelijke mensenmassa en wisten niet goed hoe ze moesten reageren. Ze draaiden zich om en trokken zich terug. Er waren weliswaar kleine aanvaringen, maar telkens ging de politie na geduw en getrek aan de kant, totdat de groep het Tahrirplein bereikte.

Selma en een vriendin stapten vol enthousiasme op de troepen af om te zeggen dat de betogers niet tegen hen waren, maar tegen de politieke orde. Ze probeerden de troepen ervan te overtuigen dat ze de demonstranten met rust moesten laten.

De stemming op het plein was even feestelijk en strijdbaar als tijdens de demonstraties – er waren alleen meer mensen. Het grote verschil met voorgaande protesten was dat er naast de vaste kern van enkele honderden politieke activisten duizenden nieuwe gezichten waren. Mensen die voorheen niets met politiek te maken wilden hebben, waren nu ook de straat op gegaan. Toen ze de mensenmassa zag, besefte Selma dat het een historische dag zou worden. Door de menigte op het plein raakte ze ervan overtuigd dat het regime zou vallen. Volgens haar had het vertrek van Ben Ali in Tunesië het verschil gemaakt. Zij geloofde niet dat Egyptenaren die dag door een angstbarrière braken. Angst was volgens haar nooit het probleem geweest. Een gebrek aan hoop was het probleem. En de Tunesische revolutie verschafte die hoop.

Tegen de avond van die eerste dag volgde op het plein de langverwachte aanval. De politie probeerde het plein op te komen, waar op dat moment duizenden mensen waren aangekomen. Veiligheidstroepen vuurden traangasgranaten af en schoten met waterkanonnen. Maar in de toegangswegen naar het plein boden de betogers hevig weerstand. Selma vertelde dat zij met open mond had staan kijken hoe een jongen op een rijdend waterkanon was geklommen en een politieman achter het kanon vandaan had gesleept. Ze vielen samen op de grond, waarna de politieman wegrende.

Op dat moment was er al een flyer in omloop met de nieuwe eisen van de dag, eisen die beter aansloten bij de radicale leuzen die in de demonstraties naar voren werden gebracht. Boven aan de flyer stond met dikke letters: HET VOLK WIL HET REGIME TEN VAL BRENGEN. De betogers eisten het aftreden van Mubarak, ontslag van de regering, ontbinding van het parlement en de vorming van een regering van nationale eenheid. Onder aan de flyer stond: LANG LEVE DE STRIJD VAN HET EGYPTISCHE VOLK. De nieuwe flyer vatte de progressie van de dag goed samen. Wat begon als een protest tegen politiegeweld, was veranderd in een aanklacht tegen de dictatoriale staat als zodanig. Dat veranderde alles.

Later die avond was Selma gedwongen het plein te verlaten om haar gewond geraakte man in veiligheid te brengen. Toen ze terugkwam, was de politie heer en meester. Het plein was gehuld in een dikke wolk traangas en overal werden arrestanten met veel geweld in politiebussen geladen. Langs de randen van het plein probeerden demonstranten zich te hergroeperen.

Selma sloot zich aan bij een groep betogers op het Abdel Moneim Riad-verkeersplein aan de rand van Tahrir. Daar, op dat moment, hoorde zij voor het eerst geweerschoten bij een demonstratie. Ook zag ze hoe iemand met een molotovcocktail een politiebus in de fik zette. Ze vond het een machtig maar verwarrend schouwspel. De brandende bus was het ultieme teken van verzet, maar het was ook een voorbode voor meer geweld.

De groep betogers waar zij zich bij had aangesloten, besloot in de richting van de wijk Shobra te marcheren, terug naar de plek waar een van de demonstraties eerder die dag was begonnen. Er waren geen leiders, maar er was ook nauwelijks onenigheid. Volgens Selma opereerde de groep als één geheel. Ze wilden, of beter gezegd ze kónden, niet ophouden met demonstreren. Naar huis gaan was simpelweg geen optie.

Eenmaal in Shobra was de demonstratie flink gegroeid. Een politiekordon wachtte de menigte echter op en in plaats van het gebruikelijke geduw en getrek, braken er direct massale rellen uit. Mensen hadden het gevoel dat het gevecht te winnen was en vlogen op de politie af. Ze waren woedend vanwege de gewelddadige aanval op Tahrir en ze voelden zich sterk.

Na een tijdje werden de gevechten te heftig voor Selma en besloot ze met een aantal anderen te schuilen op het dak van een gebouw. In een houten constructie op het dak woonde een oud stel. Selma klopte aan, legde uit dat ze bij de demonstratie hoorden en dat ze op de vlucht waren voor de politie. De man des huizes liet hen aarzelend binnen. Zijn vrouw maakte thee en zo zaten ze bijna een uur in volledige stilte in het duister te wachten tot het ergste geweld voorbij was. Niemand zei een woord. De oude man had de demonstranten slechts verward aangekeken. Vlak voordat ze weggingen, gaf hij ze één belangrijke waarschuwing mee. 'Wat er ook gebeurt in de komende dagen,' zei hij, 'pas op voor het leger en de Moslimbroederschap. Die zijn niet te vertrouwen.'

De inmiddels vergeelde flyer met de eisen van die dag hangt nog altijd op de koelkast bij Selma thuis. Het is een papieren aandenken aan de dag waarop haar leven voorgoed veranderde.

———

Voordat het plein die nacht definitief werd ontruimd door een overmacht aan veiligheidspersoneel, besloot men het drie dagen later, op vrijdag de 28 januari, dunnetjes over te doen. Overal in het land zou men die vrijdag in actie komen tegen het regime.

De meeste betogers waren echter niet van plan in de tussentijd naar huis te gaan in afwachting van de zogenaamde miljoenenmars op vrijdag. Gedurende de 48 uur die volgden werden overal in de stad ad hoc demonstraties uit de grond gestampt. In de wijken gingen groepen jongeren de straat op met flyers waarin werd opgeroepen voor het protest en in het centrum van de stad verzamelden activisten zich op de trappen van het journalistensyndicaat.

In 2009 had ik met vrienden op dezelfde trappen gestaan om de vrijlating van Philip te eisen, en sindsdien nog vele malen, om uiteenlopende redenen. Doorgaans waren dat kleine betogingen waarbij de politie veruit in de meerderheid was. In plaats van enkele tientallen demonstranten waren er nu echter honderden en velen van hen werden gearresteerd. De politie was in groten getale aanwezig, maar de agenten wekten een nerveuze en ongeorganiseerde indruk. Daarnaast was te zien hoe omstanders achter het politiekordon met de betogers mee scandeerden. Omsingelde normaliter de politie de demonstranten, nu was het andersom. Het was een teken aan de wand.

Het Tahrirplein bleef gedurende die twee dagen in handen van de veiligheidstroepen. Alle toegangswegen waren afgesloten door controleposten waar bewapende agenten in gepantserde politie- wagens voorbijgangers nauwkeurig in de gaten hielden. Een storm naderde en iedereen leek het te weten. In de chaotische straten van het centrum weergalmde die twee dagen een profetische leus: 'Ya Mohamed zeg tegen Bulis: morgen zal Egypte zijn zoals Tunis!'[21]

Het belangrijkste nieuws kwam in die twee dagen echter niet uit Caïro maar uit Suez, een havenstad aan de zuidelijke monding van het gelijknamige kanaal. Daar vonden op 26 en 27 januari hevige confrontaties plaats tussen veiligheidsdiensten en demonstranten waarbij ten minste twee dodelijke slachtoffers vielen. In het escale- rende geweld werden politieauto's en ten minste één politiebureau geplunderd en in brand gestoken. Daarmee was de toon gezet. Het nieuws over de ontwikkelingen had een bedrukkend en onheilspel- lend effect. Nu er bloed was gevloeid, kregen de gebeurtenissen een eigen dynamiek. Er waren doden gevallen en dat zou niet zomaar worden vergeven.

Op de avond van 26 januari zat ik tot diep in de nacht in het witte licht van mijn laptop te staren. Ik las paniekerige tweets uit Suez waarin werd gesproken over een slachting. Toegangswegen naar de stad waren naar verluidt afgesloten en journalisten moch- ten de stad niet in en hun hotels niet uit. Iedereen vreesde het erg- ste voor de ongeveer vijfhonderdduizend inwoners van de stad die te boek staan als antiautoritair. Online refereerde men aan Suez als het Egyptische Sidi Bouzid, de geboorteplaats van de Tunesische revolutie. Die avond werd duidelijk dat de baldadige oproep tot een revolutie op Facebook in elk geval voor een grote binnenlandse crisis had gezorgd, maar van een volksopstand was nog geen spra- ke. Hoewel de demonstraties groter waren dan ooit, bestond de kern van de protestbeweging, net als in voorgaande jaren, uit een netwerk van doorgewinterde activisten en activistische platforms die al jarenlang openlijk oppositie voerden tegen het regime. In de voorgaande tien jaar was dit netwerk uitgegroeid tot enkele duizenden ervaren activisten met uiteenlopende politieke affiniteiten, die verenigd werden door hun afkeer van de dictatuur.

Dit netwerk van activisten was een amalgaam van een generatie oudere activisten: taaie overblijfselen van de politieke onrust in de jaren zeventig, die hun engagement op de een of andere manier geïncorporeerd hadden in hun dagelijks bestaan, arbeiders en vakbondsmensen die in voorgaande jaren hadden gestreden voor betere werkomstandigheden aangevuld met jongeren die hun hele leven onder het bewind van Mubarak hadden geleefd, zoals Philip en Selma. Met name voor die laatste groep waren de eerste jaren van het nieuwe millennium bepalend geweest.

Honderden jongeren raakten in die jaren betrokken bij kleine politieke initiatieven die werden voortgestuwd door gebeurtenissen in binnen- en buitenland.

De jaren negentig werden op politiek vlak gedomineerd door een gewapend conflict tussen jihadistische groeperingen en het Egyptisch regime. Vooral in het rurale zuiden van Opper-Egypte had een combinatie van jarenlange marginalisatie, economisch wanbeleid en een gebrek aan politieke representatie geleid tot een vruchtbare bodem voor organisaties die Egypte gewapenderhand wilden zuiveren van 'corrupte en corrumperende' elementen.[22] Dit conflict diende als een van de vele rechtvaardigingen voor extreme veiligheidsmaatregelen, waaronder het in stand houden van de noodwet. Samenscholingen waren verboden en elke vorm van politieke oppositie lag aan banden. De straat was het domein van de staat, en protest was uit den boze.

Een gebeurtenis buiten de landsgrenzen bracht ouderwets straatprotest echter terug op Egyptische bodem. Een provocerend bezoek in 2000 van toenmalig Israëlisch oppositieleider Ariel Sharon aan de Tempelberg in Jeruzalem bleek het startschot voor de Tweede Intifada – opstand – van de Palestijnen tegen de Israëlische bezetting.

De opleving van het Palestijnse verzet leidde tot massale uitingen van solidariteit in Egypte. Op universiteiten en op straat presenteerde zich een nieuwe generatie Egyptenaren die de grenzen van het toelaatbare opzocht en geregeld overschreed, een generatie die niet van plan was om een geërfde status-quo zonder mokken te accepteren.

Door de gebeurtenissen in Palestina beseften voorheen geïsoleerde activisten van verschillende politieke gezindten dat het tijd was om samen te werken. Voor het eerst sinds jaren stonden Egyptes (gematigde) islamisten, socialisten, communisten, nasseristen en een enkele liberaal gezamenlijk op straat om uiting te geven aan een algemeen gevoel van onvrede. De demonstraties richtten zich in eerste instantie tegen Israël, maar in veel gevallen werden ook leuzen aangeheven tegen Mubarak en zijn positie in het Israëlisch-Palestijnse conflict.

In het profetische werk *Egypt, Moment of Change*, dat in 2009 werd uitgegeven, behandelen academici en activisten verschillende aspecten van de Egyptische maatschappij. De Egyptische politicologe Rabab el-Mahdi gaat in op het ontstaan van deze protestbeweging en spreekt over *cycles of protest*, terugkerende uitbarstingen van protest die elkaar opvolgden en versterkten. Zij noemt de solidariteitsdemonstraties tijdens de Intifada in 2000 de eerste cyclus, het begin van een beweging die onderlinge politieke onenigheid kon overstijgen. De demonstraties brachten nieuwe, voorheen apolitieke mensen met elkaar in aanraking en vormden daarmee de kiemen van nieuwe initiatieven waarin activisten met verschillende politieke affiliaties discussieerden over politieke doelen en strategieën. Er ontstonden nieuwe, niet-partijgebonden samenwerkingsverbanden en politieke platforms zoals de Volkscomités ter Ondersteuning van de Intifada, waar men over de grenzen van de partijpolitiek heen kon werken aan politieke bewustwording.

De demonstraties dat jaar waren bovendien het moment waarop een nieuwe generatie het stokje overnam. Volgens betrokkenen waren de eerste activiteiten rondom de Tweede Intifada georganiseerd door de laatste actieve restanten van de jarenzeventiggeneratie. Maar naarmate het jaar vorderde, namen nieuwe activisten het initiatief, activisten die de komende tien jaar vorm zouden geven aan een nieuwe Egyptische protestbeweging.

De volgende 'protestcyclus' was de oorlog in Irak in 2003. Op 20 maart verzamelden tienduizenden mensen zich op het Tahrirplein. Vijf dagen daarvoor, op 15 maart, demonstreerden miljoenen mensen wereldwijd (waaronder honderdduizend in Amsterdam), tegen de oorlog van Bush, Blair en Balkenende. Hoewel het massale protest de oorlog niet kon stoppen, liet het zijn sporen na in Egypte. Het was een van de grote stappen die het politieke bewustzijn van een revolutionaire generatie zouden vormen. Het Tahrirplein was bijna een vol etmaal in handen van duizenden betogers – een ongelooflijke stap vooruit voor de ontluikende protestbeweging. Die dag zou bekend komen te staan als de Tahrir-intifada.

Net als Selma maakte Ziyad Hawwas deze ontwikkeling van dichtbij mee. De gebeurtenissen rondom de oorlog in Irak vormden voor Ziyad het begin van zijn politieke leven. Vóór die tijd had hij naar eigen zeggen weinig met politiek, hij had hooguit een uitgesproken mening. 'In een land met zoveel armoede en zoveel corruptie is het niet moeilijk om elke vorm van autoriteit te wantrouwen,' zei hij ooit. Hij studeerde aan het Egyptisch filminstituut in Giza en ergerde zich aan zijn omgeving. Er was toen echter nog geen platform om zijn frustraties om te zetten in activiteiten.

Zijn beide ouders waren betrokken geweest bij de studentenbeweging in de jaren zeventig en stonden als intellectuelen kritisch tegenover het regime van Mubarak. Zijn hele leven hoorde Ziyad al verhalen over de politieke strijd van de generatie van zijn ouders, maar echt onder de indruk was hij nooit geweest. Ziyad was geboren in 1983, twee jaar nadat Mubarak aan de macht was gekomen.

Wat hij op 20 maart 2003 meemaakte op het Tahrirplein, voelde voor hem als een opluchting. Het was hoopgevend. Eindelijk gebeurde er iets. De mensen die terugvochten tegen de politie: het was een inspirerend schouwspel. Het regime werd geconfronteerd met massaal protest in het hart van de hoofdstad. Eindelijk! Die ervaring veranderde iets bij hem. Er ging een knop om in de hoofden van de mensen die daarbij waren.

Net als drie jaar eerder waren de demonstraties georganiseerd rondom een gebeurtenis in het buitenland, maar het ging evengoed over de situatie in Egypte – die twee zaken waren onlosmakelijk met elkaar verbonden. Het regime van Mubarak werd door de Amerikanen gefinancierd. Mubarak verleende politieke steun aan de oorlog. Hij was daarmee medeplichtig: zijn steun verleende Arabische legitimiteit aan het geheel.

Na de geslaagde bezetting van het plein besloten de betogers een dag later na het vrijdaggebed terug te komen. De politie was door de gebeurtenissen de dag ervoor echter beter voorbereid en honderden mensen werden door politie in burger van de straat geplukt, onder wie Ziyad. Zodra hij het plein op liep, werd hij met ongeveer vijftig anderen in een groene arrestatiewagen gegooid en met een rotvaart de stad uit gereden. In de bus zaten mensen die helemaal niets met het protest te maken hadden. Er waren een Jordaanse toerist en een vrouw die even daarvoor uit de bus was gestapt en op weg was naar haar werk. Iedereen werd geslagen door de agenten. Hun gedrag was lukraak en gewelddadig, maar zo werkte het regime. Op die manier zaaide het angst en paniek onder de mensen.

Na uren te hebben rondgereden op zoek naar een gevangenis waar nog ruimte was, werd Ziyad met twee medegevangenen apart genomen en geblinddoekt, en vervolgens door een officier naar het hoofdkwartier van de staatsveiligheidsdienst gereden. De rest bleef achter in een lege barak die tijdelijk dienstdeed als gevangenis.

Bij de staatsveiligheidsdienst moest hij urenlang wachten in een gang. Samen met tientallen anderen stond hij in de rij, in de kou. Onder de rand van zijn blinddoek kon hij de vloer zien en de voeten van zijn medegevangenen. Ze bevonden zich in een witte hal met fel licht uit zoemende tl-buizen. Om de zoveel tijd werd er een naam geroepen en ging iemand ergens een kamer binnen. Uit de kamer klonken gedempte stemmen. Iemand riep 'beken!' en vervolgens jammerde een andere stem *wallahi ya bey ma ba'rafsh haga* ('echt waar meneer, ik weet niets'). Daarna kon Ziyad duidelijk het geluid van een elektrische stoot onderscheiden, gevolgd door gekrijs. Deze martelgang duurde uren.

Pas diep in de nacht werd Ziyad vrijgelaten. Hij werd nooit verhoord of gemarteld. Waarom weet hij nog altijd niet. De volgende dag meldde hij zich als vrijwilliger bij het El-Nadim Centrum voor de Rehabilitatie van Slachtoffers van Geweld, een non-gouvernementele organisatie die werkte met slachtoffers van marteling en belangrijk werk verrichtte in de strijd tegen Mubarak. Ziyad hielp de organisatie met het achterhalen van de namen van de andere arrestanten. Ook zamelde hij kleren, eten en medicijnen in, iets waar gevangenen in Egypte zelf voor moeten zorgen. Hij was gemotiveerder dan ooit om politiek actief te worden.

Ziyad is de dertig inmiddels gepasseerd en werkt al jaren in de Egyptische filmindustrie. Hij woont met zijn zieke vader in het appartement waarin hij opgroeide in Dokki, een wijk op de westoever van de Nijl. Zijn moeder is enkele jaren geleden overleden aan de gevolgen van kanker. Ik ontmoette hem tijdens de eerste paar dagen van de revolutie. Hij verbleef toen in het appartement van Pierre Sioufi, een Egyptische bohemien die aan de rand van het Tahrirplein woont, op de negende en hoogste verdieping. Tijdens de eerste twee jaar van de revolutie was dit appartement een soort activistisch centrum waar revolutionairen konden uitrusten van de strijd op het plein, overleg pleegden, goederen inzamelden en campagnes uitdachten. Ziyad was een goede vriend van Pierre.

De dag dat ik hem ontmoette, keken we van bovenaf samen uit over het overvolle Tahrirplein. Het lawaai dat het balkon op de negende verdieping bereikte, was oorverdovend en ondanks de duisternis was er beneden volop leven te bespeuren. Een koude wind blies om onze oren en we rookten de ene Dunhillsigaret na de andere.

Na het aftreden van Mubarak zou Ziyad vrijwel al zijn tijd wijden aan de revolutie. Samen met Selma en Philip was hij een van de oprichters van Mosireen, een mediacollectief dat burgerjournalistiek aanmoedigde en korte films maakte over de gebeurtenissen in Egypte vanuit een revolutionair perspectief.

———

Kersverse activisten zonder politieke ervaring – zoals Ziyad – raakten op deze manier betrokken bij de ontluikende beweging en nieuwe banden werden gesmeed. Zij brachten de sfeer van protest vervolgens van het plein naar de werkplekken en de universiteiten. In het najaar van 2004 leidde dit tot de oprichting van Kifaya!, een niet-ideologisch samenwerkingsverband vóór politieke hervormingen, tegen nóg een ambtstermijn voor Mubarak en tegen een eventuele erfopvolging door zijn zoon Gamal. Ze formuleerden brede leuzen voor een zo breed mogelijke beweging.

Die zomer verschenen er berichten in de staatsmedia over kabinetswijzigingen die aanhangers van Gamal Mubarak, de gehate zoon van de president, invloedrijke posities op zouden leveren. Deze wijzigingen werden alom geïnterpreteerd als een stap op weg naar Gamals machtsovername. Vier jaar eerder had Bashar al-Assad in Syrië op vergelijkbare wijze het presidentschap geërfd van zijn vader Hafez, die sinds 1971 aan de macht was geweest. Een dergelijk scenario moest volgens de driehonderd prominente ondertekenaars van de openingsverklaring van Kifaya! – de term betekent 'Genoeg!' in het Arabisch – koste wat het kost worden voorkomen.

Op 12 december 2004 ging de beweging voor het eerst georganiseerd de straat op. Rond de achthonderd betogers verzamelden zich die dag op de trappen van het hooggerechtshof in Caïro met gele stickers over hun mond geplakt met daarop 'Kifaya!'. De betogers eisten het aftreden van Mubarak, op dat moment een unicum in Egypte.

In de loop van 2005 kwam de beweging tot wasdom. In dat jaar werden er drie verkiezingen gehouden in Egypte. In mei werd er in een referendum gestemd over een voorstel van Mubarak om een grondwetswijziging door te voeren. In september werden presidentsverkiezingen gehouden en tegen het einde van het jaar volgden parlementsverkiezingen.

Het woord 'verkiezingen' kan echter een verkeerde indruk wekken. Verkiezingen onder Mubarak waren frauduleuze aangelegenheden waarbij nauwelijks iemand kwam opdagen en de uitslag van tevoren vaststond. Dat was het schizofrene karakter van het regime. In het openbaar repte Mubarak over zijn democratische intenties, er waren verkiezingen en zelfs verschillende politieke partijen. In werkelijkheid stond Mubarak aan het hoofd van een uitgebreid patronagenetwerk vermomd als politieke organisatie, de Nationale Democratische Partij (NDP), een verzameling welvarende en invloedrijke, vaak middelbare en bejaarde mannen die door middel van vriendjespolitiek al decennia boven op de Egyptische apenrots zaten. 'Verkiezingen' was dus in feite een kwestie van het mobiliseren van deze corrupte netwerken om ervoor te zorgen dat het gewenste resultaat werd behaald. Dit was algemeen bekend. Het gevolg was dat vrijwel niemand de moeite nam om te gaan stemmen. In 2005 werden de verkiezingen aangegrepen om een tegengeluid te laten horen.

Ondanks het feit dat betogers massaal werden gearresteerd, organiseerde Kifaya! de hele zomer elke woensdag een protestactie tegen de opvolging door Gamal, tegen de noodwet, tegen marteling en tegen het regime als zodanig.

Al snel werd duidelijk dat pogingen van het regime om de beweging in de kiem te smoren averechts zouden werken. De jarenlange politieke impasse was definitief doorbroken door een nieuwe vorm van oppositie. In tegenstelling tot de vastgeroeste officiële politieke partijen, die zich min of meer verzoend hadden met de dictatuur, introduceerde Kifaya! een nieuw en divers, prodemocratisch geluid. Wat de activisten samenbracht was een verlangen naar verandering en een wantrouwen jegens de gehele parlementaire façade die was opgeworpen door het regime.

De initiatieven van Kifaya! waren weliswaar invloedrijk, maar bleven relatief klein. Geïnspireerd door het baanbrekende optreden van de beweging dreigden 1200 rechters tijdens de presidents- en parlementsverkiezingen met een boycot. Zij weigerden de verkiezingen waar te nemen – het is gebruikelijk dat rechters dat doen in Egypte – zolang de onafhankelijkheid van de rechtspraak niet gegarandeerd was. Het was een gedurfde stap van een gewaardeerd instituut. Het protest van de rechters escaleerde een jaar later toen het regime probeerde twee boegbeelden van de rechters te straffen. Zij werden ontdaan van hun rechterlijke onschendbaarheid en beschuldigd van laster tegen de staat. De rechtszaak werd een openbare krachtmeting. De Moslimbroederschap en Kifaya! organiseerden demonstraties bij het hooggerechtshof om de rechters te steunen, het regime reageerde met geweld.

Tegelijkertijd werden er allerlei nieuwe initiatieven en politiek getinte platforms opgericht, initiatieven die meer toegespitst waren op specifieke doelgroepen. Zo organiseerden Journalisten voor Verandering, Dokters voor Verandering, Arbeiders voor Verandering en Jongeren voor Verandering zich. Langzaam maar zeker begon er iets te broeien in de marge van de maatschappij.

Duizenden jongeren zoals Ziyad, Selma en ook Philip werden in de eerste jaren van het nieuwe millennium aangetrokken door een vaag perspectief van verandering. Hoewel zij geen idee hadden van de eventuele implicaties of mogelijkheden van de beweging, waren zij getuigen van een nieuw fenomeen, een beweging die de staat openlijk ter verantwoording riep en vraagtekens plaatste bij de door het regime opgelegde beperkingen.

Deze ontwikkelingen werden aangewakkerd door de opkomst van internet.

Er is veel te doen geweest over de rol van internet bij de opstanden in de Arabische wereld. In de eerste maanden na het vertrek van Mubarak spraken de internationale media gretig over Twitter-revoluties, internetactivisten en de maatschappelijke mogelijkheden van sociale media. Hier was volgens sommige berichtgeving de internetgeneratie actief die haar virtuele idealen had omgezet in wezenlijke eisen om een einde te maken aan repressie en machtsmisbruik. Een bataljon van cyberdemocraten was eindelijk achter hun laptops vandaan gekomen en tot ieders verbazing slaagden zij erin een dictator weg te sturen.

Het is een notie waar maandenlang gretig op werd ingespeeld door de gehaaide verkopers in Downtown Caïro. In deze stad, waar al honderden jaren souvenirs worden verkocht, maakten de plastic namaakpiramides tijdelijk plaats voor hedendaagse symbolen. In de maanden na de val van Mubarak sierden stickers, vlaggen en andere revolutionaire prullaria de souvenirwinkels langs de flanken van het Tahrirplein. Trefwoorden als vrijheid, revolutie, internet en Facebook waren tijdelijk doeltreffender om toeristen staande te houden dan papyrus, farao en sfinx.

In het Egypte van Mubarak waren de media in handen of aan banden van de staat en een aantal rijke zakenlieden. Grote staatskranten zoals *Al-Ahram* met een oplage van één miljoen exemplaren zijn spreekbuizen van het regime die nauwelijks een poging doen om onafhankelijk over te komen. Andere massamedia zoals de krant *Al-Masry Al-Youm* en televisiezender ONtv waren in handen van zakenlieden of grote conglomeraten die de politieke situatie weinig kritisch benaderden. Kritiek op het regime werd op die manier binnen de perken gehouden, of in een uiterst (economisch) liberaal raamwerk gepresenteerd. Hoewel er steeds meer dissidente geluiden begonnen door te dringen, bleven onafhankelijke stemmen schaars en beperkt tot bepaalde kringen.

Vanaf 2002 diende internet zich aan als mogelijk massamedium. Het Egyptische regime zag hoe andere opkomende economieën profiteerden van de enorme groeimogelijkheden van online technologie en besloot internet gratis aan te bieden. Het medium werd direct aangegrepen door politieke activisten als een manier om al dan niet anoniem met elkaar in contact te treden. Op internetfora, buiten het oog van de altijd aanwezige autoriteiten, konden burgers discussiëren over politiek, religie en andere taboes.

Activisten verbonden aan Kifaya! gebruikten internet en sms-berichten om spontaan lijkende samenscholingen te organiseren. Een groeiend aantal blogs verdedigde bovendien de standpunten van de beweging en diende als een platform voor discussie. Activisten die elkaar op straat tegenkwamen, zochten elkaar op internet weer op. Rabab el-Mahdi omschrijft de rol van internet als 'de megafoon van Egyptes opkomende oppositie'.

Het aantal bloggers groeide explosief: in 2004 waren er volgens cijfers van het Arabisch Netwerk voor Mensenrechteninformatie (ANHRI) in Caïro ongeveer vijftig bloggers actief in Egypte en was er welgeteld één website die de president bekritiseerde. Twee jaar later was het aantal bloggers gegroeid tot meer dan zesduizend en bestonden er honderden websites die zich tegen de president keerden.

Zowel Selma als Philip hield in die tijd een blog bij. Selma schreef in het Arabisch over gebeurtenissen in Egypte, over protesten die werden georganiseerd en over zaken waar zij als jonge vrouw mee worstelde. Philip schreef in het Engels over politieke ontwikkelingen in Palestina en Egypte. De blogs waren ook een manier om uiting te geven aan persoonlijke gedachten, gevoelens en frustraties. In een politiestaat als Egypte betekent 'persoonlijk' echter al vrij snel 'politiek'.

De oppositiebeweging groeide onder de oppervlakte, en bloggers waren de officieuze woordvoerders. Zij waren het die de aandacht van internationale en nationale media op zich wisten te vestigen en op die manier mensenrechtenschendingen en misstanden onder het Mubarakregime onder de aandacht konden brengen. Ze plaatsten berichten, foto's en filmpjes op internet die zo vaak werden bekeken dat de reguliere media ze niet meer konden negeren.

Beroemd is een filmpje dat in 2007 verscheen op een blog genaamd *Misr Digital,* waarin te zien is hoe drie politieagenten een gearresteerde buschauffeur martelen. Het filmpje werd miljoenen malen bekeken en leidde tot verontwaardiging in binnen- en buitenland. Hoewel het algemeen bekend was dat de veiligheidsdiensten gevangenen martelden, werd er nooit in het openbaar over gesproken. Het regime was in verlegenheid gebracht en voelde zich gedwongen een onderzoek in te stellen. De drie agenten werden uiteindelijk veroordeeld tot drie jaar gevangenisstraf.

Het regime worstelde met een structurele reactie. Directe internetbeperkingen zouden schade toebrengen aan de bewering dat Mubarak bezig was democratische hervormingen door te voeren. De autoriteiten gingen daarom over tot kidnappings en schijnprocessen van bloggers en activisten. Maar de onderdrukking leidde niet tot het einde van de beweging. Kifaya! en soortgelijke initiatieven bleven activisten aantrekken en bloggers bleven schrijven.

Nieuwe technologieën en programma's dienden zich ondertussen aan en werden op natuurlijke wijze ingepast in reeds bestaande netwerken. Het ANHRI stelt dat het aantal blogs in Egypte vlak voor het begin van de revolutie bleef steken op iets meer dan een kwart miljoen. Sindsdien wonnen Facebook en Twitter aan populariteit. Aan de vooravond van de revolutie telde Egypte bijna vijf miljoen Facebook- en iets meer dan 130.000 Twitteraccounts. Tegelijkertijd waren er op dat moment meer dan zeventig miljoen actieve mobieletelefoonverbindingen (op 83 miljoen inwoners), acht miljoen daarvan had toegang tot mobiel internet.

De nieuwe media speelden dus een rol in het creëren van een hoognodige vrijplaats waar andersdenkenden elkaar konden vinden. Internet was de logische uitlaatklep van de nieuwe generatie en een efficiënt middel om nieuws over protesten te verspreiden. Mede daarom had Mubarak in het begin van de opstand tegen zijn bewind, in de ochtend van 28 januari 2011, opdracht gegeven aan alle internet- en mobieletelefonieproviders om hun diensten die dag te blokkeren.[23] Vanaf een uur of negen in de ochtend was elke vorm van mobiele en interactieve communicatie onmogelijk.

Het was een voorzorgsmaatregel die voortkwam uit angst en een misplaatste overschatting van de rol van internet. De revolutie zou plaatsvinden op straat en nergens anders.

3

Op vrijdag 28 januari 2011 landde ik om vier uur in de ochtend op de luchthaven van Caïro. Na een korte nachtrust op een tweepersoonsbank in de woonkamer van Philip gingen we de straat op.

Nadat het revolutionaire vuur gedurende drie dagen brandend was gehouden door duizenden demonstranten in heel Egypte, stond er voor die dag een miljoenenmars op het programma. De Moslimbroederschap, de grootste politieke beweging in het land, die zich tijdens de eerste drie protestdagen officieel afzijdig had gehouden, riep al haar leden op deel te nemen. Hoewel de organisatie officieel door het Mubarakregime verboden was, konden de broeders rekenen op een massale aanhang. Hun deelname zou de demonstraties een enorme impuls geven.

Internet en mobiele telefonie waren die dag onklaar gemaakt door de staat. Daarom hadden activisten door de gehele stad geheime locaties afgesproken waar ze vóór het begin van de demonstraties samen zouden komen om de dag door te nemen. Philip en ik voegden ons bij een groepje vrienden waar ook Selma bij was. Na haar nachtelijke avontuur in de wijk Shobra drie dagen daarvoor was zij bijna continu op straat geweest. Ze was schor en moe, maar ondanks de wallen onder haar ogen begroette ze ons opgewonden. Er werd afgesproken dat we, verdeeld in kleine groepjes, de buitenwijken van de stad in zouden gaan zodat we op verschillende plekken 'ogen en oren' op de grond zouden hebben. Er werden adressen uitgewisseld van zogenaamde *safehouses* waar medische hulp verkrijgbaar zou zijn en proviand klaar zou liggen. De organisatie voor die dag bestond uit het in kaart brengen van een dergelijke infrastructuur waar men in geval van nood op kon terugvallen. Als alles goed zou verlopen, zouden we elkaar treffen op het Tahrirplein.

Philip, zijn nieuwe vriendin Jasmina Metwaly en ik namen met een stevige omhelzing afscheid van de rest en stapten in een taxi richting Imbaba, een grote volkswijk op de westoever van de Nijl.

Terwijl we die ochtend door het centrum reden, zagen we de sporen van de protesten van de voorgaande dagen. De straten lagen bezaaid met stenen en uitgebrande auto's stonden langs de weg. Op kruispunten hielden de moegestreden stoottroepen van het regime iedere passant nauwlettend in de gaten. Hun knuppels en traangas waren in de voorgaande drie dagen nauwelijks voldoende gebleken om de stroom demonstranten tegen te houden. En ondanks het feit dat de gevangenissen volzaten, zou er die dag nóg een confrontatie volgen. Ook zij leken zenuwachtig en angstig.

In Imbaba stapten we uit bij een van de vele moskeeën in de wijk. Buiten de moskee stonden al ongeveer vijftig mensen. Plotseling klonken er leuzen en zette de kleine betoging zich in beweging onder leiding van een stel activisten van de 6 Aprilbeweging. Deze beweging is genoemd naar een grote staking op 6 april 2006 en wist in de jaren voor de revolutie een flink aantal jongeren te mobiliseren. De jongens die nu buiten de moskee leuzen riepen, had ik al menigmaal kleinere demonstraties zien leiden.

Ditmaal leek echter alles anders. Van alle kanten kwamen mensen toegesneld om zich bij de demonstratie aan te sluiten. Na korte tijd waren de smalle straatjes om ons heen gevuld met juichende, roepende, blije en boze mensen.

De betoging zette zich in beweging en men riep omwonenden toe: 'Sluit je aan!' De inwoners van Imbaba reageerden enthousiast. Vanachter de ramen keken geëmotioneerde bejaarden en nieuwsgierige kinderen toe. Zij waren niet in staat om mee te lopen, of durfden niet, maar scandeerden vanuit hun huizen met de marcherende massa mee om de val van het regime. Een oudere vrouw stond op een balkon en dirigeerde de leuzen en het gezang van de demonstranten, waarna ze ons met tranen op haar wangen handkussen toewierp.

Spoedig was zowel het begin als het einde van deze uitzinnige menigte niet meer zichtbaar. De gehele wijk bleek in beweging. Regelmatig zagen we andere demonstraties voorbijkomen in de verte, en zo nu en dan sloten groepen demonstranten die bij een andere moskee waren begonnen zich bij ons aan. Dergelijke momenten gingen gepaard met innige omhelzingen en applaus. Kinderen renden opgewonden met de menigte mee en een enkele sceptische winkeleigenaar maakte zijn bedenkingen kenbaar: 'Dit leidt tot niets!' riep er een. Maar niets kon de opwinding drukken. Het enthousiasme van de mensen in de mars was aanstekelijk.

Na een wandeling van enkele uren verlieten we de wijk. De groep van vijftig waarmee we begonnen waren, was inmiddels gegroeid tot een menigte van ten minste een paar duizend mensen die de brede avenues richting het centrum volledig in beslag nam. Het verkeer was tot stilstand gekomen. Omwonenden deelden water en proviand uit en al zingend en roepend marcheerden we door de verder volkomen verlaten straten richting het centrum. Ondanks de euforie was iedereen ook gespannen, achter elke bocht kon immers een bataljon agenten staan. In de demonstratie werd daarom azijn uitgedeeld om de ergste pijn bij een eventuele traangasaanval te neutraliseren, maar een echte confrontatie bleef uit. Elders in de wijk ging het er echter harder aan toe; in de wijk Imbaba alleen al vielen die dag maar liefst negen doden. De demonstratie waarin ik mee had gelopen, had het geluk gehad nauwelijks politie te zijn tegengekomen.

Om het historische moment vast te leggen maakte ik geluidopnames met mijn mobiele telefoon. Als een oververhitte voetbalcommentator rapporteerde ik met overslaande stem over de massaliteit van het protest voor mijn eigen archief en herinnering. Een middelbare man die mij bezig zag, keek me onderzoekend aan vanonder zijn bril en concludeerde dat ik journalist was. Dit, zo verklaarde hij stellig, was het begin van het einde van de dictatuur: 'Een ware revolutie!' Nadat hij dit in klassiek Arabisch ten gehore had gebracht, lachte hij breed. '*Welcome to the new Egypt*,' zei hij, waarna hij verdween in de mensenmassa.

Tijdens het lopen konden we op televisies in winkels langs de route zien dat andere groepen demonstranten het Tahrirplein reeds hadden bereikt en dat er werd gevochten rondom het plein. Op de kleine tv-schermpjes – die altijd aan staan – zagen we grote groepen demonstranten gehuld in flinke traangaswolken. Dit leidde alleen maar tot meer vreugde. Het was tot dan toe het enige bewijs dat niet alleen Imbaba, maar de hele stad die dag de straat op was gegaan.

Aan de oostzijde van de Qasr Al-Nilbrug, op enkele honderden meters van het plein, bereikten we het voorlopige einde van de mars. Daar stonden tienduizenden demonstranten zich op te maken voor een definitieve aanval op de politielinies die de brug bewaakten. Hier waren demonstraties uit de wijken Giza en Mohandiseen samengekomen en overal zaten en stonden mensen. Er was zojuist een hevige traangasaanval geweest en bij iedereen stonden de tranen in de ogen, maar niemand had er echt last van. Het doel was immers in zicht.

Op dat moment wist ik niet dat een van de meest iconische scènes van de Egyptische revolutie zich op slechts honderd meter afstand afspeelde. Halverwege de brug waren hevige gevechten gaande en hielden de demonstranten stand onder het aanhoudende geweld van de veiligheidstroepen. Op beelden is te zien hoe de politie traangas en water afvuurde op de naderende muur van mensen. Na enkele felle confrontaties knielden de voorste linies van de betoging en begonnen sommige betogers te bidden als ultiem teken van standvastigheid. Vervolgens dropen de veiligheidstroepen af. Onder druk van de mensenmassa was de politie genoodzaakt zich terug te trekken.

Omdat wij achteraan gedwongen waren te wachten totdat ook wij de brug konden oversteken, brachten wij een bezoek aan een van de nabijgelegen safehouses. Het was het huis van een gezamenlijke vriendin in de wijk Dokki. Het huis had een van de laatste werkende internetverbindingen in Egypte. De black-out van telecommunicatie was namelijk alleen gericht op de grote internetproviders, waar veruit de meeste internetgebruikers bij aangesloten waren. Sarah, de vriendin die in het safehouse woonde, had echter een abonnement bij het veel kleinere Noor Data Networks, dat verantwoordelijk was voor de internetverbinding van de Egyptische effectenbeurs en daarom niet zomaar uit de lucht kon worden gehaald. In het huis waren activisten druk bezig nieuws, foto's en video's over de gebeurtenissen naar buiten te brengen. De meesten waren door het dolle heen en voerden al nagelbijtend discussie over de eventuele gevolgen van die dag. Anderen keken stilzwijgend naar de verslaggeving van Al Jazeera.

Tegen de avond gingen we terug de straat op en naderden ook wij het plein, waar de vette rookpluimen van het brandende partijgebouw van de NDP ons welkom heetten. De brug, waar een aantal uren eerder nog hevig werd gevochten, was bevrijd gebied.

Het was toen dat het leger vanaf het noorden onder luid gejuich het Tahrirplein op kwam rijden, een verwarrend en hectisch moment dat beslissend zou zijn voor het verdere verloop van de revolutie. Philip, Jasmina en ik stonden aan de westelijke ingang van het plein, vlak bij de Qasr Al-Nilbrug over de Nijl. Links van ons bevond zich het statige gebouw van de Arabische Liga en daarachter sloegen de vlammen uit het partijkantoor van de NDP. Voor ons bevond zich een kolkende massa.

Enkele meters bij ons vandaan werd het stoffelijk overschot van een demonstrant uit de menigte gedragen. De jongen, wiens kleren besmeurd waren met bloed, was even daarvoor dodelijk getroffen door een kogel van veiligheidstroepen die zich hadden verschanst rondom het ministerie van Binnenlandse Zaken aan de andere kant van Tahrir. Aarzelend liepen we verder, hand in hand om elkaar niet kwijt te raken.

De mensenmassa om ons heen had zich gedurende de dag een weg gevochten naar het Tahrirplein. Het politieapparaat was vernederd en het voelde alsof de revolutie reeds was geslaagd. Getooid in buitgemaakte politiehelmen en met handenvol lege kogelhulzen liepen jongeren arm in arm en dronken van de adrenaline voorbij.

Maar er heerste ook verwarring. Mensen waren op zoek naar vrienden en familie die ze tijdens de demonstraties waren kwijtgeraakt. Nog altijd was elke vorm van mobiele communicatie onmogelijk en de geruchtenstroom was niet te stoppen of te controleren. Er zouden tientallen doden zijn gevallen, het leger zou op demonstranten hebben geschoten en Mubarak zou al vertrokken zijn. Achteraf bleek alleen het laatste gerucht vals te zijn.[24]

Het plein was bedekt onder een tapijt van stenen die waren gebruikt om de politie te verdrijven, uitgebrande politieauto's, geïmproviseerde schilden en lege traangasbusjes. Gespannen liepen wij de menigte in, die bijna monotoon scandeerde, terwijl in de verte de dodelijke schoten van de sluipschutters van een in het nauw gedreven politiemacht nog te horen waren.

De beige tanks van het leger kwamen langzaam maar vastberaden het plein op gereden. De menigte reageerde aanvankelijk verward, maar de verwarring sloeg vrijwel direct om in blijdschap. Anders dan de politie was het leger een neutraal en eervol instituut dat nooit het vuur zou openen op landgenoten, zo redeneerde men. Het leger kon dus zijn gekomen om de prille opstand te beschermen.

Na een rondje over het plein te hebben gemaakt positioneerden soldaten de tanks op strategische plekken rondom het plein. Voor de deur van Maspiro, het gebouw van de Egyptische staatstelevisie, kwamen twee tanks te staan – achteraf een veelzeggende manoeuvre. Maar de extatische betogers hadden geen oog voor de eventuele afwijkende belangen van het leger en klommen in hun overwinningsroes boven op de oorlogsvoertuigen om de soldaten te begroeten. In het monotone lawaai en de potpourri van leuzen konden we plotseling een nieuwe leus onderscheiden: 'Het leger en het volk zijn één.'

Die avond verscheen Mubarak op televisie. In de eerste van drie speeches die hij zou geven in de achttien dagen tussen 25 januari en 11 februari, de dag van zijn uiteindelijke aftreden, zei de president vol overtuiging hoe de vreedzame demonstraties die dag waren geïnfiltreerd door onruststokers. Chaos, zo waarschuwde de president, die zijn haar voor de gelegenheid extra donker leek te hebben geverfd, zou niet worden geaccepteerd. Aan het eind van de speech kondigde hij aan het proces van politieke en economische hervorming te versnellen en een nieuwe regering aan te stellen. De woorden van Mubarak leidden die avond slechts tot hoongelach. Het regime zat in de verdrukking en was totaal niet in de positie om eisen te stellen.

Het Tahrirplein, of eigenlijk grote delen van het land, waren in handen van de betogers. De veiligheidstroepen van het regime waren die dag verslagen en durfden zich niet meer op straat te vertonen. In het hele land waren meer dan honderd politiebureaus in vlammen opgegaan, net als andere symbolen van de staat. Het land was simpelweg in opstand.

Die dag had niet alleen het politieapparaat de controle verloren over een ontketende bevolking, hetzelfde gold voor de protestbeweging op straat. De organisatorische krachten die tien jaar lang de weg hadden bereid voor dit historische moment van verzet waren irrelevant geworden op het moment dat miljoenen mensen in het hele land de straat op waren gegaan. Deze massa had jarenlang toegekeken hoe een minderheid van activisten de confrontatie was aangegaan en had het niet de moeite waard gevonden om zich in die strijd te mengen. De kans dat er werkelijk iets te winnen zou zijn was immers gering. Maar na de opstand in Tunesië eerder die maand en de gebeurtenissen in Egypte sinds 25 januari waren de rollen omgedraaid. Het regime wankelde en een werkelijke kans op een andere toekomst leek reëel. Er was die dag niemand die de lijnen uitzette en niemand die de gebeurtenissen kon afblazen. Er waren geen leiders, geen coördinatoren en geen partijen die voor de massa konden spreken. De opgekropte woede om de structurele nalatigheid van de staat kwam eindelijk naar buiten.

Op de ochtend van 29 januari verschenen de eerste tenten op het Tahrirplein en op pleinen in andere steden. Ondertussen kwam het land tot stilstand. Bij benzinepompen stonden lange rijen auto's te wachten op een laatste druppel brandstof en winkelschappen raakten langzaam leeg. Banken, scholen en overheidsgebouwen werden dicht gehouden uit angst voor chaos. Ondertussen stroomde het vliegveld vol bezorgde buitenlanders en een enkele Egyptenaar die het land probeerden te ontvluchten.

Een jaar na het vertrek van de president verklaarden verschillende mensenrechtenorganisaties dat er nog altijd twaalfhonderd mensen werden vermist. Veel van deze vermisten werden tijdens niet-gedocumenteerde confrontaties met politie en veiligheidsdiensten gearresteerd, ontvoerd of simpelweg vermoord. Veruit de meesten van hen zijn nog altijd spoorloos. De internationale media roemden de vreedzaamheid van de protesten, maar vreedzaamheid is duidelijk een relatief begrip. Tijdens de achttien dagen vielen er rond de duizend doden. De meesten van hen vielen in de eerste tien dagen. Dat is een gemiddelde van bijna honderd doden per dag. Volgens een onderzoek uit begin 2013 was de politie direct verantwoordelijk voor ten minste negenhonderd slachtoffers.

Het terugtrekken van de politie was een onvoorstelbare overwinning voor de bevolking, maar hierdoor was ook een machtsvacuüm ontstaan. Honderden politiebureaus en -voertuigen waren in vlammen opgegaan en evenzoveel (politieke) gevangenen waren bevrijd. Een van de bevrijde gevangenen die dag was de negenenvijftigjarige Moslimbroeder Mohamed Morsi. Volgens de geruchten had het regime bovendien hordes criminelen vrijgelaten om paniek te zaaien onder de bevolking. De gevreesde chaos lag daarmee overal op de loer.

De dreigementen van het regime over de naderende chaos werden beantwoord met een andere vorm van zelforganisatie. Overal in het land werden zogenaamde volkscomités georganiseerd die tot aan de val van Mubarak, en in sommige gevallen tot lang daarna, actief waren in de wijken. Tijdens het machtsvacuüm probeerden deze comités bewapend met allerhande huis-tuin-en-keukenwapens de veiligheid in de wijken te garanderen. De comités bestonden uit mannen en vrouwen die lokale oplossingen zochten bij lokale problemen en zouden op sommige plekken uitgroeien tot netwerken die lokaal activisme konden faciliteren.[25]

Gedurende de achttien dagen woonden Selma, Ziyad en tienduizenden anderen op het plein. Ik bracht eveneens mijn dagen daar door, maar sliep de meeste nachten samen met Philip, Jasmina en andere activisten in het safehouse van Sarah in Dokki. In het appartement bleven elke nacht tussen de acht en vijfentwintig mensen slapen op banken, in bedden en op de grond. Aanwezigen discussieerden voortdurend over gebeurtenissen in verschillende delen van het land, schreven verslagen, tweetten het nieuws naar buiten en plaatsten hun laatste foto's en filmpjes op internet.

Het huis diende als een soort coördinatiecentrum voor goederen en informatie. Tweets en andere nieuwsberichten werden er gecontroleerd op betrouwbaarheid en doorgestuurd naar contacten in de media. Televisiezender Al Jazeera stond 24 uur per dag aan en hing regelmatig aan de telefoon. Wanneer er nieuws was, rende iedereen naar de televisie in de hoek van de woonkamer.

Voor het appartement zaten de mannen uit de straat elke avond met een kop thee en de wapens die men thuis kon vinden rondom een vuurtje om de wijk te beschermen tegen indringers en 'onruststokers'. Bomen, hekken en stukken hout werden gebruikt om na zonsondergang barricades te bouwen. Om 's avonds bij het appartement te komen moest je ten minste vier van dergelijke checkpoints door.

De buurten waren in handen van het volk en de pleinen waren opstandige centra geworden. Het regime bezon zich ondertussen op andere, vuilere manieren om de opstand een halt toe te roepen.

Op 2 februari 2011 liep ik met mijn fotocamera over het Tahrirplein, dat op dat moment al vijf dagen in handen was van de revolutie. Het gevaar van de eerste dagen was enigszins geweken en van excessief geweld was geen sprake meer. Het regime had zich teruggetrokken binnen de muren van het ministerie van Binnenlandse Zaken en schoot op alles wat er in de buurt kwam. Maar op het plein kon men voorlopig leven in vrijheid en in vrede, althans, dat dacht men.

Sinds de ochtend van 29 januari was het Tahrirplein veranderd in het landelijke centrum van de revolutie, een minimaatschappij als een soort afspiegeling van een gedroomd Utopia. De luwte in het geweld werd door betogers op het plein aangegrepen om hun wensen kenbaar te maken en uiting te geven aan de politieke creativiteit die men dertig jaar lang had moeten beteugelen. Het plein veranderde in een festival van de onderdrukten. Spitsvondige leuzen en scherpe cartoons omlijstten het protest. Het plein was de eerste dagen een politieke camping waar humor in leuzen en liederen een van de manieren was om met de angst en onzekerheid van een eventuele nederlaag om te gaan. Tussen de tenten speelden artiesten nieuwe revolutionaire liederen en zongen mensen mee met opstandige klassiekers van Sheikh Imam en dichter Ahmed Fouad Negm. In spontaan geregisseerde toneelstukjes werd de spot gedreven met Mubarak, zijn Amerikaanse financiers en Israëlische bondgenoten, en op allerlei verschillende manieren en in alle talen werd Mubarak te kennen gegeven dat zijn bewind voorbij was.

Bij de in- en uitgangen van het plein waarschuwden mensen lachend dat kijken naar de staatstelevisie schadelijke gevolgen kon hebben. De populaire Egyptische televisiekanalen deden namelijk nog altijd alsof er niets aan de hand was. Toch was de sfeer op die tweede februari grimmiger dan in de dagen ervoor.

Onderweg naar het plein had ik tot twee keer toe groepen demonstranten voorbij zien komen, in die dagen geen ongewoon fenomeen, maar toch klopte er iets niet. De betogers die ik zag, wekten een andere indruk, angstig en agressief. Hun leuzen en spandoeken waren anders dan anders en ze droegen beeltenissen van een jonge vitale Mubarak mee. Via de media hadden we in het appartement van Sarah gehoord dat er groepen Mubaraksupporters op de been waren. Maar ze in werkelijkheid zien bracht me toch van mijn stuk.

Het was een bekende strategie van het regime. Wanneer het publiekelijk werd uitgedaagd, trommelde het stromannen op om aan te tonen dat het nog altijd draagvlak had. Hoe meer mensen zich tegen het regime keerden, hoe meer supporters het regime de straat op stuurde. Een angstaanjagende tactiek, temeer omdat nooit duidelijk is wie bij wie hoort en dus wie de vijand is. Vóór de revolutie stonden deze aan het regime of corrupte zakenlieden gelieerde huurlingen bekend als *baltagiyya*, boeven. Na de revolutie vervaagde de betekenis, iedereen beschuldigde elkaar van *baltaga*. Maanden later, toen de militaire junta het voor het zeggen had en leden van het Mubarakregime de tijd kregen om van schutkleur te veranderen, werden dezelfde tactieken ingezet tegen protesten die gericht waren tegen de junta.

De grens tussen vóór en tegen Mubarak liep die dag ter hoogte van het Egyptisch Museum.

Op het moment dat ik arriveerde, stonden voor- en tegenstanders van de president heftig te discussiëren. Voorstanders erkenden dat er problemen waren in het land maar schreven die vooral toe aan corruptie. Volgens hen had de president goede intenties maar had hij zich met de verkeerde mensen omringd. Zij waren bijvoorbeeld specifiek tegen Gamal Mubarak, de zoon van de president, en tegen minister van Binnenlandse Zaken Habib el-Adly. Ze hadden geen structurele bezwaren tegen het regime. Op de spandoeken en borden die zij meedroegen, stonden leuzen als: JA VÓÓR VERANDERING, JA VÓÓR MUBARAK, NEE TEGEN CORRUPTIE. Het was een poging om het revolutionaire protest tegen de jarenlange economische en politieke orde om te buigen in een protest voor hervormingen. Het systeem moest een tweede kans krijgen, vonden de voorstanders.

De avond ervoor had Mubarak in een toespraak voor de staatstelevisie, in Egypte de 'tweede toespraak' genoemd, laten weten dat hij bereid was zich bij de volgende presidentsverkiezingen in september niet nogmaals verkiesbaar te stellen. Tegelijkertijd stelde hij het Egyptische volk voor een keuze: stabiliteit (Mubarak) of chaos (geen Mubarak). De toespraak was bedoeld om zijn onderdanen angst aan te jagen en het protest te verdelen; sommigen zouden uit angst voor chaos genoegen nemen met de beloofde hervormingen en het vooruitzicht dat Mubarak in september zou vertrekken. Het door hem gewenste effect bleef echter uit.

Aan het vreedzame maar uiterst felle publieke debat op en rond het Tahrirplein kwam die dag een abrupt einde toen het spervuur van argumenten aan het begin van de middag werd afgelost door rake klappen en rondvliegende stenen. Binnen enkele seconden vormden zich twee duidelijke groepen en was er sprake van een linie. Uit de voorheen heldere hemel daalde nu een regen van stenen neer. Daarmee was de chaos een feit; de politie was in geen velden of wegen te bekennen, het leger bewaakte de staat en groepen burgers gingen elkaar te lijf.

Vrijwel direct vielen de eerste gewonden. Hoewel iedereen op het plein wist dat het regime over lijken zou gaan om aan te blijven, was niemand voorbereid op dergelijk geweld. Kermend van de pijn werden mensen met bloederige gezichten afgevoerd door vrienden en vreemden.

In de commotie – ik bevond me nog altijd in de frontlinie – ontfermde een van de omstanders zich over mij. De onbekende man wierp zijn jas over mijn hoofd ter bescherming tegen de stenen en begeleidde mij naar een veiligere plek. Even later zag ik vanaf de rotonde op het midden van het Tahrirplein hoe anti-Mubarakdemonstranten op paarden en kamelen triomfantelijk het plein op kwamen rijden. De dieren waren even daarvoor buitgemaakt toen aanhangers van het regime de aanval openden op het anti-Mubarakprotest als een moderne cavalerie op een middeleeuws slagveld.[26] Die confrontatie zou de geschiedenis in gaan als 'de slag van de kamelen'.

Vrijwel alle toegangswegen naar het plein waren binnen de kortste keren bevolkt door een gewelddadige pro-Mubarakmenigte. Tegen de avond wist ik samen met een vriend het plein te ontvluchten en terug te keren naar het appartement van Sarah aan de overzijde van de Nijl. De stemming daar was onrustig, nerveus en angstig. Eenieder die het huis binnenkwam, werd met opluchting verwelkomd en bestookt met vragen. 'Hoe ben je teruggekomen?' 'Welke route heb je genomen?' 'Is de omgeving veilig?'

De activisten met wie ik in het huis verbleef, waren kapot van de zenuwen en uitgeput door het constant heen en weer pendelen tussen het huis, waar medicijnen en voedsel werden verzameld, en het plein, waar gevochten moest worden. Alle internetverbindingen in het land waren die dag hersteld, maar desondanks bleef het huis een verzamelplaats voor activisten. Op tafel in de woonkamer stonden talloze lege koffiekopjes. De banken en de vloer lagen vol slaapzakken, kussens en matrassen. De asbakken op het balkon puilden uit. Binnen staarden uitgeputte en bleke gezichten naar laptops en televisies. De spanning en onzekerheid van de voorgaande negen dagen waren zichtbaar in de gezichten van de aanwezigen.

Het gevoel van onveiligheid had zich inmiddels ook van ons meester gemaakt. De deur van het appartement was gebarricadeerd met een flinke kast. Op die kast lagen stokken, keukenmessen en een tafelpoot die in geval van nood als wapens konden dienen.

Die nacht, terwijl iedereen in stilte aan het werk was, klonk er plotseling geschreeuw in de wijk. Als een ballon die knapt, veranderde de gespannen sfeer in een luidruchtige mobilisatie. We grepen een wapen van de kast, schoven de kast aan de kant en renden naar beneden. De sfeer in de stad was zo gespannen dat elk lawaai bij anderen voor commotie zorgde. Op straat stonden we met onze stokken in de hand. Op de hoek werd ons door een jongen met een jachtgeweer echter verteld dat er niets aan de hand was. Vals alarm.

Even later werd Sherief Gaber, een vriend, met een bebloed gezicht, twee blauwe ogen, hechtingen in zijn voorhoofd en een gebroken neus naar binnen gedragen. Hij was eerder op de dag geland op het vliegveld van Caïro om deel te nemen aan het protest en had zijn studie in Amerika tijdelijk gelaten voor wat die was. Vanuit het vliegtuig was hij direct naar het plein gekomen, waar hij zich meteen in de strijd had geworpen. Hij en anderen hadden de barricades bemand. Toen hij echter over de barricades wilde kijken om een idee te krijgen van het slagveld, kreeg hij een stuk tegel op zijn neus. Ondanks zijn verwondingen begroette Sherief ons enthousiast, ging zitten op een kruk en stak een sigaret op. 'Wat een dag,' zuchtte hij.

De volgende dag keerde ik in alle vroegte terug naar het plein. De hele nacht hadden we via de televisie de strijd op het plein kunnen volgen, maar konden we het plein niet bereiken vanwege het gevaar tegen een pro-Mubarakknokploeg aan te lopen. Onze vrienden op het plein – onder wie Selma en Ziyad – konden het plein op hun beurt niet verlaten en hadden doodsangsten uitgestaan. Die ochtend was de strijd nog altijd in volle gang. Van de relatieve orde van de eerste dagen van de bezetting was niets meer over. Al meer dan vijftien uur waren de pleinbewoners verwikkeld in een bloedige strijd met aanhangers van de president, en men was uitgeput. Ik zag hoe een oude man huilend op de grond neerzakte en zijn handen naar de hemel hief. 'Waarom?' vroeg hij met schorre stem. Anderen gilden van woede. Weer anderen, de meesten, zetten hun angst om in moed en namen op de een of ander manier deel aan de strijd. Iedereen leek echter in een soort van zombiemodus. De mensen waren vermoeid en de stemming was bedrukt.

Achter de provisorische barricades kwam ik Ahmed el-Droubi tegen, een oude bekende die in 2009 ook bij de ontvoering van Philip Rizk was geweest. Hij vertelde in geuren en kleuren over zijn avontuur van de avond ervoor. Als een ervaren strijder liep hij over het slagveld alsof hij zich al jaren in dergelijke situaties bevond. 'Toen ik gisteren aankwam,' vertelde hij, 'stond ik eerst aan de verkeerde kant. Ik wilde naar het anti-Mubarakprotest, maar belandde in het pro-Mubarakkamp. Plotseling werd ik een massaal gevecht in gesleurd en ik moest het spel meespelen, anders had ik flinke klappen gekregen. Op een gegeven moment ben ik in volle sprint de frontlinie overgestoken.' Terwijl Ahmed dit vertelde wees hij naar de omgeving.

Haastig in elkaar gezette barricades en vrijwillige bewakingscomités blokkeerden nu de toegangswegen tot het plein. Stenen, gebroken glas, smeulende hopen hout en autobanden lagen verspreid over het asfalt, overblijfselen van felle gevechten. Het ging niet meer om geestige of gevatte leuzen op spandoeken, het was een strijd op leven en dood geworden, een strijd tussen burgers. De prille Egyptische opstand werd belegerd en de onervaren revolutionairen moesten vechten voor hun leven. Als het plein werd overlopen door het pro-Mubarakkamp, was de droom ten einde, besefte men.

In de zijstraten van het plein werd druk gewerkt. Jongens, de meesten met verband om verse hoofdwonden gewikkeld, legden stenen klaar voor het geval een nieuwe aanval zou volgen; om de zoveel meter lagen hoopjes stenen. Machines, pallets, planken, windschermen van een nabijgelegen bouwput en uitgebrande politieauto's werden aangesleept om barricades mee te vormen. Mannen, vrouwen, kinderen en ouden van dagen waren achter de frontlinies druk in de weer stoeptegels los te trekken en ze in handelbare stukken te breken. Het plein was veranderd in een zelfverdedigingsorganisme. Iedereen had een rol en iedereen werkte mee aan een algemeen belang.

Verkenners waren in lantaarnpalen geklommen of stonden op gebouwen. Met hand- en vlagsignalen communiceerden ze de laatste bewegingen van het front naar de mensen die beneden stonden. Ze gaven aan waar de vijand zich bevond en hoe de stenen en benzinebommen gemikt dienden te worden. Langs de massief ijzeren groene hekken van het plein stonden mensen met stokken om in geval van nood lawaai te maken. Wanneer er extra mankracht nodig was aan het front, sloegen ze met stokken en stenen op de hekken. Het was de oorverdovende en zenuwslopende strijdkreet van een revolutionaire defensiemacht.

Op verschillende plekken op en langs het plein waren provisorische ziekenhuizen ingericht waar vrijwilligers zich om de gewonden bekommerden. In de meeste gevallen waren dit slecht geventileerde en slecht verlichte ruimtes waar in witte jassen gehulde dokters met beperkte middelen en te midden van een extreme chaos hun werk moesten verrichten. Het grootste ziekenhuis bevond zich in een moskee, achter een rij gebouwen aan de oostzijde van het plein. De ruimte was bekleed met een groen tapijt, maar de donkerrode bloedvlekken zorgden voor een grauwe sfeer. Door de slechte ventilatie rook het er naar zweet, bloed, pleisters en medicijnen. Gewonden lagen langs de muren van het ziekenhuis, sommigen kermden van de pijn, anderen lagen te rusten. Dokters met ernstige gezichten liepen af en aan met medicijnen, terwijl nieuwe gewonden binnen bleven komen. Andere ziekenhuizen bevonden zich op het plein in de buitenlucht en bestonden uit niet meer dan een aantal aan elkaar geknoopte tentzeilen en dekens met stapels medicijnen die door vrijwilligers van buiten werden aangesleept.

Eten en drinken werd in veel gevallen gratis uitgedeeld. Zogenaamde pleinapothekers verrichtten nazorg en liepen rond met pijnstillers en medicijnen tegen hoofdpijn en misselijkheid. Mensen die genoeg inspanning hadden geleverd, sliepen in tentjes, gewikkeld in dekens, onder afdaken, in stegen of in de openlucht.

Met revolutionaire leuzen bekladde tanks en uitgebrande politievoertuigen stonden op verschillende punten langs het plein. Mensen zochten dekking achter de gepantserde legervoertuigen en smeekten de militairen om hulp. Toen de soldaten op 28 januari in hun tanks het plein op kwamen rijden, werden ze aanvankelijk op handen gedragen, ze leken te zijn gekomen om de revolutie te beschermen. Maar de strijdkrachten weigerden in te grijpen terwijl Mubarakaanhangers de revolutie te lijf gingen.

De pleinbewoners waren daarom collectief slechts met één ding bezig: zelfbehoud. Als mieren in een mierenhoop in dreigend gevaar wist eenieder wat hem of haar te doen stond. Iedere aanwezige droeg zijn of haar steentje bij afhankelijk van zijn of haar mogelijkheden. Onder deze omstandigheden was eenheid noodzakelijk. Onderscheid tussen politieke voorkeur, geloof en zelfs geslacht werd niet gemaakt. Mannen en vrouwen streden zij aan zij en christenen vormden een beschermende haag rond moslims tijdens het gebed.

Die eenheid zou later nog vaak worden herdacht. Men zag dat een ander Egypte wel degelijk tot de mogelijkheden behoorde. 'De ervaring van de achttien dagen, het Egypte dat we toen hebben ervaren, daar vecht ik nog altijd voor,' zei een vriend later tegen me. Maar de eenheid vormde ook een probleem. Door de precaire situatie waren aanwezigen niet geneigd om over de toekomst te praten. De vraag 'wat na Mubarak?' werd vermeden. Politieke vraagstukken bleven onbeantwoord om de vrede te bewaren en men weigerde plannen te maken voor de toekomst. Het algemene gevoel was dat men het bereikte moest verdedigen. Mubarak moest aftreden en wat daarop zou volgen, was nog lang niet aan de orde.

In mijn notitieboekje met daarin de haastige aantekeningen van die dag maak ik melding van een confrontatie die plaatsvond in de buurt van mijn allereerste flatje in Caïro, een paar honderd meter voorbij het Egyptisch Museum, in de wijk Ma'rouf. Staand op een muurtje van ongeveer een meter hoog zag ik hoe het revolutionaire kamp de tegenstander een paar honderd meter wist terug te dringen. Jongeren om me heen verzamelden stenen en stootten gezamenlijk een oerkreet uit terwijl ze op de supporters van Mubarak af renden. Deze hadden zich verspreid over de wijk en zich verstopt tussen de hoge flatgebouwen, maar waren genoodzaakt zich terug te trekken naar een stoffige parkeerplaats. Om elke vierkante meter werd fel gevochten totdat de frontlinie werd bepaald door een rij gebouwen en een hoge muur aan de achterzijde van de parkeerplaats.

Auto's en bomen dienden als tijdelijke schuilplaats. Pannen, dozen, helmen en tulbanden werden gebruikt als hoofdbescherming. Piepschuim, karton en diezelfde tulbanden werden om armen en benen gewikkeld tegen de ernstige gevolgen van de stenenregen die nog altijd neerdaalde. Deelnemers aan de veldslag werden gedwongen te improviseren en bleken uiterst inventief. Zelfgemaakte katapulten van binnenbanden, ijzeren palen en amateuristisch gemaakte benzinebommen verrijkten het wapenarsenaal van de revolutionairen. Maar de grote kracht school in de aantallen – die ochtend waren er duizenden verse krachten bij gekomen – en in de geest. Ze vochten voor een krachtiger idee dan hun tegenstanders.

Aan de zijlijn van dit gevecht stonden enkele buurtbewoners nieuwsgierig te kijken naar de gebeurtenissen. Onder hen Mahmoud, de oudste van drie broers die gezamenlijk werkten als portier in mijn oude flat.[27] De slungelige Mahmoud herkende me direct en nodigde me na een uitbundig weerzien uit om een hapje te komen eten. Hij en zijn twee jongere broers Amr en Taha woonden in een enkel kamertje met een enkel bed achter het trappenhuis van het gebouw.

Op de vloer van de toegangshal van de flat hadden de jongens een kleed uitgespreid met daarop de ingrediënten van een simpele doch voedzame lunch. Daar was het de hoogste tijd voor, stelde Mahmoud. Zittend op onze hurken genoten we met zijn vieren van brood, witte kaas, bonen en tomaten, op slechts honderd meter van een bloedige veldslag om de toekomst van het land. De jongens bleven er luchtig onder. Ze hadden jaren geleden huis en haard in het zuiden van Egypte achtergelaten om in Caïro werk te zoeken en waren maar al te bekend met het harde bestaan van de Egyptische onderklasse. 'Dit moest een keer gebeuren,' zei Mahmoud nuchter. 'Ik kan zelf niet meedoen, ik moet op dit gebouw passen, maar het is goed dat het gebeurt. Hopelijk komt er iets goeds van.' Zijn broers knikten instemmend. Het waren de enige woorden die de jongens besteedden aan de revolutie die zich ontvouwde op de drempel van hun huis.

Iets verderop in mijn notitieboekje lees ik de uitleg die ik kreeg van een jongen nadat het revolutionaire kamp de tegenstander verder had teruggedrongen tot achter de bruggen en fly-overs van het

Abdel Moneim Riadplein, vernoemd naar een legercommandant uit de voor Egypte dramatisch verlopen Zesdaagse Oorlog van 1967.

De jongen, in mijn notities geïdentificeerd als 'Salem, eind twintig, historicus, vuil en bezweet', greep mij bij mijn arm terwijl ik dichter bij de frontlinie probeerde te komen om me te verwonderen over een ingenieus liftsysteem om munitie (stenen) van beneden op het plein naar boven op de brug te krijgen. Hij bood mij een sigaret aan en vertelde dat hij historicus was – net als ik.

De gebeurtenissen waren voor hem niet alleen bevrijdend en belangrijk voor het heden, ze waren voor hem historisch van belang en vormden een antwoord op zijn academische frustraties. Opgewonden vertelde hij hoe Egyptische scholieren en studenten al jaren werden voorgelogen. 'De staat legitimeert al jaren een aantal leugens, of op zijn minst opgeklopte waarheden,' vertelde hij. 'In de schoolbanken wordt ons verteld over de glorieuze revolutie van Gamal Abdel Nasser van 1952. Iedere scholier leert hoe de revolutie van Nasser een einde maakte aan het koloniale systeem. Dat is dus niet waar! Het was een staatsgreep, bedacht en uitgevoerd door een select groepje officieren. Kijk hier om je heen, dit is een revolutie, of op zijn minst het begin ervan,' riep Salem enthousiast.

Hoewel de revolutie slechts enkele dagen oud was, had Salem het goed gezien. Deze jongeman was net als alle aanwezigen door het dolle heen en leefde al dagen op een combinatie van adrenaline, thee, snelle maaltijden en sigaretten. Zijn stem was schor, zijn kleren waren vies en de gel in zijn haar was al dagen geleden uitgewerkt, maar het maakte niet uit. Zijn visie was duidelijk: 'Elke overwinning wordt behaald door onze eigen toewijding en op eigen kracht. Dat is pas emancipatie, dat is vrijheid, dat is een revolutie! Het is een collectieve bevrijding van de geest. Het feit dat we hier staan is een overwinning, ook als Mubarak nog weken of maanden blijft zitten. De staat monopoliseerde zestig jaar geleden alle macht en het volk stond buitenspel. De afgelopen dagen is dat doorbroken. Iedereen doet mee en iedereen voelt zich verantwoordelijk.'

Over de uitkomst wilde Salem weinig voorspellingen doen. Wel verwachtte hij dat deze revolutie enkele jaren zou gaan duren.

———

Ondanks het feit dat het protest in de daaropvolgende dagen in verschillende steden standhield, sloop er toch twijfel in de harten van de betogers. De politie was weliswaar verslagen en ook een aanval van baltagiyya had men weerstaan. Maar hoe lang zou deze slijtageslag gaan duren? En wanneer zou er een volgende aanval komen, de politie kon toch niet eeuwig wegblijven?

Ondanks de goede sfeer op het plein leek het bovendien alsof de publieke opinie zich tegen deze verlammende uitputtingsoorlog begon te keren. De staat van beleg waarin het land zich bevond, was zenuwslopend en de verstoring van de openbare orde leek niet veel langer houdbaar. Mubarak zou niet wijken, zeiden sommigen, en met de concessies die hij had gedaan, was het tijd om naar huis te gaan. Het protest was simpelweg uitgewerkt.

Voor mij naderde het einde van mijn onverwachte tijd in Egypte. Ik had bij mijn vertrek een aantal studentenbaantjes, mijn studie zelf en een veelbelovend sollicitatiegesprek uitgesteld of op pauze gezet, maar kon nu niet heel veel langer meer wegblijven uit Nederland. In de ochtend van 8 februari, achteraf drie dagen voor het uiteindelijke aftreden van de president, stapte ik in het vliegtuig. Bij mijn vertrek was de stemming bedrukt. De glimlachen en euforische buien van de eerste dagen waren verdwenen en er had zich een zekere nervositeit van de menigte meester gemaakt.

De bezetting van Tahrir duurde inmiddels elf dagen, sinds 29 januari. Men refereerde aan het plein als *Gumhuriyet Tahrir* of Republiek Tahrir, een teken dat de sit-in een vaste vorm begon aan te nemen. Het regime hield zich schuil in paleizen en ministeries, het volk regeerde op straat. Geen van beide kampen was er vooralsnog in geslaagd een genadeklap uit te delen aan de ander, en het was wachten op de volgende zet.

Onderweg naar het vliegveld waren de files langer dan ooit, en voor de deuren van de luchthaven had zich een tentenkamp gevormd van mensen die wachtten op de eerste de beste mogelijkheid om Egypte te verlaten. Voordat ik met een verward en bezorgd gevoel in het vliegtuig stapte, keek ik nog een laatste maal op Twitter. Hossam el-Hamalawy, een bekende blogger en activist die altijd goed op de hoogte is van stakingen en arbeidersprotest en die enkele dagen eerder nog euforisch het appartement van Sarah was binnengestormd, roepend dat hij zijn hele leven had gedroomd van dit revolutionaire moment, schreef het volgende: 'Ya shabab (letterlijk 'hé jeugd' maar in Egypte veel gebruikt zoals 'hé jongens' in Nederland), ik hou het niet meer bij, er zijn overal stakingen!'

Tijdens de eerste dagen van de revolutie werden fabrieken, havens, scholen en overheidsinstellingen dichtgehouden op instructie van hogerhand. Vanaf 6 februari probeerde het regime de protesten echter dood te laten bloeden door te benadrukken dat iedereen weer aan het werk moest gaan. Het regime wilde de normale gang van zaken laten terugkeren. Het beoogde effect was dat mensen uit angst om hun baan te verliezen het protest zouden laten voor wat het was. Het tegengestelde gebeurde echter. De beslissing om mensen terug naar hun dagelijkse arbeid te sturen was een cruciale fout. In de voorgaande jaren was er namelijk niet alleen een politieke beweging gegroeid die een opening creëerde voor protest, maar sinds 2006 woedde er ook een stakingsgolf door het land die pas aan het einde van die achttien dagen een voorlopig hoogtepunt zou bereiken. Stakingen en de massale deelname van arbeiders zouden uiteindelijk de laatste druppel vormen waardoor Mubarak zijn positie moest opgeven.

4

Hoewel de protesten voor politieke hervormingen in de eerste jaren van het nieuwe millennium significant waren geweest, waren de geestverwanten van Ziyad, Selma en Philip nog altijd slechts een minuscule minderheid van de bevolking. De politieke protesten gingen grotendeels voorbij aan de overgrote meerderheid van de Egyptenaren, die in de immense stedelijke achterbuurten en eindeloze *ashwa'iyaat* (letterlijk: informele districten) woonden. Voor hen waren politieke hervormingen, vrijheid van meningsuiting en juridische onafhankelijkheid van secundair belang, als ze er al toe deden. Zij zijn de werklozen, de arbeiders in de fabrieken en bouwplaatsen van Egypte, de handelaren van de informele sector, taxichauffeurs of beheerders van eenmanszaken, kiosken en kapperszaken. Verstrikt in uitzichtloze omstandigheden en genegeerd door de politieke en economische elite waren zij overgeleverd aan hun zelfredzaamheid en verwikkeld in een strijd om van dag tot dag te overleven. Voor hen waren de acties van Kifaya! en de politieke activisten op de lange termijn misschien wel relevant maar op de korte termijn te risicovol.

De gebeurtenis die de geest van protest na de dagen van Kifaya! over zou brengen naar een groter publiek vond plaats in de staatsgeleide textielfabriek van El-Mahalla El-Kubra, een stoffige industriestad tweehonderd kilometer ten noorden van Caïro. Deze fabriek, de Misr Spinning and Weaving Company, was sinds de dagen van de Engelse bezetting een van de paradepaardjes van de Egyptische katoenindustrie. In de turbulente periode rond de Egyptische onafhankelijkheid in de vroege jaren vijftig van de vorige eeuw speelden de militante arbeiders van de fabriek een prominente rol. Zo ook in de aanloop naar de Egyptische revolutie van 2011.

In maart 2006 beloofde toenmalig premier Ahmed Nazif een verhoging van de eindejaarsbonus voor loonarbeiders in de publieke sector. Toen tegen het eind van het jaar bleek dat die belofte niet zou worden nagekomen, ontstond er rumoer in textielstad El-Mahalla El-Kubra, waar vrijwel elk huishouden economisch verbonden is aan het wel en wee van de reusachtige fabriek in het centrum van de stad.

Op de ochtend van 7 december namen ongeveer drieduizend vrouwelijke medewerkers van de fabriek het initiatief. Zij bestormden de hal waar het gros van het mannelijk personeel werkte en eisten dat zij zich aansloten bij het protest. Daarmee veranderde het fabrieksterrein drie dagen lang in bezet terrein. Alle 27.000 arbeiders van de fabriek legden het werk neer. Politie en veiligheidsdiensten sloten de stad af en probeerden met grof geweld een einde te maken aan het protest, maar na drie dagen ging het regime door de knieën; alle eisen van de stakers werden ingewilligd, waaronder een belofte om de fabriek niet te privatiseren. Dit resultaat sloeg in als een bom in heel Egypte.

De ontwikkeling van de Egyptische economie in de laatste honderdvijftig jaar is niet los te zien van de algehele politieke oriëntatie van Egypte. In de koloniale tijd (grofweg 1882-1952) was de economie ingericht om de belangen van de koloniale heerser te dienen. Tijdens de hoogtijdagen van Nasser, de eerste president van het onafhankelijke Egypte, onderhield het regime nauwe banden met de Sovjet-Unie en was er in Egypte sprake van een staatsgeleide economie, waarbij een zekere levensstandaard werd gegarandeerd in ruil voor politieke gehoorzaamheid. Arbeiders konden rekenen op een loon waarmee ze een familie konden onderhouden, universitair geschoolden hadden gegarandeerd een baan bij de overheid en kleine en middelgrote boeren kregen een deel van het land waarop ze werkten. De oude koloniale elite werd gedeeltelijk onteigend en de sociale mobiliteit werd vergroot. Dit systeem werd door oud-president Gamal Abdel Nasser Arabisch socialisme genoemd.

Sadat, zijn opvolger, stuurde het land vanaf 1970 richting het Amerikaanse kamp. Het staatskapitalisme van Nasser, waarbij de staatsbureaucratie de belangrijkste kapitaalhouder is, werd vervangen door een markteconomie waarin privébezit en concurrentie werden aangemoedigd. De voorheen relatief beschermde Egyptische markt werd opengesteld voor buitenlandse investeringen, een proces dat doorgaans wordt omschreven met de Arabische term *infitah*, wat letterlijk 'openheid' betekent.

Onder Mubarak werd eenzelfde koers gevaren, maar dan verhevigd. De vrede tussen Israël en Egypte van 1979 plaatste Egypte stevig in het westerse kamp. Een toename van het handelsverkeer tussen Egypte en het Westen was het gevolg.[28] Onder toezicht van financiële instellingen als de Wereldbank en het IMF werd de rol van de staat in de economie nog verder teruggedrongen.

In 1984 en wederom in 1991 sloot Egypte leningen af met het IMF onder voorwaarden die inmiddels ook in Europa maar al te bekend klinken: privatisering van de publieke sector en deregulering van de economie – de markt stabiliseert zichzelf, zo luidt de theorie. Zogenaamde directe buitenlandse investeringen zouden de Egyptische economie erbovenop helpen, en Egyptische productie zou zich richten op de wereldmarkt.[29] De Egyptische markt, Egyptische arbeid en Egyptische grondstoffen moesten vrij toegankelijk en beschikbaar worden voor buitenlandse ondernemingen en investeerders.

Volgens de voorschriften van het IMF werden vanaf 1991 maar liefst 314 staatsondernemingen verkocht aan particuliere investeerders. De nieuwe eigenaren leefden volgens de regels van de winst en schrapten uit naam van de efficiëntie in het werknemersbestand van hun nieuwe aanwinsten. In sommige gevallen werden de verkochte ondernemingen zelfs direct gesloten door de nieuwe eigenaren; dan was de grond meer waard dan het draaiend houden van de onderneming. Dergelijk gedrag werd gefaciliteerd en aangemoedigd door de staat, die nauw samenwerkte met het bedrijfsleven.

Ten gunste van het investeringsklimaat werden de lonen laag gehouden en de werkloosheid hoog. Daarnaast kon het regime rekenen op een uitgebreid netwerk van aan de staat gelieerde vakbonden die de angel uit eventueel verzet konden halen. De staatsgeleide vakbondsfederatie had in 2000 bijna vier miljoen leden. Deze bond vormde echter eerder een obstakel dan dat hij fungeerde als spreekbuis voor de arbeiders. Vakbondsbestuurders werden vrijwel allemaal aangesteld door het regime en vertegenwoordigden dus allereerst de belangen van de staat. Individuele arbeiders die zich niet uit het veld lieten slaan, werden bovendien nauw in de gaten gehouden door de leiding van de bond.[30]

De politie en veiligheidsdiensten deden de rest. De politieke onderdrukking van het Egyptische regime kwam niet voort uit een vorm van sadisme, inherente afkeer van democratie of een leeg verlangen naar macht. Zoals meestal het geval is, diende de onderdrukking een economisch doel. Het was een instrument om een status-quo te handhaven waarbij de meerderheid van de bevolking aan het kortste eind trekt en de happy few de winst opstrijken. Voor de armen waren er wetten, voor de rijken waren de wetten flexibel.

Zakenlieden die nauwe banden onderhielden met het regime, buitenlandse investeerders, speculanten, hooggeplaatste ambtenaren en legerofficieren verdienden vermogens, maar een meerderheid van de bevolking zag in die jaren de levensstandaard drastisch dalen. Bij het aantreden van Mubarak, begin jaren tachtig, verdiende een arbeider in een Egyptische fabriek omgerekend gemiddeld 1000 euro per jaar. Twintig jaar later was dit nog maar 850 euro. Ondertussen steeg de inflatie en daarmee de prijs van voedingsmiddelen. In 1970 kon een staatsambtenaar met een universitair diploma met zijn inkomen gemiddeld 68 kilo rundvlees per maand kopen. Zeven jaar later, na zeven jaar infitah, was dat nog maar 35 kilo. In 2008 verdiende dezelfde ambtenaar 210 Egyptische ponden per maand, ongeveer 30 euro. Voor dit bedrag kon hij slechts 6 kilo rundvlees kopen.[31]

Hoewel sommigen inzagen dat de verarming van Egypte uiteindelijk tot verzet zou leiden, stonden financiële instellingen en hun economen te juichen.[32] Op papier voldeed Egypte namelijk precies aan de richtlijnen en voorschriften die zij stelden. Meer dan eens werd het economische beleid van Mubarak door de Wereldbank geprezen. In 2007 werd Egypte met veel tromgeroffel uitgeroepen tot 's werelds tophervormer. In hetzelfde rapport werd Egypte geprezen wegens 'overheidsbeleid dat het zakendoen aanmoedigt, bureaucratie vermindert, toegang tot kredieten vergemakkelijkt en handel faciliteert'.[33] Het rapport repte met geen woord over sociale rechtvaardigheid en de impact van dit beleid op de werkende klasse.

In 2003 werd de arbeidswetgeving van Nasser veranderd, een van de laatste overblijfselen van de verzorgingsstaat. Een belangrijke bepaling in de nieuwe wetgeving stelde dat tijdelijke contracten onbeperkt vernieuwd konden worden. De Egyptische flexwerker was daarmee geboren, ideaal voor investeerders die zonder al te veel problemen personeel wilden ontslaan. In 2004 volgde de *grand finale* in het proces van liberalisering met het aantreden van een zogenaamd zakenkabinet onder leiding van premier Ahmed Nazif. Het nieuwe kabinet bestond uit vertrouwelingen van Gamal Mubarak, voormalig *investment banker* en zoon van de toenmalige president. Er werden versnelde hervormingen doorgevoerd. De privatisering van Egyptes veelgeprezen katoenindustrie was een van de doelstellingen van het kabinet.

Deze plannen werden echter aan het wankelen gebracht door de gewonnen staking in El-Mahalla El-Kubra in 2006. Daarnaast wierp de staking een ander licht op de economische koers van het regime. Nadat jarenlang was beweerd dat er geen alternatief bestond voor de vrije markt, zag het regime zich geconfronteerd met potentieel oproer en kon het niets anders dan toegeven aan de eisen van de stakers. Honderdduizenden arbeiders in Egypte leerden van die ervaring; het succes van de staking zette een beweging in gang die jaren zou duren.

Het volgende jaar braken er stakingen uit in vrijwel alle sectoren van de economie. Het aantal stakingen en het arbeidsgerelateerde protest verdrievoudigden in 2006 en 2007. Deze tendens zette door. In het eerste kwartaal van 2008 werd er volgens het Egyptisch mensenrechtencentrum Kinderen van het Land evenveel geprotesteerd als tijdens het gehele voorgaande jaar. Het militante verzet van de El-Mahalla El-Kubra-arbeiders inspireerde werknemers in andere fabrieken en in andere sectoren om zich uit te spreken tegen hun eigen verslechterende arbeidsomstandigheden en voorwaarden, tegen stijgende prijzen en ontslag.

In 2007 werd er opnieuw gestaakt in El-Mahalla en opnieuw leidde de staking tot toezeggingen door de directie. Ook deze overwinning liet sporen na op de werkvloer van uiteenlopende sectoren. In de daaropvolgende maanden volgden ambtenaren, vissers, vuilnismannen, metrowerkers, belastinginners, artsen, haven- en fabrieksarbeiders het voorbeeld van El-Mahalla El-Kubra.

Omdat implementatie van de gewonnen concessies uitbleef en de koopkracht achteruit holde, werd er een nieuwe staking aangekondigd voor 6 april 2008; de 6 Apriljongerenbeweging is vernoemd naar deze dag. Een van de eisen was de verhoging van het nationale minimumloon van € 17,50 per maand naar € 143, , een bedrag dat was gebaseerd op de internationale armoedegrens van 2 dollar per dag (voor een gezin van drie komt dat neer op honderdtachtig dollar of € 143,-).

Ditmaal reageerde het regime. Dagen voor de staking werd de stad ingenomen door duizenden veiligheidstroepen uit zes verschillende provincies. De politie blokkeerde alle toegangswegen naar de stad, sloot de elektriciteit af en arresteerde honderden arbeiders. Tientallen arbeiders belandden na aanvaringen met de politie in het ziekenhuis. Minstens twee van hen overleden aan hun verwondingen. De poging om de staking te breken had tot een opstand geleid waarbij de hele gemeenschap – arbeiders, hun gezinnen en sympathisanten – betrokken was. Maar de opstand werd in de kiem gesmoord en binnen de stadsgrenzen gehouden. Ondanks de collectiviteit van het verzet werd de beweging in El-Mahalla El-Kubra, het kloppende hart van de Egyptische arbeidersbeweging, gebroken en gepacificeerd.[34] Maar de herinnering leefde voort. Voor het eerst had men op grote schaal de kracht aanschouwd van een spontaan georganiseerde gemeenschap die zich en bloc verzette tegen destructieve economische beleidsbepalingen.

Geïnspireerd door de gebeurtenissen in El-Mahalla El-Kubra zouden tussen 2006 en 2011 bijna vier miljoen Egyptische werknemers meedoen aan ongeveer vierduizend stakingen en andere arbeidsgerelateerde acties.

In juni 2010 – ik werkte als journalist in Caïro en het arbeidersprotest was overal – stond ik met een tiental fabrieksarbeiders voor de Libanese ambassade in de chique wijk Zamalek. De arbeiders, gekleed in smoezelige overalls en laarzen, werkten voor Future Pipe Industries, een bedrijf dat zichzelf afficheert als 'de mondiale leider in de grote-diameter-glasvezelpijpindustrie'. Het Libanees-Amerikaanse multinationale bedrijf had productie-eenheden in Egypte en een kantoor in Harderwijk.

Tussen de blinkende auto's en gietijzeren hekken die de fraaie villa's van de wijk dienden te beschermen tegen ongewenste indringers, liep de kleine demonstratie heen en weer voor de ingang van de ambassade. Agenten keken toe vanuit de schaduw van een van de vele bomen in de straat terwijl kinderen in schooluniform door chauffeurs in grote SUV's van school werden gehaald. Op lakens en op kartonnen borden hadden de arbeiders hun eisen geschreven: loonsverhoging, een jaarlijks percentage van de winst – zoals beschreven in hun arbeidscontracten – en een ziektekostenverzekering die hen zou dekken tegen de gevolgen van werken met gevaarlijke stoffen.

Chemicaliën die gebruikt werden bij de productie van de pijpen, waren schadelijk voor de gezondheid. Arbeiders van het bedrijf hadden na een jarenlang dienstverband te kampen met verschillende vormen van kanker, en moesten vervolgens zelf opdraaien voor de torenhoge zorgkosten. Voorman Khalid Ahmed stond woedend te zwaaien met documenten die aantoonden dat de kwalen van zijn collega's gerelateerd waren aan de chemicaliën waarmee ze werkten. Alleen op de Egyptische vestiging van het bedrijf werkte men nog altijd onbeschermd met chemicaliën, in andere landen was dat reeds verboden.

Drie jaar eerder, in de nasleep van de succesvolle staking in El-Mahalla El-Kubra, besloten de arbeiders van Future Pipe Industries dat ze het niet meer pikten en organiseerden een staking. De eigenaar van de fabriek negeerde hun verzoeken echter en ontsloeg de stakingsleiders. In het kantoor van zijn advocaat vertelde een van hen: 'Wij hebben het recht aan onze zijde, maar de overheid kiest de kant van de fabriekseigenaar.'

Dat, in één zin, was en is het probleem.

Begin 2011 kampte Egypte met de gevolgen van de mondiale economische crisis. De werkloosheid was hoog, prijzen van levensmiddelen zaten in de lift en traditionele manieren om tekorten op te vangen kwamen steeds meer onder druk te staan. Sinds het jaar 2000 was er sprake van een groeiend, buitenparlementair, maar door en door gepolitiseerd netwerk van activisten die bewapend met sociale media de politieke ruimte schiepen voor kritiek op het regime. Jongeren als Philip, Selma en Ziyad konden via dit netwerk relateren aan politieke ontwikkelingen in Egypte.

Vanaf 2006 kwam daar de destabiliserende kracht van een stakingsbeweging bij. Hoewel beide bewegingen de autoriteiten kopzorgen bezorgden, opereerden ze allebei in hun eigen domein. Slechts sporadisch kwamen ze met elkaar in contact.

Dat gebeurde bijvoorbeeld op kleine schaal in het najaar van 2009 op een bijeenkomst in de vergaderruimte van mensenrechtenorganisatie Hisham Mubarak. Daar werd een aantal breedgeschouderde stakingsleiders uit de industriesteden El-Mahalla El-Kubra en Shibin al-Kawm onderwezen in de fijne kneepjes van de nieuwe media. Jonge activisten uit Caïro wilden de banden aanhalen tussen henzelf en arbeiders buiten de stad en organiseerden met enige regelmaat dergelijke bijeenkomsten. Daarnaast was het dé manier om buitenstaanders, media en elkaar op de hoogte te houden van de gebeurtenissen in de fabrieken in de Nijldelta.

De bekende blogger en activist Hossam el-Hamalawy en activist Malek Mustafa legden uit dat de arbeiders met hun mobiele telefoons een krachtig wapen in handen hadden, waarmee ze zich tot de rest van de wereld konden richten via Twitter en Facebook.[35] Het enige wat ze nodig hadden, was een mobiele telefoon met een internetverbinding. De oude Nokiatelefoontjes van de mannen werden vervolgens gekoppeld aan een Twitteraccount, dat weer werd doorgeschakeld naar verschillende websites met nieuws over arbeidersstrijd in Egypte. Door middel van sms'jes naar een speciaal door Twitter in het leven geroepen nummer konden de mannen tweets de wereld in sturen.

De knoestige vingers van de mannen zochten onwennig naar de juiste letters op het veel te kleine toetsenbord om een eerste proefbericht te sturen. Als hun boodschappen vervolgens (vol schrijffouten) op het computerscherm in het midden van de kamer verschenen, zuchtte men van verbazing.

Daarna volgde er een discussie over het wel en wee van arbeiders in Egypte. De mannen beklaagden zich over het gebrek aan media-aandacht en het feit dat ze zich nauwelijks met de democratiebeweging in de steden konden identificeren. De stakingen gingen in de meeste gevallen over dagelijkse materiële eisen. De protestbeweging daarentegen hanteerde een politiek discours. Toch was er volgens de aanwezigen sprake van een gezamenlijk doel: een politieke en een economische koerswijziging.

Ondanks de lessen in sociale media bleef de afstand tussen beide bewegingen bestaan. Pas aan het eind van de achttien dagen sloten ze de gelederen. Het regime moedigde mensen aan weer aan het werk te gaan, maar in plaats daarvan werd er gestaakt. Vanaf 8 februari 2011 legden arbeiders in de transport- en telecommunicatiesector als eersten het werk neer uit solidariteit met de betogers op de pleinen van Egypte. Fabrieken in de Nijldelta, de havens van Suez en steengroeven rondom Caïro volgden snel. Als een lopend vuurtje breidde de opstand zich uit over de werkplekken van Egypte. Terwijl Mubarak de storm van protest op straat misschien nog wel had kunnen uitzitten, bleek de participatie van Egyptes werkende bevolking een stap te ver. De economie lag stil en elke dag gingen tientallen miljoenen ponden verloren. Mubarak werd te duur, de corrupte kliek rondom de president begon te mokken en het regime wankelde. Om een totale ineenstorting te voorkomen moest er gehandeld worden. Mubarak werd geofferd. Onder druk van massaal protest op straat en op de werkvloeren van Egypte werd president Mubarak op vrijdag 11 februari aan de kant gezet door de legertop in een poging mee te varen op de golven van de revolutie en het regime intact te houden.

Een dag eerder verscheen Mubarak voor de derde en laatste maal op de Egyptische staatstelevisie. Na zeventien uitputtende dagen waren demonstranten op het plein ongeduldig. Gespannen keek een afgeladen Tahrirplein naar de speech van de president die werd geprojecteerd op een groot wit laken dat was opgehangen aan de achterzijde van het plein. Ik keek mee via mijn laptop, driehoog in Amsterdam.

De toespraak van de president was een cryptisch verhaal waarin hij de Egyptische jeugd de hemel in prees, een aantal onduidelijke grondwetswijzigingen aankondigde en nogmaals benadrukte dat hij zich in september niet verkiesbaar zou stellen.

Selma Saïd was op de ochtend van 29 januari een van de eersten die haar tent had opgezet op Tahrir, en tot dat moment had ze alle zeventien dagen vooraan gestaan bij demonstraties. Tijdens die laatste dagen van de bezetting van Tahrir sliep Selma met vrienden op de stoepen van het parlement, honderd meter van het plein. Tahrir was vol en het was zaak om de bezetting en daarmee de invloedssfeer van de betogers langzaam uit te breiden. Het was daar bovendien een stuk prettiger slapen, er waren minder mensen en geen podia waarvandaan mensen 24 uur per dag hun eisen kenbaar maakten. Haar baan als internationaal coördinator bij een culturele instelling had Selma tijdelijk op pauze gezet.[36] Ze had alles gegeven en hoorde uitgeput de laatste speech van Mubarak aan.

Later beschreef ze het moment van de speech als hartverscheurend. Volwassen mannen op het plein stortten huilend ter aarde. Het was intens. Iedereen leek gek te worden van woede, de grond trilde ervan. Ondanks haar tranen was Selma op dat moment bereid om de boel te laten escaleren en probeerde ze mensen te mobiliseren om naar het presidentieel paleis te marcheren om een doorbraak te forceren. Er werd gezamenlijk besloten om te wachten tot de volgende dag.

Maar Selma ging niet naar het presidentieel paleis, maar marcheerde met een groep anderen rond middernacht naar Maspiro, het staatstelevisiegebouw vlak bij het Tahrirplein. De sfeer daar was grimmiger, er stonden heel veel soldaten en alles was afgezet met prikkeldraad. Nadat de demonstranten hun meningen kenbaar hadden gemaakt aan de televisiecamera's van de staatstelevisie in het gebouw, keerden ze terug.

De dag na de speech sloten tienduizenden nieuwe mensen zich aan bij het protest. Het was een vrijdag en het voelde alsof er die dag een beslissing zou worden afgedwongen. Op de podia werd hevig gediscussieerd over de voor- en nadelen van een mars naar het presidentieel paleis. Uiteindelijk gingen Selma en Ziyad met een paar honderd anderen op weg naar het paleis. Lang niet iedereen was het daarmee eens. Volgens velen was het te gevaarlijk en zou het tot onnodige confrontaties leiden.

Vijf of zes uur later stonden zeker tienduizend mensen voor de poorten van het paleis. De meesten hadden zich onderweg aangesloten. Er heerste eensgezindheid in de stad. Langs de route werd water uitgedeeld aan de demonstranten en iedereen juichte en zong de menigte toe.

Bij het paleis was de weg afgezet en stonden soldaten te wachten. Volgens Selma was de sfeer geweldig. Er waren zoveel mensen en iedereen verwachtte een goede afloop. Na ongeveer een uur klom een legercommandant op een tank die voor een van de wegafzettingen stond. Hij verkondigde dat er binnen afzienbare tijd groot en goed nieuws zou zijn. Een halfuur later verscheen Omar Suleiman,[37] de vicepresident, op televisie. Iedereen op straat luisterde naar zijn korte toespraak via kleine radiootjes, maar voor Selma was de reactie van de mensen voldoende. Toen iedereen begon te juichen, wist zij wat er was gezegd. Toch was ze niet blij, maar verward.

Vicepresident Suleiman stelde dat Mubarak de macht had overgedragen aan de Hoge Militaire Raad. Selma vroeg zich af wat dat betekende. Bovendien was ze simpelweg te moe om echt te kunnen delen in de collectieve euforie. Ze was opgelucht dat het voorbij was, maar maakte zich op dat moment vooral zorgen om de terugweg. De inspanningen en emoties van achttien dagen protest begonnen hun tol te eisen. De vier uur durende wandeling terug naar huis door de feestvierende massa was het enige waar Selma op dat moment over na kon denken.

Ze raakte daarnaast zelfs een beetje geïrriteerd door de plotselinge en collectieve feestvreugde op straat. Er waren genoeg mensen die gedurende al die tijd niets hadden bijgedragen aan de strijd. Zij waren op de bank voor de tv blijven zitten wachten tot het voorbij was. Die mensen stonden nu wel te juichen en dat voelde raar.

Ondanks haar vermoeidheid bleef ze tot diep in de nacht op om met vrienden en kameraden te praten over de ontstane situatie en de mogelijke intenties van de Hoge Militaire Raad. Van een feeststemming was geen sprake. Iedereen was blij, maar ook gespannen. Het leger was aan de macht! Selma en haar gespreksgenoten maakten zich geen illusies. De generaals in de militaire raad waren mannen van Mubarak, dat was bekend. Volgens sommigen was de machtsovername van het leger zelfs een coup en had de legerleiding Mubarak aan de kant gezet om het regime veilig te stellen.

Wat bijdroeg aan de verwarring was de manier waarop het leger zich presenteerde. Er werd een avondklok ingesteld en overheidsgebouwen werden streng bewaakt. Tegelijkertijd verschenen de generaals in uniform op televisie en prezen zij de martelaren die tijdens de achttien dagen hun leven hadden verloren. Het was dus moeilijk om direct conclusies te trekken. Lang hoefde Selma echter niet op duidelijkheid te wachten.

De volgende ochtend sliep ze uit. Ze maakte ontbijt met vrienden en kameraden en ging vervolgens naar het plein. Ze wilde zien wat er zou gebeuren. Bovendien was een dagelijkse ronde over het plein een gewoonte geworden. In de voorgaande achttien dagen was deze veredelde rotonde haar thuis geweest en daar had ze de meest intense periode uit haar leven doorgebracht. Zij had er met duizenden anderen gehuild, gelachen, gevochten en gebloed, en dat kon ze niet zomaar loslaten. Er sliepen bovendien nog altijd honderden mensen op het plein, met name families van martelaren van de revolutie en mensen die hun hele leven achter zich hadden gelaten om deel te nemen aan de revolutie.[38] Selma wilde bij hen zijn.

Tussen die overblijfselen van het protest liepen er die dag al mensen die riepen dat men het plein diende te verlaten. De revolutie was voorbij, zeiden ze, en het was tijd om naar huis te gaan. Voor Selma voorspelde dat weinig goeds. 'Het was onheilspellend. Zou nu alles weer worden zoals het was, maar dan met andere mensen aan de macht?'

Iets minder dan een jaar na de val van Mubarak, op zondag 5 februari 2012, werd Selma Saïd met honderdzes loden kogeltjes in haar lichaam de witverlichte gang van het nieuwe Qasr Al-Ainiziekenhuis in gedragen. De kogeltjes hadden de vitale delen net gemist, ze werd geraakt vlak onder haar ogen, net boven haar mond, in haar schouders, in haar nek en overal in de rest van haar lichaam. Bloedend en in totale shock werd ze op een ziekenhuisbed gelegd. Vrienden, familie en kameraden[39] stonden in stilte of in paniek om haar heen. Het was niet de eerste keer dat er een slachtoffer was gevallen in onze directe vriendengroep, maar toch was het een schok voor ons allemaal.

Even daarvoor had ik afscheid van haar genomen op een stoep voor de Bab El-Locqmarkt in het centrum van de stad, te midden van hevige rellen. We hadden samen opnamen gemaakt van het geweld. Om ons heen stonden groepen gemaskerde jongeren met molotovcocktails, katapulten, laserpennen en stenen in hun handen, maar dat was normaal in die dagen. Een jaar na de val van Mubarak was de revolutie een permanente aanwezigheid geworden in het hart van de Egyptische hoofdstad.

De straten rondom het parlement werden geblokkeerd door metershoge muren, opgebouwd uit betonnen blokken, om ervoor te zorgen dat betogers niet bij het ministerie van Binnenlandse Zaken en het parlement konden komen. Andere wegen waren geblokkeerd door rollen prikkeldraad en militaire controles.

Revolutionaire leuzen, uitgebreide allegorische tekeningen en schilderingen van martelaren sierden de betonnen afscheidingsmuren en bijna elke andere muur in de binnenstad. In de omgeving van het Tahrirplein stonden uitgebrande gebouwen en auto's als zwartgeblakerde getuigen van het geweld in die dagen. Het plein zelf was veranderd in een vrijhaven waar betogers, straatverkopers en daklozen de dienst uitmaakten. Ministeries en andere gebouwen waren belegerde vestingen geworden waar het leger met tanks, prikkeldraad en kordons de wacht hield. Demonstraties trokken vrijwel dagelijks door de stad op weg naar een of ander ministerie, een juridische instelling of een militair instituut. Het verkeer in de binnenstad werd permanent omgeleid, uit voorzorg. De revolutie bepaalde kortom het ritme van de stad.

De littekens van elf maanden protest waren niet alleen zichtbaar in de levenloze voorwerpen van de omgeving, maar ook in de gezichten van de mensen. Jongeren met lappen of pleisters over lege oogkassen en verbonden hoofdwonden waren een alledaags verschijnsel in het straatbeeld van die dagen. De koffiehuizen van Downtown zaten 's avonds vol met een gehavend publiek.

De grootste schade bleef echter onzichtbaar. Duizenden jongeren hadden vrienden of familieleden verloren door toedoen van de staat en waren verwikkeld in een oneerlijke strijd op leven en dood. Zij werden gedreven door een verlangen naar gerechtigheid en konden hun woede slechts uiten door rellen te veroorzaken. Opgeven was geen optie, daarvoor was men al te ver gekomen, en dus moest je bereid zijn te sterven. Het was deze begrijpelijke oorlogsmentaliteit die zin gaf aan het leven van zovelen in die dagen: vechten voor genoegdoening en wellicht een betere toekomst.

In het centrum van Caïro regeerde de jeugd; de regels van de staat kwamen langzaam te vervallen. Politie en andere vormen van rechtshandhaving konden zich er niet vertonen zonder een conflict uit te lokken en daarmee veranderde de cultuur van de stad. In plaats van een opgedrongen orde heerste er een creatieve chaos. Uitbaters van mobiele theekraampjes vestigden zich permanent op pleinen die voorheen alleen voor verkeer dienden, tapten elektriciteit af van lantaarnpalen en eigenden zich zo een deel van de publieke ruimte toe. Straatkinderen namen hun intrek in de doodlopende stegen en andere verlaten ruimtes van de binnenstad, en informele handelaren namen stoepen en zelfs straten over.

Tieners en twintigers met gel in hun haren, trainingsbroeken en sportschoenen aan zetten de toon. Zij kwamen uit de arme wijken en brachten een rebelse cultuur mee die ingang vond onder de revolutionairen uit de middenklasse. De zware bassen van de opzwepende en absurdistische *mahraganat* (festivalmuziek) klonken op elke straathoek en uit de overbelaste speakers van elke passerende scooter. Rappers als Amr Haha, Fifty en Ortega introduceerden met schijnbaar nietszeggende teksten als 'Kut, ik ben mijn slipper kwijt' een nieuw volks elan dat humoristisch en uitdagend was. De beats waren keihard en droegen een gevoel van onverzettelijkheid uit. De muziek en het protest schiepen een beeld van alles of niets. Dansen of vechten, tot we erbij neervallen, maar ons conformeren doen we niet meer.

De artiesten doorbraken taboes door de vulgaire straattaal en hun ideeën over seks en politiek in hun nummers te vatten. Op straat doorbrak men dagelijks taboes door de macht uit te dagen en de opgelegde grenzen niet langer te accepteren. Vrijwel elke maand was het centrum in die dagen het toneel van felle confrontaties tussen de revolutie en het regime. De emoties die daarmee gepaard gingen, vormden de stad – en vormden een generatie.

Stoepen waren veranderd in zandbakken omdat de tegels waren gebruikt als munitie en hasj werd openlijk gerookt. Egypte onderging een culturele transformatie en Downtown lag in de voorste linies. Het volksprotest had een herwaardering van een rebelse *sha'bi-* (volks)cultuur teweeggebracht. De oude culturele elite die op goede voet leefde met het voormalige regime leek totaal irrelevant geworden.

—·—

In februari 2012 vochten aanhangers van voetbalclub Al-Ahly en jongeren die om welke reden dan ook nog een appeltje hadden te schillen met de militaire junta, keihard met veiligheidstroepen die genadeloos optraden. De lucht van traangas, brandende autobanden en azijn om het traangas tegen te gaan hing permanent in de lucht, en de kleren die we droegen waren ervan doordrongen. Rommelige rollen prikkeldraad, stenen en barricades verdeelden de straat. Her en der brandden vuren. De menigte die zich achter de frontlinies ophield, ontstak zo nu en dan in tromgeroffel en gezang tegen de politie. 'Het ministerie van Binnenlandse Zaken, de echte criminelen!' klonk het dan, of: 'Het volk eist de executie van de maarschalk.' Een lied dat werd verzonnen door de supporters van aartsrivaal Zamalek s.c. werd in die dagen razend populair:

We zullen het Tahrirplein niet vergeten stelletje hoerenzonen!
De revolutie was voor jullie [de veiligheidstroepen] een ramp.
Maar tegen wie kunnen wij klagen, de officieren zijn een stel pooiers
Jullie hebben een pak slaag gekregen zoals jullie dat in jaren niet hebben gehad
holadiooo holadioo

Het was tegen tien uur in de avond. Selma wilde nog even blijven om te zien hoe de strijd zich die nacht zou ontwikkelen. Ik had er genoeg van en ging naar huis. Nog geen twee minuten later – ik had nog geen honderd meter gelopen – vielen de veiligheidstroepen aan.

Gezeten in een soort schutterstoren, boven op een gepantserde bus, vuurde een agent lukraak met een shotgun in de menigte. Iedereen dook naar de grond of probeerde weg te komen. Later hoorde ik dat Selma in een hoek was gedreven in een van de smalle ingangen van de Bab El-Loeqmarkt. Ze kon niet weg en werd door drie hagelpatronen geraakt voordat ze op de grond zakte. Betogers droegen de bloedende Selma naar een ambulance die op het Tahrirplein stond te wachten. Twee weken later kon ze pas weer een beetje lopen.

Diezelfde avond stierf ene Ahmed Kenawy (21) aan zijn verwondingen nadat hij in zijn nek en hoofd was getroffen door hagelpatronen bij dezelfde rellen rondom het ministerie van Binnenlandse Zaken.

Een dag later, op maandag 6 februari, werd het gebruik van hagel door veiligheidsdiensten besproken in het kersverse Egyptische parlement. Tijdens de hoogoplopende discussie beweerde Saad el-Katatni, parlementsvoorzitter en vooraanstaand lid van de Moslimbroederschap, die met 45 procent van de zetels het parlement domineerde, stellig dat de veiligheidsdiensten geen hagel hadden gebruikt. Een ander parlementslid, Rizk Mohamed Hassan, lid van de salafistische El-Nourpartij, die 25 procent van de parlementszetels bezette, stelde tijdens de discussie dat de betogers op straat niet dezelfde waren als tijdens de 25 januarirevolutie. 'Dit zijn een stel boeven die tweehonderd pond per dag en twee maaltijden betaald krijgen om onrust te stoken,' zei de vrome volksvertegenwoordiger.

De Moslimbroeders en de salafisten waren de voormalige oppositieleden die in het verleden werden opgejaagd door het regime van Mubarak. Zij hadden inmiddels stuivertje gewisseld met de NDP van weleer. Zij waren nu parlementariërs en bleken niet te beroerd om de criminele praktijken van de veiligheidsdiensten in de doofpot te stoppen nu ze eenmaal een machtspositie hadden. Deze mannen, die in het verleden de mond vol hadden gehad van mensenrechten en onderdrukking, droegen nu comfortabele pakken terwijl ze zitting mochten nemen in de houten banken van het Egyptische parlement. Maar in plaats van de echte problemen aan te pakken en de dictatuur structureel te ontmantelen discussieerden zij urenlang over de gewenste rol van religie in de Egyptische maatschappij. Sommigen van hen hadden (een gedeelte van) de achttien dagen op het plein doorgebracht samen met hen die nu enkele straten verderop werden neergeschoten door de troepen van het ministerie. De parlementariërs waren hun medestrijders van een jaar daarvoor echter vergeten en hadden blijkbaar slechts hun eigen belang voor ogen gehad.

Hoe had dit kunnen gebeuren?

DEEL II

De Hoge Militaire Raad

12 FEBRUARI 2011-30 JUNI 2012

'Het leger en het volk zijn één'

5

Met de val van Mubarak begon tevens de veronderstelde eenheid van het revolutionaire kamp af te brokkelen.

De meeste Egyptenaren waren trots op het behaalde resultaat – een van 's werelds langstzittende dictators was van zijn troon gestoten – maar ze waren tegelijkertijd gespannen over de toekomst. Het was het einde van een tijdperk en de grens van bekend terrein was bereikt.

Mubarak had zich teruggetrokken in zijn goed beveiligde verblijfplaats in de badplaats Sharm-el-Sheikh in het zuiden van de Sinaï. De macht lag bij het leger, of beter gezegd bij een tot dan toe vrijwel onbekend orgaan genaamd de Hoge Militaire Raad (HMR), ook wel bekend als SCAF (Supreme Council of the Armed Forces) of El-Maglis El-'Askari. Deze raad stond onder leiding van de vijfenzeventigjarige veldmaarschalk Mohamed Hussein Tantawi, voormalig minister van Defensie onder Mubarak, die 55 jaar eerder, in 1956, in dienst was getreden van de Egyptische strijdkrachten.

In het eerste communiqué van de HMR na de machtsoverdracht, op de avond van 11 februari 2011, bracht generaal Mohsen al-Fingari tijdens een houterige toespraak op de staatstelevisie een militair saluut aan de *shuhada* (martelaren) van de achttien dagen 'die hun leven hadden gegeven voor de vrijheid van Egypte' en bedankte terloops Hosni Mubarak voor bewezen diensten. Het was een vreemd en ongemakkelijk moment waarop de schizofrene positie van het leger aan het licht kwam. De mannen hadden hun posities allemaal te danken aan de president die zij zojuist hadden onttroond.

In een volgend communiqué, een dag later, stelde dezelfde generaal dat het leger niet uit was op de macht. De generaals zouden

Egypte tijdelijk besturen, binnen zes maanden parlementsverkiezingen organiseren en op den duur de macht overdragen aan een burgerlijk bewind, zo zei Al-Fingari. Een tijdsbestek voor de daadwerkelijke machtsoverdracht noemde hij echter niet. De grondwet werd tijdelijk opgeschort en het parlement werd ontbonden. De noodwet van Mubarak bleef van kracht.

Uitvoering van de dagelijkse overheidstaken bleef de verantwoordelijkheid van een kabinet dat op 31 januari was aangesteld door Mubarak als onderdeel van zijn 'concessies' aan de betogers op straat. Premier in dit kabinet was Ahmed Shafik, voormalig luchtmachtcommandant, minister van Luchtvaart, toekomstig presidentskandidaat en vertrouweling van Mubarak sinds de vroege jaren zeventig.[1]

Daarmee was een rare situatie ontstaan. Een van de hoofdeisen van de demonstranten, het vertrek van Mubarak, was ingewilligd, maar echt revolutionair was het resultaat niet. Het regime was nog altijd intact. De NDP bleef ongemoeid en mannen die hun positie aan hem te danken hadden, maakten de dienst uit.[2] Toch presenteerden de nieuwe leiders de situatie als een breuk met het verleden en een nieuwe bladzijde in Egyptes lange geschiedenis.

Het aftreden van Mubarak werd door de generaals gepresenteerd als de climax van een *sawra* (revolutie), die, zo zeiden ze er doorgaans bij, glorieus maar ten einde was. De revolutie was geslaagd, de dictator was vertrokken en een democratische toekomst gloorde aan de horizon. Het leger, de hoeder van de natie, had zijn ware aard laten zien door de revolutie te verdedigen en de kant van het volk te kiezen. De dagen van onrecht waren voorbij en het was tijd om weer aan het werk te gaan, zo luidde de boodschap. Het leger zou de transitie in goede banen leiden en de waardigheid van het Egyptische volk in volle glorie herstellen. Het leger en het volk zijn één, was het motto van dat moment.

De 21 leden van de Hoge Militaire Raad waren echter stuk voor stuk grijze(nde), door Mubarak aangestelde mannen die in ouderwetse grijsgroene militaire uitrusting onwennig en autoritair het volk toespraken op de staatstelevisie. Egypte leek een stap terug in de tijd te hebben gezet. De grauwe, zakelijke presentatie van de generaals deed denken aan de Sovjet-Unie ten tijde van de Koude Oorlog en de rits Zuid-Amerikaanse militaire dictaturen van het type Pinochet.

Desondanks ademde Egypte een hervonden nationale trots die niet altijd even oprecht voelde. Televisiestations van de staat die tijdens de protesten hadden gedaan alsof er niets aan de hand was, toonden beelden van 'het heldhaftige Egyptische volk' op het Tahrirplein, en verbonden hun naam aan de gebeurtenissen die leidden tot het vertrek van Mubarak. Op banners in de linkerbovenhoek van het televisiescherm was in die dagen op vrijwel elke zender een Egyptische vlag zichtbaar met daaronder de woorden *Masr Da'iman Hurra* ('Egypte vrij voor altijd'). De meest reactionaire volksmenners van de Egyptische staatstelevisie hadden een verbijsterende ommezwaai gemaakt en 'de revolutie' omarmd. De revolutie bestond voor hen uit de val van Mubarak, en daarmee was de kous af. Sociale rechtvaardigheid en hervorming van het veiligheidsapparaat kwamen bij hen niet ter sprake.

Internationale telecommunicatiebedrijven zoals Vodafone, die zonder schroom hun netwerken hadden platgelegd tijdens de achttien dagen om de protesten te dwarsbomen, kwamen met reclames waarin ze hun goedkope tarieven aandroegen als een van de oorzaken van de revolutie, goedkoper bellen leidde volgens Vodafone op den duur tot revolutie. Politieke partijen die voorheen tevreden waren met een symbolische deelname aan de democratische schijnvertoning, veranderden van naam om beter aan te sluiten op de nieuwe politieke realiteit. De revolutie was kortom gemeengoed geworden.

Voor veel activisten en revolutionairen die achttien dagen op het plein hadden geleefd, was de situatie echter bevreemdend. Oppervlakkig gezien leek er inderdaad sprake van een revolutie, maar de realiteit voelde als een façade. De opstand waar zij alles voor hadden gegeven, had een archaïsch aandoende militaire junta aan de macht gebracht – niet echt het resultaat waar men op hoopte. De taal die de militairen gebruikten, klonk weliswaar revolutionair of democratisch, maar heel oprecht leken ze niet. Veel was onduidelijk. De censuur in de Mubaraktijd bepaalde dat er over de strijdkrachten niet of nauwelijks mocht worden gesproken, en dus wist men nagenoeg niets over de nieuwe leiders van het land.

Tegelijkertijd blaakten activisten van zelfvertrouwen. Oudere activisten zagen hun mantra's bevestigd dat het loont om tegen de stroom in te gaan, en niet op te geven op momenten dat verzet nutteloos lijkt. Tienduizenden Egyptische jongeren werden politiek actief. Zij zagen dat ze werkelijk iets bij konden dragen aan de toekomst van hun land en dat apathie onrecht bestendigde. Zij hadden nooit een andere president gekend dan degene die ze net van zijn troon hadden gestoten en ze waren daardoor doordrongen van het idee dat alles mogelijk was.

Maar het was die eerste maanden zoeken. Activisten wisten niet of ze moesten debatteren of vechten, demonstreren of meedoen aan het politieke proces. Een hervormingsgezinde taal – voorheen de taal van een minderheid – was mainstream geworden. Iedereen praatte over democratie, transparantie, verantwoording afleggen en verkiezingen, maar betekenissen liepen uiteen. Dezelfde woorden en begrippen werden omarmd door mensen die er voorheen op hadden gespuugd, en dus was het moeilijk om je als activist te onderscheiden of om een duidelijk overzicht te krijgen van de werkelijke posities. Vrijwel direct na het aftreden van Mubarak begon een strijd om de betekenis van de achttien dagen en om de inhoud van begrippen.

Volgens Lobna Darwish, een vriendin die ik later dat jaar zou ontmoeten, waren die eerste maanden na het aftreden van Mubarak de moeilijkste uit haar politieke leven tot dat moment. De vijfentwintigjarige Lobna was bepaald geen nieuwkomer in de wereld van het activisme. Net als haar goede vriendin Selma was ze beïnvloed door de linkse politieke aspiraties van haar directe familieleden en werd ze politiek actief tijdens de solidariteitsinitiatieven ten tijde van de Tweede Palestijnse Intifada in 2000. Vanaf dat moment liep ze mee in demonstraties in binnen- en buitenland.

Ze groeide op in een kosmopolitisch gezin in Alexandrië, werd in het Frans onderwezen door nonnen en later op een kostschool in Zwitserland. Als tiener vertrok ze naar de Verenigde Staten om Kritische Theorie te studeren en deel te nemen aan acties van autonoom verzet in de steden aan de westkust. Met het uitbreken van de revolutie kwam Lobna naar Caïro, waar ze ook na de val van Mubarak bleef wonen.

Met afkeer denkt Lobna terug aan die eerste maanden na de val van Mubarak. De snelheid waarmee de revolutionairen buitenspel werden gezet, was voor haar een grote frustratie. De media waren terug in *full force*, net als politici en politieke partijen. Zij, en niet de revolutionairen, gaven vorm aan die periode. Het ging die eerste tijd nauwelijks meer over de eisen die waren gesteld, over 'brood, vrijheid en sociale rechtvaardigheid', er werd slechts gesproken in nietszeggende termen als 'overgangsregering', 'constitutionele kwesties', 'machtsoverdracht' en 'referenda' en over de technische details van wat het democratiseringstraject werd genoemd. Het was een discussie waarin geen plaats was voor activisten zoals Lobna. En dus voelde ze zich vervreemd en gedesoriënteerd. 'Ons enthousiasme verstomde al snel, maar kritiek op het leger en de nieuwe orde werd in die dagen nog helemaal niet geaccepteerd en dus liepen we constant tegen de muur op.'

Achttien dagen lang hadden Lobna en haar kameraden het initiatief gehad door een fysieke bezetting gaande te houden. Vervolgens moesten zij vragen beantwoorden over begrippen die hun werden opgedrongen, zoals 'interim-regering' en 'democratiseringstraject'. De activisten waren gewend om vragen te stellen, niet om ze te beantwoorden, en dus begonnen ze opnieuw met een achterstand.

Het feit dat de grootste supporters van Mubarak plotseling dweepten met de revolutie, maakte bovendien dat de revolutionairen moeite hadden om zichzelf te onderscheiden. De taal van de revolutie werd algemeen gehanteerd, maar de betekenis erodeerde. De revolutie in al haar betekenissen bepaalde het nieuwe paradigma en de revolutionairen waren slechts een van de vele groepen die de woorden en begrippen betekenis moesten geven. Lobna, Selma, Ziyad en Philip bleven daarom hameren op de basis. Wanneer zij de kans kregen, probeerden zij het publieke debat te beïnvloeden. Hun boodschap was dat de strijd nog lang niet gestreden was en dat het vertrek van Mubarak als een begin moest worden gezien.

Vanaf 12 februari, een dag na het vertrek van Mubarak, kwamen jongeren met verfbussen naar het plein om de boel opnieuw te verven. Zij dachten dat een likje verf het enige was wat Egypte op dat moment nog nodig had. Zo was de situatie. Lobna: 'Enerzijds werd de publieke opinie enorm gecontroleerd door het leger en de media, en anderzijds was er gewoon ontzettend veel naïviteit.'

Veel mensen beseften niet dat de dictatuur meer omvatte dan alleen de persoon van Mubarak. Lobna probeerde hen ervan te overtuigen dat de president slechts aan het hoofd zat van een dictatoriaal systeem waarvan het leger en de veiligheidsdiensten een vitaal onderdeel waren. Voor een dergelijk verhaal was in die dagen echter geen publiek te vinden.

Op het plein bleven in die weken enkele tientallen demonstranten over. Zij waren de familieleden van martelaren en de arme mensen die hun hele leven achter zich hadden gelaten om deel te nemen aan het protest. Zij hadden dierbaren verloren tijdens de opstand en klampten zich vast aan de herinnering van het protest dat de dood van hun geliefden betekenis had gegeven. Op het plein kwamen ze samen om genoegdoening te eisen van de militaire junta. Maar ook voor hen was in die dagen weinig geduld. Veel mensen droegen de families van de martelaren een warm hart toe, maar de media en de economische belangen van de bevoorrechte klasse bepaalden het publieke sentiment. Volgens de dominante lezing van de gebeurtenissen was de revolutie ten einde en diende het productieproces weer op gang te komen. Het duurde dus niet lang of het leger begon de tenten van deze mensen te verwijderen. Ze wilden het plein ontruimen en werden daarin gesteund door de middenstand in het centrum van de stad, medewerkers van de toeristenindustrie en het bedrijfsleven. Zij verlangden naar rust en stabiliteit en hadden het gehad met het protest.

Om de geest van rebellie levend te houden en de eisen van de revolutie te benadrukken werden er elke vrijdag demonstraties georganiseerd door een harde kern van activisten en politieke organisaties. Het was echter moeilijk om vat te krijgen op de gebeurtenissen die elkaar in sneltreinvaart opvolgden. De grenzen van de nieuwe politieke realiteit waren vaag en de houding van de militaire raad ten opzichte van politieke vrijheid was onduidelijk. Bovendien was de politie nog altijd niet terug in het straatbeeld. Soldaten patrouilleerden en dat was even wennen. De eerste confrontatie tussen demonstranten en soldaten vond plaats op 25 februari, een maand na het begin van de revolutie. De volgende dag boden de militairen via de media echter officieel excuses aan voor de 'onbedoelde agressie'.

Vanwege het aanhoudende protest van een relatief kleine groep activisten en een vernietigend treffen op de commerciële televisiezender ONtv tussen de uitgesproken schrijver en oudgediende van Kifaya! Alaa Al-Aswani en premier Ahmed Shafik werd laatstgenoemde op 3 maart ontslagen door de generaals in de militaire raad. Hij werd vervangen door de kleurloze academicus en voormalig minister van Transport van Mubarak Essam Sharaf.

Met gevoel voor drama liet Sharaf zich huldigen op het Tahrirplein, waarbij hij zijn toehoorders verzekerde dat zijn legitimiteit op het plein lag en nergens anders. Hij beloofde bovendien zijn tijd te zullen wijden aan de 'democratische transitie', maar hij vroeg om geduld. Het was een sterk staaltje demagogie.

Vrienden van Lobna, die tijdens de achttien dagen aan haar zijde hadden gestaan, huilden van ontroering. Tot haar grote frustratie lieten zij zich meeslepen door de symboliek van het moment. Maar het betekende niets. Het waren slechts woorden, politiek bedrog, theater. Dergelijke momenten verdeelden de beweging op straat. Sommigen wilden de nieuwe president vanwege zijn oprechte opstelling het voordeel van de twijfel geven en besloten zich koest te houden.

De woede van activisten en nieuwe politieke initiatieven die in die dagen als paddenstoelen uit de grond schoten, richtten zich met name tegen de oude repressieve instituten van de staat. Nadat de Hoge Militaire Raad advies om het veiligheidsapparaat te hervormen herhaaldelijk in de wind had geslagen, besloten revolutionairen zelf actie te ondernemen. In Alexandrië en Ismaïlia, een stad aan het Suezkanaal, vielen zij op 4 maart de kantoren van de staatsveiligheidsdienst aan. De volgende dag gebeurde hetzelfde in de hoofdstad.

In de dagen ervoor waren online filmpjes verschenen waarin te zien was hoe veiligheidspersoneel documenten vernietigde. Met het ontslag van Ahmed Shafik was opnieuw een van de pijlers van de veiligheidsstaat van het toneel verdwenen. De officieren waren blijkbaar in paniek geraakt en probeerden de sporen van een gewelddadig verleden uit te wissen. Als reactie daarop verzamelden revolutionairen zich voor de verschillende hoofdkwartieren van de staatsveiligheidsdiensten en forceerden de ingang. Binnen vonden zij archieven waarin stond wie waarom door de staat in de gaten werd gehouden.

Lobna liep met een tamelijk grote groep door de geheime slaapkamers van hooggeplaatst veiligheidspersoneel en de ondergrondse martelkamers waar de martelwerktuigen nog aan de muren hingen. Sommige aanwezigen gingen hun oude martelkamers en cellen in om voor te doen hoe het eraan toe was gegaan. Anderen spreidden hun bidkleedjes uit en begonnen te bidden. Het was een surrealistische en emotionele ervaring. Lobna vond hele bergen met verscheurde documenten, prullenbakken die uitpuilden en de overblijfselen van verbrand papier. Maar niet alles was vernietigd.

Tussen de rommel ontdekte ze gedetailleerde dossiers van vrienden en bekenden, onder meer het dossier van Philip waarin stond dat hij zich met de Palestijnse kwestie bezighield. Dat dossier en andere smokkelde ze mee naar buiten, verstopt onder haar kleren omdat soldaten buiten erop toezagen dat er niets werd ontvreemd.

Een escalatie tussen de revolutionairen en het leger volgde enkele dagen later.

Ongeveer duizend mensen kampeerden op 9 maart op het Tahrirplein. Ze eisten een vervroegde machtsoverdracht, de arrestatie van Mubarak en genoegdoening voor de families van de martelaren. Maar het geduld van de militairen leek op. Volgens een rapport van mensenrechtenorganisatie Human Rights Watch keken soldaten die dag toe terwijl baltagiyya de betogers aanvielen. De ontruiming duurde een flink halfuur, waarna het leger in actie kwam en honderden arrestaties verrichtte. Gearresteerden werden meegenomen naar de roze gebouwen van het Egyptisch Museum aan de rand van het plein. Nu de toeristenstroom was opgedroogd, werd het museum gebruikt als een soort noodgevangenis waar volgens het rapport van Human Rights Watch arrestanten werden gemarteld door militairen en zelfs werden berecht in ter plekke gevormde militaire rechtbanken.

Een vriendin, de achtentwintigjarige journaliste Rasha Azab, wordt in het rapport geciteerd. Terwijl ze met handboeien lag vastgeketend aan een buitenmuur op de binnenplaats van het museum werd ze door soldaten in haar maag geschopt en met houten stokken geslagen. 'Ze scholden me uit. Op een gegeven moment werd ik nog steviger vastgebonden en vier uur lang alleen gelaten. In de tussentijd zag ik tientallen mannen over de grond gesleept worden. Ze werden afgeranseld met zwepen. Al die mannen kende ik van het plein. Ik hoorde hen gillen binnen in het museum. Een van de soldaten riep tegen mij: "Wees blij dat je niet binnen bent."'

Rasha mocht inderdaad blij zijn dat ze niet binnen was. Die dag en de daaropvolgende dagen werden tientallen activisten gemarteld in het Egyptisch Museum.[3] Een van de slachtoffers was Samira Ibrahim, een vijfentwintigjarige marketingmedewerker uit de stad Sohag in het zuiden van Egypte. In een getuigenverklaring voor de camera's van de campagne Nee Tegen Militaire Tribunalen Voor Burgers vertelt zij dat ze bij binnenkomst in het Egyptisch Museum werd begroet door een legerofficier die haar naam kende en haar direct een stroomstoot in haar buik toediende. Ze werd vervolgens met water overgoten en opnieuw geëlektrocuteerd. Legerofficieren spuugden in haar gezicht, scholden haar uit voor hoer en sloegen haar met schoenen. 'Ze wilden dat we spijt zouden hebben van de revolutie, en dat we bang zouden zijn om ooit nog eens de straat op te gaan,' vertelde ze in de camera. Na een korte ondervraging in het museum werd ze meegenomen naar een militaire gevangenis met de klinische naam c28 aan de rand van de stad. Daar werd ze door legerpersoneel gefotografeerd met lege glazen flessen voor zich. De foto's zouden later dienen als bewijs voor het feit dat ze met molotovcocktails op zak was gepakt. Vervolgens werd zij samen met medegevangenen gedurende de nacht mishandeld door groepjes soldaten die elkaar afwisselden. De volgende ochtend werd ze naar de militaire gevangenis Haikstep gebracht. 'Daar hing in de gang een gloednieuwe foto van Mubarak. Toen ik vroeg waarom ze een foto van hem hadden opgehangen, antwoordde een officier dat Mubarak voor de militairen nog altijd president was,' vertelde Samira later.

In Haikstep werd Samira samen met zestien andere vrouwelijke arrestanten wederom mishandeld en onderzocht op 'maagdelijkheid' door zogenaamde (mannelijke) specialisten terwijl soldaten en officieren toekeken. Emotioneel vertelde ze haar relaas. 'Deze mensen zijn tot alles in staat om onze revolutie tot een einde te brengen.' Samira werd beschuldigd van het aanvallen van militairen, het in bezit hebben van benzinebommen en steekwapens, het schenden van de avondklok (de avondklok ging in die tijd pas om twee uur 's nachts in terwijl Samira om drie uur 's middags was gearresteerd), obstructie van het verkeer en het vernielen van publiek en particulier bezit. De militaire aanklager schold haar uit en de rechter, die haar veroordeelde tot een jaar voorwaardelijke gevangenisstraf, liet haar niet uitpraten in het proces. De dappere Samira diende een klacht in tegen het leger, maar werd maandenlang genegeerd en bedreigd. De hoorzitting werd telkens uitgesteld en ze kreeg dreigtelefoontjes. 'Onbekende mannen belden me midden in de nacht op en zeiden dat ik zou eindigen als Khaled Saïd als ik de aanklacht niet in zou trekken.' Hoewel Egyptische media en politieke partijen weigerden het verhaal van Samira naar buiten te brengen, werd ze een symbool van verzet van de ontluikende beweging tegen de HMR. De maagdelijkheidsonderzoeken, maar meer nog het gebruik van militaire tribunalen voor burgers werden een smet op het blazoen van de militairen die hen zou blijven achtervolgen.

Bij monde van de op dat moment totaal onbekende generaal Abdul Fatah al-Sisi, het jongste lid van de militaire raad, stelde de junta dat de maagdelijkheidsonderzoeken werden gedaan om 'de meisjes te beschermen tegen verkrachting en de officieren te beschermen tegen eventuele aanklachten van seksueel misbruik'. Een bizarre verklaring om meerdere redenen. Volgens de HMR kon seks zonder instemming van de vrouw alleen 'verkrachting' worden genoemd als de vrouw in kwestie maagd was. Het was bovendien een waarschuwing aan de vrouwen van Egypte: als je tegen het militaire bewind in Egypte bent, dan ben je vast en zeker een 'losbandige vrouw'.[4]

Iets meer dan een week na het protest, op 19 maart, werd een referendum gehouden waarin gestemd zou worden over een aantal grondwetswijzigingen die een cruciale invloed zouden hebben op het verdere verloop van de transitie. Het belangrijkste punt van de wijzigingen was dat er parlementsverkiezingen zouden plaatsvinden vóór er een nieuwe grondwet zou worden geschreven. Het referendum betekende het definitieve einde van de revolutionaire eenheid en het begin van de partijpolitiek. Volgens de HMR en de Moslimbroederschap was het referendum echter een belangrijke stap op weg naar de verwezenlijking van de aspiraties van 'de heroïsche Egyptische revolutie'.

Indien de wijzigingen werden aangenomen, zouden de grote gevestigde partijen, met name de Moslimbroederschap, in het voordeel zijn. Zij zouden zich kunnen gaan opmaken voor verkiezingen terwijl de talloze nieuwe partijen die werden opgericht na de val van Mubarak nog worstelden met hun organisatiestructuur. De twee grootste en best georganiseerde machtsblokken van dat moment, de Moslimbroederschap en de Nationaal Democratische Partij van Mubarak (het oude regime plus het leger), riepen hun aanhangers uiteraard op om 'ja' te stemmen. Zij waren gebaat bij vroege verkiezingen. De staatsmedia, het leger en de broederschap voerden een agressieve campagne waarbij in sommige gevallen de ja-stem werd gepresenteerd als de enige juiste keuze voor vaderlandslievende, godvrezende Egyptenaren. De grootste partij, de Partij voor Vrijheid en Gerechtigheid, die enkele dagen later door de Moslimbroederschap zou worden gelanceerd, leek daarmee voorbestemd om het toekomstige parlement te domineren en zodoende verregaande invloed uit te oefenen op de nog te schrijven grondwet.[5] De vage contouren van snode plannen werden zichtbaar. De militaire junta leek een toekomstige machtspositie van de Moslimbroederschap te faciliteren.

Het revolutionaire kamp stond ondertussen aan de zijlijn. Het had noch de organisatorische kracht noch de eenheid om een krachtige nee-stem te organiseren. Aan de linkerkant van het politieke spectrum vond men de amendementen niet verreikend genoeg en werd er getwijfeld over het nut van een politiek proces onder toezicht van het leger. De kleinere seculiere partijen wilden bovendien eerst een grondwet waarin de regels van het politieke spel zouden worden vastgelegd en garanties tegen een eventuele dominantie van een enkele partij of stroming in de toekomst.

Voor veel activisten was het referendum een façade. De enige verandering die zij in hun leven hadden ervaren, was afgedwongen door de straat. Het politieke spel had voor hen nooit iets betekend. Sommigen van hen weigerden dus betrokken te raken en rekenden op de kracht van de protestbeweging om verandering te bewerkstelligen. Anderen voerden campagne en gingen allianties aan, maar campagne voeren bleek moeilijk en het alternatief dat zij voorstonden, was onduidelijk en warrig. Veel Egyptenaren wilden een vlug einde aan de politieke onrust en zaten niet te wachten op eindeloze procedures – dat was precies de lijn van de staatsmedia.

Uiteindelijk stemden veertien miljoen mensen vóór de grondwetswijzigingen (77 procent van de stemmen), waarmee Egypte leek af te stevenen op een onwaarschijnlijke alliantie tussen twee voormalige aartsvijanden, het leger en de Moslimbroederschap.

Niet veel later, op vrijdag 8 april, landde ik opnieuw in Caïro. Sinds ik Egypte had verlaten, drie dagen voor de val van Mubarak, had ik zitten broeden op manieren om zo snel mogelijk weer terug te kunnen keren. De revolutie had iets losgemaakt wat groter was dan Egypte, het ging om veel meer, en er was duidelijk iets te winnen. Het voelde alsof we gezamenlijk aan iets nieuws konden beginnen, iets waarvan het belang tot ver over de grenzen van Egypte voelbaar zou zijn.

Caïro werd het centrum van een internationaal revolutionair sentiment waar activisten vanuit de hele wereld naartoe zouden komen om iets van de politieke sfeer te proeven. Er hing een positivisme in de lucht waar niemand aan kon ontsnappen. De val van Mubarak was slechts het begin en alles leek mogelijk. Ik wilde het revolutionaire Egypte van dichtbij aanschouwen, de geschiedenis ervaren en vrienden bijstaan in hun strijd voor een echte politieke koerswijziging in hun land.

Philip haalde me van het vliegveld in de auto van zijn moeder. Na een korte maar stevige omhelzing vroeg ik hem naar het leven in Egypte na de revolutie. Met een schuin oog keek hij me sceptisch aan. 'Het was geen revolutie,' zei hij op een manier die verraadde dat hij deze discussie al vaker had gevoerd. 'En ik weiger dat woord te gebruiken.'

We reden voorbij de dure hotels aan de eindeloze snelweg Salah Salem, vernoemd naar een van de leden van de Vrije Officieren, die in 1952 een militaire staatsgreep pleegden en daarmee het moderne Egypte stichtten, en langs de rechte lanen van Medinet Nasr, de Stad van de Overwinning, die in de jaren zestig werd gebouwd om de nieuwe klasse van hooggeplaatste ambtenaren en officieren te huisvesten. De wijk is tegenwoordig een van de grootste districten van de stad en is nog altijd erg nauw verbonden met het leger.

Het hoofdkwartier van de Republikeinse Garde is een belangrijk oriëntatiepunt in de wijk, net als het Oorlogspanorama, waar bezoekers zich kunnen vergapen aan verheerlijkende reconstructies van de Oktober- of Jom Kipoeroorlog tussen Egypte en Israël.

Iets verderop in de wijk ligt El-Manassa ('het Podium'), waar president Anwar Sadat op 6 oktober 1981 werd doodgeschoten tijdens een militaire parade ter nagedachtenis aan diezelfde oorlog van 1973. Tegenover het Podium, dat gelegen is aan Tariq El-Nasr ('Route van de Overwinning'), ligt het graf van de onbekende soldaat, waarin ook de lijkkist van Sadat is bijgezet. Het graf wordt permanent bewaakt door twee onvermoeibare soldaten die altijd strak voor zich uit kijken naar de voorbijrijdende stroom auto's. De rest van de wijk bestaat uit brede avenues, geflankeerd door villa's, immense flatgebouwen en eindeloos lijkende militaire complexen. Naast legerbarakken en speciale flats voor officieren zijn er in de wijk trainingsfaciliteiten, sportcomplexen, onderwijsinstituten, werkplaatsen en moskeeën speciaal voor de Egyptische strijdkrachten.

Het was een ontnuchterende rit. Ook al was ik maar drie maanden weggeweest, ik koesterde hoge verwachtingen van revolutionair Caïro. Ik hoopte – tegen beter weten in – een ontketende bevolking aan te treffen, bevlogen en progressief. Alles leek echter hetzelfde. Nog altijd waren de straten van Egypte overvol en brandde de zon onverbiddelijk. Het leger dat zo lang immense invloed had uitgeoefend in Egypte, had nu, na een massale, inspirerende en progressieve volksopstand, opnieuw de volledige macht in handen. Her en der waren de sporen zichtbaar van de nieuwe fase die Egypte was ingegaan, maar ook die waren niet inspirerend. Tanks hielden op sommige kruispunten lui en bewegingsloos het verkeer in de gaten, soldaten en militaire politie met rode baretten hadden de politie vervangen en op bepaalde plekken hingen grote propagandistische uithangborden waarop een soldaat te zien was die liefdevol een baby in zijn handen hield: HET LEGER EN HET VOLK ZIJN ÉÉN.

Toen we even later via de tunnel onder het oude maar schilderachtige Islamitisch Caïro – het stadsdeel waar de bezoeker zich in de middeleeuwen waant – richting Philips nieuwe appartement in de volkswijk Sayeda Zeinab reden, vertelde hij hoe hij het dan wel zag: 'De achttien dagen waren een volksopstand, een woede-uitbarsting die nodig was om de stabiliteit van Mubarak te doorbreken. Wie weet waar dat toe zal leiden? Wellicht was het een begin van wat we op den duur een revolutie gaan noemen, maar zover zijn we nog niet.'

Om de sfeer te proeven, en om mijn geheugen wat op te frissen, renden we direct na aankomst naar het Tahrirplein, waar men bijeenkwam voor de Vrijdag van de Zuivering[6] – men eiste het ontslag (zuivering) van de overgebleven leden van het Mubarakregime en een versnelde veroordeling van de corrupte functionarissen die al waren opgepakt. Het was een groot protest van enkele tienduizenden, maar daar keek niemand meer van op, zo leek het. We liepen rond, maakten foto's en praatten met demonstranten die vertelden dat de revolutie niet voltooid was zolang het regime van Mubarak gedeeltelijk intact bleef. Het protest richtte zich met name op de situatie in Egypte maar zoals in die dagen vaker het geval was, waren in de menigte vlaggen te zien van andere Arabische landen waar het revolutionaire vuur ook was opgelaaid. Jemenieten riepen leuzen tegen dictator Ali Abdullah Saleh. Syriërs, die sinds enkele weken hun eigen opstand probeerden te ontketenen in het stadje Dera'a in het zuidwesten van Syrië, hadden hun eigen hoekje op het plein, net als enkele Bahreiners, Libiërs, Tunesiërs en natuurlijk Palestijnen. Als centrum van protest en geboorteplaats van een nieuwe revolutionaire Arabische wereld had Egypte zijn bijnaam Umm El-Dunya ogenschijnlijk in ere hersteld. Egypte was wederom de Moeder van de Wereld.

Philip wist een manier om langs de besnorde portier van een van de gebouwen rondom het plein te glippen (vijf pond smeergeld) en gezamenlijk brachten Philip, zijn vriendin Jasmina en ik de dag door op het dak van een pand aan de oostzijde van het plein, waarvandaan we foto's maakten van de menigte en genoten van het uitzicht. Philip en Jasmina waren verliefd en waren van plan te gaan samenwonen, maar dat kon best eens problemen opleveren, vertelden ze. Hoewel ze beiden niet erg gelovig (meer) waren, was Jasmina op papier islamitisch en Philip christelijk, en dat gaat in Egypte moeilijk samen. Niet alleen kunnen beide families bezwaar maken, in Egypte is het ook nog eens de vraag of de buurt en de huisbaas de situatie accepteren. We besloten dat het beter was om met zijn drieën een huis te zoeken. Als zij hun respectievelijk Poolse en Duitse paspoort gebruikten, dan waren we drie buitenlanders die samenwoonden, en dat was niet zo vreemd. Terwijl we hasj rookten, praatten we over heden, toekomst en verleden.

Het leven van Jasmina Metwaly, dochter van een bekende dramaturg en nu dus de vriendin van Philip, was ingrijpend veranderd door de politieke gebeurtenissen. Tot voor kort werkte zij als kunstenares en wijdde ze haar leven aan haar persoonlijke expressie. De achttien dagen waren haar eerste kennismaking met politiek; op 28 januari liep ze voor het eerst mee in een demonstratie. 'De politiek vond mij,' zei ze die middag op het dak. 'Ik heb de kunst voorlopig achter me gelaten. Voor kunst is reflectie nodig, en daar hebben we nu geen tijd voor. We worden gedwongen om te reageren op de gebeurtenissen. En die reacties kunnen geen weken op zich laten wachten.'

Jasmina had altijd grote moeite gehad met de dominante uniformiteit van Egypte. Ze was geboren en gedeeltelijk opgegroeid in Koeweit. Tien jaar lang woonde ze in Egypte voordat ze in Polen ging studeren. Een jaar voor het uitbreken van de revolutie kwam ze terug, maar als vrouw of als kunstenares had ze zich nooit vrij of zelfs geaccepteerd gevoeld in Egypte. Dat veranderde op het plein. 'Daar kwam alles naar buiten,' zei ze daar later over. 'Alle onderdrukte diversiteit van Egypte manifesteerde zich daar, en iedereen accepteerde de ander. Dat heeft mijn leven en mijn band met Egypte voor eeuwig veranderd.'

Tijdens de achttien dagen liep Jasmina rond met een camera om de gebeurtenissen vast te leggen. Na de val van Mubarak liet ze die camera niet meer los. Via Philip kwam ze in contact met Selma, Lobna, Ziyad en andere activisten die zich hadden verenigd in het platform Nee Tegen Militaire Tribunalen Voor Burgers, en met hen begon ze getuigenissen op te nemen van mensen die zelf, of van wie de familieleden, waren berecht door militaire rechtbanken – een gebruik dat normaliter is gereserveerd voor militair personeel. De eerste zaak waar Jasmina aan meewerkte, trok meteen de nodige aandacht.

Amr al-Beheiry werd tijdens een kleine demonstratie tegen premier Ahmed Shafik in de ochtend van 26 februari opgepakt door militairen die (ten onrechte) beweerden dat hij een wapen op zak had. Hij had het geluk dat er invloedrijke getuigen waren. Zijn arrestatie werd waargenomen door twee bekende activisten, Mona Seif en Alaa Abdel Fattah, en hun moeder Laila Soueif, hoogleraar aan de universiteit van Caïro, echtgenote van de bekende mensenrechtenadvocaat Ahmed Seif el-Islam en zus van auteur Ahdaf Soueif. Zij weerspraken de bewering van het leger, stelden dat Al-Beheiry was mishandeld door de soldaten en bleven de zaak nauwgezet volgen. Hoewel Al-Beheiry binnen twee dagen tot vijf jaar cel werd veroordeeld in een militair tribunaal waarbij geen advocaten aanwezig waren of getuigen werden gehoord, werd zijn zaak het officieuze startschot van een beweging. Via zijn zaak kwam de waarheid langzaam aan het licht. Sinds de politie zich op 28 januari 2011 had teruggetrokken, waren de militairen achter de schermen bezig geweest hun aanwezigheid voelbaar te maken. Tegen eind mei van dat jaar zaten er volgens Nee Tegen Militaire Tribunalen Voor Burgers duizenden burgers (het werkelijke cijfer was onmogelijk te achterhalen en zal waarschijnlijk altijd onbekend blijven) opgesloten in de gevangenissen van het leger – maar dit bleef maandenlang onbekend.

De campagne, waar naast Jasmina ook Selma Saïd en Lobna Darwish (vooral vrouwen!) deel van uitmaakten, groeide snel uit tot een van de krachtigste bewegingen van die periode. Internationaal zorgde de beweging ervoor dat gerenommeerde mensenrechtenorganisaties als Amnesty International en Human Rights Watch zich gingen uitspreken tegen de praktijken van het leger. In Egypte zelf zette het verzet tegen het gebruik van militaire tribunalen voor burgers een beweging in gang tegen het militaire bewind zelf. Het gezicht van Amr al-Beheiry, dat door activisten met spuitbussen op de muren van de stad werd gespoten, werd een van de iconen van deze beweging.

Vanaf het dak waar we zaten, zagen Jasmina, Philip en ik hoe een kleine witte tent in het midden van het plein al enige tijd voor commotie zorgde. Bij de ingangen van de tent was het een drukte van belang en hielden betogers de wacht, zo leek het. Later, toen we beneden een kijkje gingen nemen, ontdekten we dat de tent werd gebruikt door dissidente militairen, die later bekend zouden worden als de officieren van 8 april. Zij waren kritisch over veldmaarschalk Tantawi en stonden vol zelfvertrouwen voor hun tent in het midden van het plein met hun identiteitsbewijzen in de lucht om te bewijzen dat ze officieren waren. Ze wilden met hun aanwezigheid hun onvrede kenbaar maken over het beleid van de HMR.

Tegen het vallen van de avond keerden we opgewonden huiswaarts. Wellicht was dit een teken aan de wand en hadden de generaals werkelijk moeite om de gelederen intern gesloten te houden. Het was een opwindende gedachte. Het betekende dat revolutionair gedachtegoed het van de buitenwereld afgeschermde leger was binnengedrongen en dat het machtigste instituut van het land wellicht instabieler was dan velen dachten.

De volgende ochtend, terwijl we ons opmaakten om opnieuw richting het plein te gaan, kregen we bericht dat de sit-in ten einde was. De aanwezigheid van de militairen op het plein was een bedreiging gebleken voor de junta die zo snel mogelijk onderdrukt moest worden. Met grof geschut vielen soldaten om vier uur in de ochtend de mensenmassa aan, ontruimden het plein en arresteerden de officieren in de tent.[7] Ten minste twee mensen kwamen die ochtend om het leven door toedoen van kogels van het leger, tientallen raakten gewond. De officieren van 8 april werden in het geheim tot tien jaar cel veroordeeld wegens insubordinatie. Het was de meest openlijke en gewelddadige interventie van het leger tot dan toe, maar in de publieke opinie stond het leger nog altijd aan de zijde van het volk.

Vrijwel direct na de aanval stelde de Hoge Militaire Raad dat de interventie van het leger gericht was tegen baltagiyya en leden van de NDP, de partij van Mubarak, die zich op het plein schuldig maakten aan 'sabotage'. Er werd met geen woord gesproken over de dissidente officieren.

Enkele dagen later werd een informatieavond waar Philip en ik bij aanwezig waren, georganiseerd door Nee Tegen Militaire Tribunalen Voor Burgers in samenwerking met het volkscomité van de wijk Imbaba, beëindigd door een interventie van boze wijkbewoners samen met een lokale legerman en zijn kalasjnikov. In een heet kantoortje op de begane grond van een vervallen gebouw midden in de wijk Imbaba vertelden familieleden van burgers die veroordeeld waren door militaire tribunalen over hun beproevingen. Daarnaast waren er advocaten aanwezig om de procedures uit te leggen. Halverwege de zitting viel een tiental opgeschoten jongeren het kantoor binnen. Ze begonnen bezoekers te slaan en uit te schelden. Van kritiek op de militairen wilden zij niets weten. De aanwezigen werden uitgemaakt voor *gawasies* (spionnen) en *khawana* (verraders) die het leger en daarmee Egypte wilden beschadigen. Een grote bebaarde man in groene legerkleding kwam binnen nadat alle stoelen al door de kamer waren gesmeten. Met zijn geweer in de aanslag beval hij de aanwezigen naar buiten te gaan. Het was typisch voor de sfeer in het voorjaar van 2011.

Beelden van militairen die op burgers schoten, betogers arresteerden, gevangenen martelden en maagdelijkheidsonderzoeken uitvoerden werden niet uitgezonden door de staatstelevisie. De media – ook de commerciëlen – besteedden geen aandacht aan de militaire tribunalen voor burgers en weigerden een al te kritische houding aan te nemen. Voor het overgrote deel van de bevolking lag er om het militaire instituut dus nog altijd een *khat ahmar*, oftewel een rode lijn, die Mubarak en zijn voorgangers ooit hadden getrokken. Het Egyptische leger was een volksleger dat het welzijn van de natie nastreefde. De dienstplichtige soldaten waren bovendien zonen van het land die zich nooit tegen de eigen bevolking zouden keren, zo was de gedachte.

Kort na de machtsovername had de Hoge Militaire Raad een Nationale Raad voor de Media in het leven geroepen onder leiding van generaal Tarek el-Mahdi. Deze nieuwe raad moest de verslaggeving van de staatstelevisie en -radio, die in 95 procent van alle huishoudens in Egypte te ontvangen zijn, in lijn brengen met het beleid dat de militairen voorstonden en het zelfbeeld dat zij propageerden. De achttien dagen werden derhalve de lucht in geprezen, net als het militaire instituut – documentaires over het heldhaftige Egyptische leger waren constant op de televisie – maar protesten die volgden op de val van Mubarak werden doodgezwegen of toegeschreven aan onruststokers.

De commerciële televisiekanalen, zoals ONtv – eigendom van de steenrijke Naguib Sawiris, tevens oprichter van de politieke beweging El-Kutla El-Masriyya (het Egyptische Blok) –, CBC van de vermogende ingenieur Mohamed Amin en Mehwar TV van de zakenman Hassan Rateb, reflecteerden stuk voor stuk de zienswijze van hun kapitaalkrachtige eigenaren. Dat betekende dat kritiek op de macht werd geuit wanneer het uitkwam en nieuws over protesten naar buiten werd gebracht wanneer het politiek opportuun was. Er waren nuanceverschillen wanneer het ging over demonstraties, (nieuwe) politieke partijen of het leger. Ze waren echter allemaal faliekant tegen arbeidsonrust. Stakingen werden doodgezwegen of consequent in een kwaad daglicht gesteld.

Veel activisten richtten zich daarom in de eerste maanden na de val van Mubarak vooral op informatieverstrekking. Er was zo ontzettend veel gaande in Egypte. De val van Mubarak was een enorme stimulans geweest voor protest op kleine schaal tegen de baas op de werkvloer, een gouverneur, een rector of een corrupte politiefunctionaris. Die verhalen bracht men via YouTube naar buiten. Philip en Jasmina filmden gedurende de achttien dagen maar ook daarna en plaatsten hun korte documentaireachtige films op een eigen kanaal in een poging de mensen die niet gehoord worden in de Egyptische media een stem te geven. Ze trokken met een camera naar industriesteden zoals El-Mahalla El-Kubra en Suez om verwachtingen en eisen van arbeiders vast te leggen. Ze filmden boeren, daklozen, betogers en slachtoffers van politiegeweld. Net als de bloggers enkele jaren eerder keerden de activisten zich tegen het dominante discours van de staat, maar ditmaal was de camera het voornaamste wapen.

Het doel van de verschillende YouTubekanalen was om een boodschap te verspreiden, maar er werd tegelijkertijd online een soort archief van de revolutie opgebouwd. Tijdens de achttien dagen waren activisten begonnen beeldmateriaal te verzamelen. Talloze mensen hadden met mobiele telefoons schokkerige opnames gemaakt van demonstraties en confrontaties met de politie in buurten waar nooit een cameraploeg kwam en waar verder niets over bekend was.

Dit initiatief zou later in oktober uitgroeien tot het revolutionair mediacollectief Mosireen, waar Philip, Jasmina, Selma, Lobna, Ziyad en anderen aan mee zouden werken.[8] Het samenstellen van een digitaal archief bleef een prioriteit, maar daarnaast zouden de leden van Mosireen ook zelf gaan filmen vanuit de linies van de revolutionairen en workshops geven over cameragebruik en montagetechnieken aan activisten door het hele land. De leden van het collectief combineerden hun specifieke vaardigheden uit de film- en activistenwereld om het gebruik van de camera als wapen in de strijd tegen de staat te perfectioneren. Daarnaast ondersteunden zij waar mogelijk andere bestaande campagnes en organiseerden zij openbare vertoningen van het verzamelde beeldmateriaal op het Tahrirplein tijdens demonstraties, in sit-ins op de stoep, in arbeiderswijken en zelfs in fabrieken die bezet werden door arbeiders om mensen te herinneren aan de strijd tegen Mubarak en de (loze) beloftes van de militairen. De vertoningen kwamen al snel bekend te staan als Cinema Tahrir.

Mosireen zou in de volgende maanden uitgroeien tot een centrum van politieke activiteit. Het collectief organiseerde filmvertoningen en hield online een agenda bij waarin werd aangegeven wanneer, waarom en waar protestacties zouden plaatsvinden. Het beeldmateriaal dat het produceerde, bleef bovendien niet onopgemerkt. Het YouTubekanaal van Mosireen werd het best bekeken non-profitkanaal ooit in Egypte, en het best bekeken non-profitkanaal ter wereld gedurende de maand januari (2012). Miljoenen mensen kregen via de camera's van Mosireen een glimp te zien van de Egyptische revolutie zoals die werd beleefd op straat en internationale media gebruikten de beelden als referentie.

Jasmina zou zich later herinneren dat zij bij een Cinema Tahriravond beelden liet zien van de manier waarop het leger in de ochtend van 9 april onder luid geschut het plein had bestormd om de deserterende militairen te arresteren. Tijdens die vertoning was iemand in het publiek opgestaan, iemand die net als alle anderen op het plein was om te demonstreren tegen de junta. De man beschuldigde Jasmina ervan dat zij de beelden had gemanipuleerd. Hij kon niet geloven dat het leger tot zoiets in staat was. Hij was totaal over zijn toeren en moest door omstanders gekalmeerd worden. Op dat moment besefte Jasmina dat het zin had wat ze deed. Zelfs mensen die wél de straat op gingen en zich uitspraken tegen de militaire junta kenden de waarheid blijkbaar niet. Ook zij waren in de greep van de massamedia. Het was dus belangrijk dat er een alternatief geluid geboden werd, op internet en op straat.

Het leger viel aan, altijd in de avonduren, buiten het oog van de camera's, en consequent met grof geweld en de media hielden zich koest. Met hun eigen camera's probeerden de jonge activisten het monopolie op informatie te doorbreken. Heel veel meer konden ze op dat moment niet doen.

6

De machtsovername van de Hoge Militaire Raad op 11 februari 2011 was niet de eerste en ook zeker niet de laatste keer dat het Egyptische leger zich mengde in de politieke gang van zaken. Sinds oud-president Gamal Abdel Nasser met zijn Vrije Officieren in 1952 een einde maakte aan de Egyptische monarchie en de Britse koloniale overheersing, diende het leger meer dan een halve eeuw als stille kracht van een dictatoriaal regime.

Nasser plaatste het leger in het centrum van de macht en vestigde de militaire cultuur waar de generaals van de Hoge Militaire Raad in opgroeiden. Die cultuur werd verder gevormd door de ervaring van de Jom Kipoeroorlog van 1973, de daaropvolgende vrede met Israël zes jaar later en de Amerikaanse financiële steun die daar het gevolg van was.

Onder president Sadat (1970-1981) opereerden de militairen vanuit de luwte, en dat bleven ze doen, tot aan 2011. Verscholen achter de façade van de burgerlijke politiek en afgeschermd door de repressieve hand van het ministerie van Binnenlandse Zaken was het leger echter decennialang de werkelijke ruggengraat van de Egyptische staat.

Buiten de schijnwerpers van de macht regeerden de generaals binnen het militaire domein dat zich uitstrekte tot ver in de publieke sfeer. Om een goed beeld te krijgen van de intenties, mogelijkheden en belangen van de Hoge Militaire Raad moeten we kijken naar het leger, allereerst naar Gamal Abdel Nasser, zijn Vrije Officieren en de staat die zij stichtten.

Al sinds het einde van de negentiende eeuw was er sprake van verzet tegen de Engelse overheersing van Egypte. Pleinen overal in Egypte en enkele centraal gelegen metrostations in Caïro dragen de namen van helden van deze vroege onafhankelijkheidsstrijd die aan het einde van de negentiende en aan het begin van de twintigste eeuw de strijd aanbonden met de koloniale macht.[9] Volgens een van de talrijke sterke verhalen die de ronde doen in Downtown verkondigde de jurist Saad Zaghloul zijn nationalistische boodschap staand op de tafels in café Al-Hurriyya ('de Vrijheid'), tegenwoordig misschien wel de populairste bar van de stad, enkele honderden meters van het Tahrirplein.

In een van de meest meeslepende scènes uit de beroemde trilogie van Nobelprijswinnaar Naguib Mahfouz, wordt een van de hoofdpersonages, de rechtenstudent Fahmi Abdel Jawad, tijdens een anti-Engelse demonstratie in het revolutiejaar 1919 dodelijk getroffen door een Britse politiekogel. De dood van Fahmi is voor de lezer een ontroerend demasqué van de wreedheid van het Engelse bewind. In werkelijkheid leidden confrontaties tussen de bezetter en de bevolking maar al te vaak tot bloedvergieten. Nog elk jaar herdenkt men in Caïro het zogenaamde bloedbad van de Abbasbrug van 1946, waar een vreedzame demonstratie van duizenden studenten vanaf de universiteit van Caïro werd tegengehouden door het Engelse leger.

De voortdurende onrust leidde uiteindelijk tot wat men in Egypte de Eerste Revolutie noemt, die van 1919, waarmee gedeeltelijke onafhankelijkheid van de Engelsen werd afgedwongen, en die de implementatie van een grondwet in 1923 tot gevolg had. Deze concessies konden echter geen einde maken aan de droom van volledige onafhankelijkheid en zeggenschap over nationale rijkdommen, waaronder het Suezkanaal, dat tot 1956 in Britse handen zou blijven.

Tot aan het uitbreken van de Tweede Wereldoorlog nam het aantal demonstraties en stakingen in de jonge industrie van Egypte gestaag toe. De oude, elitaire politieke organen zoals de Wafd-partij, die in 1919 nog gold als dé partij van het nieuwe Egypte, bleken in de jaren dertig en veertig echter niet meer in staat als spreekbuis te dienen voor de groeiende onvrede onder de Egyptische bevolking.[10] De Wafd wilde concessies afdwingen en de bevoorrechte positie van zijn achterban beschermen terwijl het volk schreeuwde om vergaande maatregelen, onafhankelijkheid en revolutie. Nieuwe politieke ideeën zoals het communisme, maar ook het islamisme van de in 1928 opgerichte Moslimbroederschap, vonden op grote schaal weerklank. Sommigen grepen naar de wapens. Groepen vrijwillige burgers, *fedayeen* genaamd, pleegden gewapende aanvallen op Britse troepen en kazernes.

Om te voorkomen dat anti-Engelse elementen contacten zouden leggen met de Duitsers, werd tijdens de Tweede Wereldoorlog de staat van beleg afgekondigd. Enkele jaren na de oorlog barstte het verzet tegen de kolonisator echter in alle hevigheid los.

De gebeurtenissen van 25 januari 1952, op de dag af 59 jaar voor het uitbreken van de meest recente Egyptische revolutie, waren een teken aan de wand. Die dag raakten nationalistische politie-eenheden in de stad Ismaïlia verwikkeld in een vuurgevecht met Engelse soldaten waarbij 46 Egyptische agenten werden gedood. Het was een van de laatste druppels in een haast overvolle emmer. De volgende dag zou de geschiedenis ingaan als Zwarte Zaterdag. Woedende menigten trokken die dag door de straten van de elitaire wijken van de stad (Downtown), vernielden de fysieke symbolen van het koloniaal bestuur en keerden zich tegen buitenlandse ondernemingen die over de rug van Egyptische arbeid, en beschermd door wettelijke privileges, aanzienlijke winsten hadden gemaakt. Het koloniale bewind zou nog enkele maanden aanblijven.

In zijn boek *De Filosofie van de Revolutie* omschrijft Nasser de machtsgreep van de Vrije Officieren als 'de verwezenlijking van de hoop die werd nagejaagd door het Egyptische volk sinds het begon te denken aan zelfbestuur'. Hij plaatste de machtsovername van de Vrije Officieren dus expliciet in de context van het volksverzet. Tegelijkertijd erkent hij in het boek dat het leger de enige georganiseerde kracht was die in staat was om een genadeklap toe te dienen aan de koloniale orde en een postkoloniaal Egypte te leiden. Het boekje, gepubliceerd in 1955, slechts drie jaar na de coup d'état, is een oprechte getuigenis van een gepassioneerde maar enigszins naïeve officier die zijn leven lang droomde van een onafhankelijk en eigenzinnig vaderland en zich plotseling geconfronteerd zag met de praktische problemen én verlokkingen van de macht.

De jonge Nasser had als schooljongen in de jaren dertig meegelopen met demonstraties tegen de Engelse bezetting en droomde van een nieuw tijdperk waarin een onafhankelijk Egypte een leidende rol in de regio zou spelen. In 1948 meldde hij zich aan om als vrijwilliger te vechten in Palestina nadat zionistische terreurmilities de Arabische bevolking van Palestina hadden verjaagd en op 14 mei van dat jaar de staat Israël hadden uitgeroepen.[11] De jonge officier zou echter bittere herinneringen overhouden aan zijn ervaringen aan het front. Hij zag een direct verband tussen het falen van de Arabische legers in het Heilige Land en het koloniale bestuur in zijn eigen Egypte. In beide gevallen waren het de Engelsen die de lakens uitdeelden, en in beide gevallen waren de Arabieren de onderliggende partij in een cynisch machtsspel. Het probleem bleek dus groter dan Egypte. De bevrijding van Palestina was pas mogelijk ná de bevrijding van Egypte, zo redeneerde Nasser. Het échte gevecht lag aan het thuisfront.

Vier jaar later was Nasser de drijvende kracht achter de coup d'état van de Vrije Officieren. De oude legerleiding werd opgepakt, de decadente koning Faroek en zijn familie werden verbannen naar Italië, de monarchie werd een jaar later officieel vervangen door een republiek en het volk vierde feest.[12] Het was de geboorte van een nieuw Egypte, waarin Egyptenaren zelf hun lot zouden bepalen, dacht men.

De charismatische Nasser wilde echter niet dat het leger zich zou onderwerpen aan de grillen van een civiel bewind. Twee jaar na de coup had hij zijn democratisch gezinde collega's buitenspel gezet en nam hij het presidentschap van Egypte officieel op zich. Hij zou tot 1970 dienen als dictatoriale president van Egypte en het volk met een combinatie van populisme, angst en terreur aan zich weten te binden. De opvatting dat het leger een stevige en permanente vinger in de pap moest houden, had daarmee gewonnen, met alle gevolgen van dien. Nasser zuiverde het leger, verbood politieke partijen en verklaarde 'de Egyptische revolutie' ten einde.

In het centrum van Caïro, vlak bij het Tahrirplein, staat het hoofdkwartier van de Egyptische staatsradio en -televisie – Maspiro in de volksmond.[13] Het immense complex werd gebouwd in 1959 en is exemplarisch voor de mentaliteit en stijl van die tijd. Het is groot, grauw en indrukwekkend, maar zeker niet aantrekkelijk. Het gebouw intimideert zelfs een beetje. Vorm en functie waren één bij Nasser.

Maspiro moest de militaristisch-revolutionaire boodschap van een onafhankelijk Egypte via de radionieuwsdienst Sowt al-Arab (Stem van de Arabieren) over de landsgrenzen verspreiden en de staatspropaganda via de nieuwe media van die tijd in elke huiskamer injecteren. De vroeg-twintigste eeuw had het belang en de efficiëntie van de massacommunicatie bewezen en het militaire bewind in Egypte wilde mee in de vaart der volkeren. Het eiste gehoorzaamheid en moest daarvoor controle hebben over de informatie die burgers bereikte. Het halfronde gedrocht van een bouwwerk dat sinds januari 2011 met zwaar geschut door het leger wordt bewaakt, was daarmee een van de meest waardevolle en strategisch belangrijke gebouwen van de staat, want wie de media beheerst, heeft de macht, wist ook Nasser.

De staat werd het begin- én het eindpunt van elk initiatief en Nasser werd de personificatie van de staatsgeleide Arabische opleving. De bureaucratie barstte echter uit haar voegen. Het groeiende ambtenarenapparaat diende als politieke achterban – universitair geschoolden waren verzekerd van een baan bij de staat.[14] Generaals werden benoemd in publieke functies en militaire discipline werd een maatschappelijke norm. Een veronderstelde continue oorlogs-dreiging gaf Nasser de mogelijkheid om de maatschappij te mili-tariseren en een semipermanente staat van mobilisatie in stand te houden. Het feit dat de vijand (Israël) naast de deur was, bood een simpele legitimering voor repressieve maatregelen.

Er werd een nieuw propagandistisch discours geïntroduceerd waarin de *watan* (het vaderland) centraal stond en vaderlandslief-de als grootste goed gold. Kritiek op het leger werd verboden en publicaties over de strijdkrachten waren onderhevig aan censuur (dit is nog altijd het geval). Pleinen en straten die voorheen de na-men van koningen, prinsen en edelen hadden gedragen, werden van namen voorzien die meer in lijn lagen met de nieuwe orde. Zo veranderde het Ismaïliaplein, vernoemd naar kedive Ismaïl Pasja, die regeerde van 1863 tot 1879, in Midan Al-Tahrir (bevrijdings-plein) en zou de Koning Foeadavenue voortaan bekendstaan als 26 Julistraat, vernoemd naar de dag waarop de laatste koning (Faroek, zoon van Foead) werd verbannen.

Ondernemingen in buitenlandse handen werden genationali-seerd en de klasse van de *bashawaat*, die in de tijd van de monarchie privileges genoten, werd onteigend.[15] De kosmopolitische chique uit de vooroorlogse jaren verdween uit het straatbeeld en werd ver-vangen door de sobere grijze tuniek van de ambtenaar, geïnspireerd op militaire kledij, vergelijkbaar met het Maopak in China.

Nasser sprak in de informele volkstaal zijn onderdanen toe en predikte over de 'Arabische natie' die volgens hem reikte van Ma-rokko tot Irak. Egypte was in zijn visie een gidsland dat andere lan-den moest steunen in hun strijd voor onafhankelijkheid. Algerijnse strijders werden bijgestaan in hun oorlog tegen de Fransen. Nasser stuurde troepen naar Noord-Jemen om te vechten tegen het be-wind van de imam (dat gesteund werd door Saoedi-Arabië, Iran en de Verenigde Staten) en trok ten strijde uit naam van de Pales-tijnse zaak. In 1958 ging de ambitieuze president zelfs een politieke eenheid aan met Syrië onder de noemer Verenigde Arabische Republiek. Nog altijd geldt Nasser als de held van de Arabische onafhankelijkheid.

In Egypte zelf werd de Nijl getemd door de bouw van de Hoge Dam bij Aswan en kwam het Suezkanaal in 1956 eindelijk in Egyptische handen. Er werd bovendien begonnen met een ingrijpende herverdeling van de landbouwgrond. Grootgrondbezit werd aangepakt en kleine, voorheen landloze boeren kregen de mogelijkheid eigenaar te worden van het land waarop ze werkten. De maatregel was een klap voor de invloedrijke feodale grootgrondbezitters in Opper-Egypte en de Nijldelta, maar leverde Nasser eeuwige trouw op van de Egyptische *felahien* (boeren).

Maar de gedrevenheid van Nasser veranderde in ijdelheid; niemand anders dan hij was geschikt om de taken van de macht uit te voeren. De man die in 1952 de oude orde omver wilde werpen en in zijn eigen woorden een 'eerlijke en schone regering wilde aanstellen die werkelijk zou regeren in het belang van de mensen,'[16] gebruikte zijn internationale status als held en woordvoerder van de derde wereld om zijn groeiende binnenlandse tekortkomingen te maskeren.

Nasser richtte machtige veiligheids- en inlichtingendiensten op, zoals de Amn El Markazi (de centrale veiligheidsdienst, ook wel bekend als de CSF) en de Mukhabarat (de inlichtingendienst). Bovendien hervormde hij de gevreesde Amn al-Dawla (de staatsveiligheidsdienst) om politieke tegenstanders in kaart te brengen en uit te schakelen. Met name de centrale veiligheidsdienst – vergelijkbaar met de Mobiele Eenheid in Nederland, maar minder goed getraind en uitgerust – zou een gevreesd wapen worden in handen van de staat. Deze diensten onderhielden nauwe banden met het leger, maar stonden officieel onder het bevel van het ministerie van Binnenlandse Zaken.

Het systeem van Nasser, dat door hem eufemistisch werd omschreven als Arabisch socialisme, verving het protserige koloniale kapitalisme door een sobere vorm van staatskapitalisme, waarbij de kwetsbaren in de samenleving konden rekenen op hulp van de staat – een soort militaristische verzorgingsstaat. Daarmee werd echter ook het raamwerk opgezet van de repressieve staat van Mubarak.

De protestbeweging, waar de Vrije Officieren zich aanvankelijk mee associeerden, werd al snel gezien als een bedreiging. Stabiliteit en eenheid waren de nieuwe sleutelwoorden. Egypte zou het kolonialisme in de regio uitbannen en interne conflicten moesten daarvoor wijken. Bij een staking in de noordelijke stad Kafr el-Dawwar, een aantal maanden na de coup, werden vijfhonderd stakende textielarbeiders opgepakt en twee stakingsleiders in een publiek proces ter dood veroordeeld. Daarmee was de toon gezet.

Onder het mom van eenheid werd elke politieke organisatie verboden behalve de Arabische Socialistische Unie met Nasser aan het hoofd. De communisten en de Moslimbroeders, voormalige strijdmakkers van de Vrije Officieren, werden vervolgd en verdwenen ondergronds. De volksbeweging op straat, die de coup van Nasser mogelijk had gemaakt, werd succesvol de nek omgedraaid en vanaf halverwege de jaren vijftig had de nieuwe orde de touwtjes stevig in handen.[17]

Toch was Nasser immens populair. Hij had miljoenen, vooral arme Egyptenaren zicht op een beter bestaan geboden, de sociale mobiliteit vergroot en de Egyptenaren hun waardigheid teruggegeven door op internationaal niveau niet toe te geven aan de macht van het imperiale Westen en te proberen een zelfstandige koers te varen. Bovendien was hij strijdend ten onder gegaan – in 1956 en in 1967 trokken zijn legers ten strijde tegen Israël.[18] Tijdens zijn begrafenis in 1970 gingen miljoenen mensen de straat op om in een lange snikkende rouwstoet hun geliefde en gevreesde leider een laatste vaarwel te wensen.

Het zou het einde blijken van een tijdperk. Het Arabisch socialisme werd door zijn opvolger afgeschaft, maar de fundamenten van de militaire bestuursvorm die Nasser in het leven had geroepen, bleven intact. In de tussentijd werd de coup d'état van 1952 opgehemeld in het van bovenaf bestuurde collectieve geheugen. De staatsgreep die een einde maakte aan het kolonialisme en een nieuwe militaire elite aan de macht had gebracht, werd gepresenteerd als een *sawra* (revolutie) in dienst van het volk – de mythe van het leger als hoeder van de natie was daarmee geboren.[19]

––—––

In 1970 werd Nasser opgevolgd door zijn collega en medesamenzweerder Anwar Sadat, die gedurende de elf jaar dat hij aan de macht was (1970-1981) de kern van de nasseristische staat intact hield, maar economisch en politiek van koers veranderde. Waar Nasser zich keerde tegen het (neo)kolonialisme, werd Sadat een trouwe bondgenoot van westerse belangen in de regio. In plaats van de staatsgeleide economie van zijn voorganger introduceerde Sadat de vrije markt. Hij verruilde het pan-Arabische opstandige discours van Nasser voor een meer Egyptisch, islamitisch nationalisme, haalde de banden aan met de Verenigde Staten en sloot in 1979 vrede met aartsvijand Israël. Deze veranderingen betekenden een drastische koerswijziging in de politieke richting van het land. Egypte wisselde van kant in de bipolaire Koude Oorlog en werd samen met Israël een steunpilaar in een door de Amerikanen ontworpen regionaal stabiliteitsplan. Sinds de vrede ontvangt Egypte jaarlijks ruim 1,3 miljard dollar militaire steun van de Verenigde Staten.[20]

Het werkelijke keerpunt was echter niet de dood van Nasser op 28 september 1970, maar de dramatische nederlaag van het Egyptische leger drie jaar eerder. Na jaren van bombarie en branie over de historische taak van de Arabieren had Israël in 1967 slechts zes dagen nodig om zijn Arabische buurlanden, te weten Jordanië, Syrië en Egypte, een onvergetelijk militair pak slaag te geven. In de eerste uren van de oorlog werd de Egyptische luchtmacht uitgeschakeld door het geavanceerde wapenarsenaal van de Israëliërs – uiteraard geleverd door de Verenigde Staten – en was Egypte welbeschouwd verslagen. Israël veroverde de Sinaïwoestijn, en het Suezkanaal werd de feitelijke grens tussen beide landen. Het was een vernedering die Nasser niet meer te boven zou komen en die Egypte een andere richting op stuurde.

Egypte zat aan de grond, militair, economisch en mentaal; het Arabisch nationalisme van Nasser had gefaald en er waren ingrijpende maatregelen nodig. Volgens de Egyptische journalist Mohamed Hassanein Heikal, die persoonlijke relaties onderhield met zowel Nasser en Sadat als Mubarak, riep Nasser na de verloren oorlog van 1967 tegen zijn Russische ambtsgenoot Leonid Brezjnev: 'De Amerikanen zijn heer en meester. Maar ik zal niet degene zijn die zich overgeeft aan de Amerikanen. Dat zal mijn opvolger moeten doen.'[21] En zo geschiedde. Er was echter een oorlog voor nodig om een nieuwe machtsbalans te realiseren.

Op 6 oktober 1973 wist het Egyptische leger de Israëlische verdedigingslinies, op de oostoever van het Suezkanaal, na een verrassingsaanval te doorbreken. In de daaropvolgende dagen drongen Egyptische tanks vol goede moed de Sinaï in, maar al snel keerde het tij. Twee weken na het begin van de oorlog waren Israëlische troepen onderweg naar Caïro en moest de Veiligheidsraad van de VN (onder druk van de Verenigde Staten) ingrijpen om meer bloedvergieten te voorkomen. Resolutie 338 voorzag in een staakt-het-vuren tussen de strijdende partijen en bepaalde dat er stappen genomen dienden te worden om een langdurige vrede te realiseren. De Amerikaanse president Jimmy Carter sommeerde beide landen naar de onderhandelingstafel. Sadat deed de wereld en zijn eigen onderdanen versteld staan door in 1977 een bezoek te brengen aan het door de Israëliërs bezette Jeruzalem en een toespraak te houden in de Knesset, het Israëlisch parlement. Terwijl Sadat door velen in zijn thuisland werd gebrandmerkt als verrader, presenteerde hij zijn reis en de daaropvolgende vrede als een teken van kracht. Sinds de Oktoberoorlog – in het Westen de Jom Kipoeroorlog genoemd – was Egypte volgens Sadat de bovenliggende partij.

De zogenaamde Oktoberoverwinning wordt nog elk jaar op 6 oktober herdacht met militaire parades en presidentiële toespraken. De slag is hét hoogtepunt uit de militaire geschiedenis van Egypte, eentje waar het leger zijn status aan ontleent. De datum is tevens de naam van een belangrijke brug over de Nijl en van twee satellietsteden van Caïro.[22] De latere president Hosni Mubarak was als luchtmachtcommandant betrokken bij die eerste verrassingsaanval op de Israëlische linies en werd, net als de oorlog in zijn geheel, de hemel in geprezen.[23] De schande van de Zesdaagse Oorlog van 1967 werd in 1973 uitgewist door de leeuwen van het Egyptische leger, zo vertelt ons de mythe.

Het geheel leverde een vreemde en schizofrene situatie op. Publiekelijk wierp het regime in Caïro zich consequent op als voorvechter van de Palestijnse zaak. In het openbaar spreken Egyptische functionarissen over Israël als 'de vijand', en Israëlische spionnen moeten volgens de staatspropaganda het meest worden gevreesd. Elk jaar wordt de militaire schijnoverwinning op Israël uitbundig gevierd. In werkelijkheid is het Egyptische leger echter de eerste verdedigingslinie van Israël sinds het sluiten van de Camp David-akkoorden in 1979.[24]

Na de ondertekening van het vredesverdrag was er sprake van een *cold peace*, een situatie waarin het volk of de overheid van ten minste een van de betrokken landen de vrede met afkeer beschouwt. Om de nieuwe orde te bestendigen en betrekkingen te 'normaliseren' werden er zakelijke overeenkomsten gesmeed. Deze normalisering was echter niets anders dan het verankeren van de vrede in de top van de Egyptische maatschappij – geen culturele uitwisseling of collectieve verzoeningscommissies, maar een elitaire alliantie die draaide om strategische belangen en financiële winsten. Als de Egyptische elite kon profiteren van de vrede, dan zouden de relaties goed blijven, dacht men.

Tussen 1994 en 2000 exporteerde Israël voor 181 miljoen dollar naar Egypte, vooral chemische producten en kunstmest. In dezelfde periode exporteerde Egypte voor meer dan anderhalf miljard dollar naar Israël, onder meer olie, gas, ruwe katoen en groenten.[25]

In 2004 werden in Egypte vier zogenaamde Qualifying Industrial Zones (QIZ) geopend, industriegebieden die hun producten zonder importheffingen en quotarestricties naar de Verenigde Staten konden exporteren. De QIZ waren een Amerikaans initiatief en moesten de 'regionale verbondenheid' stimuleren. Alle producten uit QIZ moesten namelijk voor minimaal 15 procent afkomstig zijn uit Israël.

In 2005 werd er bovendien overeenstemming bereikt over de export van vloeibaar gas naar Israël voor minder dan de internationale marktprijs. De deal was een initiatief van de East Mediterranean Gas Company, een Egyptisch-Israëlisch samenwerkingsverband, en kwam het regime van Mubarak intern op de nodige kritiek te staan. Niet alleen exporteerde Egypte kostbaar gas terwijl een groot deel van de eigen bevolking niet was aangesloten op het gasnetwerk, maar door onder de marktprijs gas te leveren subsidieerde Egypte bovendien de Israëlische industrie.[26]

Veel van de verdragen over de export van gas werden in het geheim gesloten; prijzen en termijnen werden nooit publiekelijk bekendgemaakt. Volgens een rapport uit 2014 van de Egyptische mensenrechtenorganisatie EIPR liep Egypte tussen 2005 en 2011 minstens tien miljard dollar mis door weinig lucratieve gasdeals te sluiten, onder andere met Israël. Verscheidene kopstukken van het Mubarakregime werden schatrijk terwijl de nationale rijkdom van Egypte werd geplunderd.[27]

De vrede met Israël en de daaropvolgende normalisering was vanaf de eerste dag dus een project van een deel van de Egyptische elite. Terwijl de massa werd gevoed met uitspraken over Israël de vijand, werd op de achtergrond grof geld verdiend aan deals met diezelfde staat. De verbeterde relatie met de zelfverklaarde Joodse staat onder Sadat, en later onder Mubarak, symboliseerde de afstand tussen de politieke en economische elite en de rest van de Egyptenaren. Het was daarom dat de Egyptisch-Israëlische betrekkingen herhaaldelijk als een katalysator dienden voor protest. Zoals vermeld begon de beweging tegen Mubarak in het jaar 2000 als reactie op gebeurtenissen in Palestina.

Het politieke activisme van Selma, Lobna, Philip, Ziyad en duizenden anderen in Egypte en elders in de regio werd aangewakkerd door de situatie in Palestina. Zij werden opgevoed met een liefde voor de Palestijnse zaak, een ingebakken woede over Camp David en de rol die het Egyptische regime speelt in het conflict sinds Nasser.

Tijdens betogingen van islamisten, seculieren, liberalen, anarchisten of nasseristen was de Palestijnse vlag vrijwel altijd aanwezig.[28] De zwart-wit-groene vlag met de rode driehoek en in mindere mate de Palestijnse *kuffeiya* (sjaal) zijn symbolen van vasthoudendheid en verzet. In de Mohamed Mahmoudstraat, een van de zijstraten van het Tahrirplein, was na de val van Mubarak maandenlang een muurschildering te bewonderen van de twaalfjarige Mohammed al-Durah, die tijdens de Tweede Palestijnse Intifada werd doodgeschoten door Israëlische soldaten. Boven de schildering stond geschreven: 'De strijd is één, de grens is slechts stof.'

Dit besef dat de wortels van de strijd in Egypte en in Palestina met elkaar vervlochten zijn, vindt zijn weerklank in de veelgehoorde leus dat de weg naar vrijheid voor de Palestijnen door Egypte loopt. Volgens deze denkwijze zal de bevrijding van de Egyptenaren (van dictatuur en repressie) de bevrijding van de Palestijnen (van bezetting) dichterbij brengen.

'Denk je eens in!' werd mij tijdens een protest voor de deur van de Israëlische ambassade in Caïro in de nazomer van 2011 toegeschreeuwd door een hese jongen van ongeveer 25 jaar. Ik zat samen met Philip op de stoep een tiental meters verwijderd van het protest een sigaretje te roken en de jongen kwam naast mij zitten uitblazen. 'Denk je eens in,' zei de jongen weer. 'Probeer eens te bedenken wat de reactie zou zijn van de mensen bij jullie in Duitsland' – de jongen dacht om de een of andere reden dat ik Duits was – 'wanneer een buurland van jullie, zeg Nederland, wordt bezet door vluchtelingen uit laten we zeggen China!' De jongen had de bijdehante uitstraling van een student en was zichtbaar onder de indruk van zijn eigen vergelijking. Mijn stilzwijgen moedigde hem aan om door te gaan.

'En stel hè,' zei de jongen, 'dat er in Nederland al eeuwen een kleine Chinese gemeenschap woont, maar dat de nieuwkomers nationalistische trekjes beginnen te vertonen. Ze willen een Chinese of confuciaanse staat stichten' – de stem van de jongen sloeg bijna over uit enthousiasme over deze spitsvondige vondst – 'en de Chinezen beginnen de Nederlanders uit hun dorpen te verjagen. Zestig jaar en vele oorlogen later is deze Chinese kolonie in Nederland uitgegroeid tot een regionale macht die gesteund, bewapend en gefinancierd wordt door de rijkste en machtigste staten ter wereld. De Nederlanders leven als vluchtelingen bij jullie in Duitsland of als tweederangsburgers in of rondom de Chinese kolonie. Jarenlang leeft de kolonie echter in isolatie omdat buurlanden weigeren betrekkingen te normaliseren. Maar dan zwicht uitgerekend het grote en machtige Duitsland, jouw land, als eerste. Tot woede van de Duitsers wordt er vrede gesloten. De ongekozen dictator van Duitsland sluit uit naam van Duitsland vrede met de regering van de Chinese kolonie' – de jongen schreeuwde nu zo hard als hij kon om boven het lawaai van het protest uit te komen – 'wat dan?!' vroeg hij met grote ogen.

De schaduwen van de hoge gebouwen om ons heen waren inmiddels bijna niet meer zichtbaar. De straatlantaarns waren gedoofd. Het enige licht in de omgeving kwam uit de koplampen van passerende auto's die al toeterend hun goedkeuring voor het protest lieten blijken en van de rode gloed die werd uitgespuugd door de fakkels die de betogers hadden meegenomen. Vanaf de Nijl waaide een warme, droge wind. Tegenover de ambassade was de Palestijnse vlag gehesen op een van de minaretten van een moskee. Een paar duizend demonstranten stonden tegenover enkele tientallen, zichtbaar nerveuze soldaten die het ambassadegebouw moesten beschermen. De Israëlische vertegenwoordiging in Caïro was gevestigd op de twintigste en eenentwintigste verdieping van een flatgebouw op de westoever van de Nijl, ver weg van andere ambassades en overheidsgebouwen. Deze locatie was gekozen om te voorkomen dat woedende menigtes zich voor de deur zouden verzamelen. Maar in die zomer van 2011 leek werkelijk geen brug te ver en geen gebouw te hoog.

Hoewel de revolutie sinds de val van Mubarak tegenslagen had moeten verwerken, lag het initiatief nog steeds bij de straat. Daarnaast verspreidde het revolutionaire vuur zich nog altijd en dat stemde positief. Niet alleen in de Arabische wereld was het protest overal opgelaaid, er waren ook rellen in Londen, massale demonstraties in Zuid-Europa en het begin van oproer in de Verenigde Staten. Geïnspireerd door Tunesië en Tahrir leek men overal de straat op te gaan om een andere wereld te creëren.

In maart en in mei van dat jaar hadden Palestijnen in en buiten Palestina zich geroerd. Geprikkeld door de gebeurtenissen in Egypte hadden Palestijnse vluchtelingen in de regio massaal gehoor gegeven aan de oproep om tijdens de herdenking van de *Nakba* (letterlijk: catastrofe, de dag waarop Palestijnen herdenken dat zij van hun land werden verdreven) op 15 mei zo dicht mogelijk in de buurt van Jeruzalem te komen. In Egypte werden ze tegengehouden door het leger. De bussen en auto's die Palestijnen en Egyptische sympathisanten naar de grens met de Gazastrook zouden brengen, werden halverwege onderschept. In Libanon en in Syrië wisten Palestijnen echter de grenzen van het voor hen verboden land te bereiken. Israëlische grensbewakers reageerden door met scherp te schieten.

Terwijl ik de laatste hijs nam van mijn Dunhill Azraq (light) merkte ik dat de jongen aan mijn zijde inmiddels was stilgevallen en mij nog altijd verwachtingsvol aankeek. Begripvol keek ik terug. Ik snapte de analogie: Israël is de Chinese kolonie, Egypte is Duitsland. De dictatuur van Mubarak was slechts een symptoom van een

breder probleem waartoe ook Israël behoort, namelijk buitenlandse bemoeienis en (neo)kolonialisme. Israël symboliseert onrecht,
vernedering en onderdrukking, niet vanwege een of andere etnische of religieuze verwantschap, maar omdat die onderdrukking in
Egypte werd ervaren.

'*Ya 'amm*,' zei ik (letterlijk 'o, oom', maar gebruikt zoals in het
Nederlands 'gast'), 'ik ben Nederlands, niet Duits.' De jongen raakte nu zelf verstrikt in zijn redenering. Enigszins ontdaan keek hij
me aan. Nadat we elkaar een seconde sprakeloos hadden aangekeken, zei hij breed lachend, plotseling in houterig Engels: '*Welcome
to Egypt*', waarna hij me een hand gaf en verdween in de menigte.

In Caïro waren gedurende de zomer verschillende protesten georganiseerd voor het ambassadegebouw. Zo nu en dan kwam het
tot gewelddadigheden, zoals op 9 september toen een groep betogers door de betonnen veiligheidsmuren brak die het leger na een
vorig protest op dezelfde locatie had gebouwd. Die dag kwamen
drie betogers om het leven. De volgende dag werd de Israëlische
ambassadeur teruggeroepen naar Tel Aviv. De situatie was te gevaarlijk geworden. Volgens de betogers was het tijd om Israël en de
wereld te laten weten dat Palestina niet vergeten was. De bevrijding
van Egypte zou pas voltooid zijn na de bevrijding van Palestina, zo
luidde de leus.[29] En daarom stonden Philip, Selma, Ziyad, Lobna en
ik op 21 augustus, samen met ongeveer tweeduizend andere betogers, voor de deuren van het ambassadegebouw.[30]

Toespraken waarin werd gezegd dat het Egyptische volk zich
nooit bij de aanwezigheid van Israël zou neerleggen werden afge-
wisseld door ritmische leuzen. De menigte eiste dat de ambassade werd gesloten en dat betrekkingen werden opgeschort. 'Gaza,
Gaza, symbool van trots,' schreeuwde iemand in de megafoon,
waarna de andere aanwezigen zijn woorden herhaalden.

Later die avond – ik was inmiddels thuis – was een betoger erin
geslaagd om langs de balkons van het gebouw de ambassade te bereiken. De jongen, die in de lollige annalen van de revolutie vanwe-

ge zijn acrobatische stunt bekend zou worden als Spiderman, wist vervolgens de gang van de ambassade binnen te dringen en diplomatieke post te bemachtigen die hij uitstrooide over de menigte. Even later zou hij tot grote vreugde van de betogers op de grond de Israëlische vlag van het gebouw verwijderen en, eenmaal beneden, in brand steken. De Egyptische revolutie was een bedreiging voor Israël, zo luidde de boodschap.

Anno 2014 vervult het Egyptische leger (met ruim vierhonderdduizend manschappen nog altijd het grootste leger van Afrika) internationaal nog precies dezelfde rol die het door de Camp Davidakkoorden aannam: het garanderen van regionale stabiliteit. Toen de Hoge Militaire Raad op 11 februari 2011 de macht overnam, werd twee dagen later nadrukkelijk verklaard dat Egypte zich ook in de toekomst zou houden aan 'alle regionale en internationale verbintenissen en verdragen'. Hoewel het niet met zoveel woorden werd gezegd, doelde de verklaring met name op de verhouding met Israël.

In eigen land heeft het leger twee functies. Het is de ultieme bescherming van de staat en de beheerder van een uitgestrekt economisch imperium.[31] Volgens schattingen – keiharde cijfers zijn er niet – is 40 procent van de Egyptische economie in handen van het leger.

Als gevolg van het beleid van Nasser was de staat sterk gemilitariseerd. Genationaliseerde ondernemingen, ministeries en lokale overheden werden bestuurd door (voormalig) militair personeel. De passage uit de grondwet van 1964 die stelt dat het volk alle productiemiddelen bezit, werd weggewuifd. Het leger handelde immers uit naam van het volk.

Onder het mom van de staatsveiligheid streefde het leger naar zelfvoorziening; in het geval van oorlog moest het zo min mogelijk van derden afhankelijk zijn. Munitie, soldatenkleding, zeep en bronwater bestemd voor militair personeel werden daarom geproduceerd in fabrieken van het leger. Een militair monopolie op deze productie werd bij wet gegarandeerd; de krijgsmacht moest onafhankelijk zijn. Het militaire budget werd bovendien afgeschermd van extern toezicht. De militairen creëerden zo hun eigen economische domein, afgescheiden van de civiele wereld door wetgeving en taboes, waar buitenstaanders geen toegang toe hadden.

Onder Sadat en later Mubarak werd de publieke rol van de militairen enigszins teruggedrongen. Na de dramatisch verlopen oorlog van 1967 was het leger kwetsbaar voor kritiek en na zijn machtsovername nam Sadat maatregelen. Politieke functies werden voortaan vooral bekleed door burgers, en het leger zou in toekomstige kabinetten slechts de verantwoordelijkheid krijgen voor een aantal 'traditionele legerposten' zoals defensie, militaire productie, transport en communicatie. Aan de vooravond van de Oktoberoorlog in 1973 had het leger maar liefst negenhonderdduizend manschappen in dienst. Na de oorlog, maar vooral na het tekenen van de vrede, was die noodzaak echter verdwenen, de permanente dreiging was immers weggevallen. Wegens groeiende overheidstekorten moesten de militaire uitgaven omlaag en was het tijd voor een drastische reorganisatie. Met behulp van financiële injecties uit Washington en geavanceerd wapentuig uit de Verenigde Staten werkte Sadat toe naar een kleinere, maar beter bewapende krijgsmacht. Tegelijkertijd werd er begonnen met een programma van gezamenlijke trainingen, zoals het tweejaarlijkse Bright Star, een trainingsoperatie van Egyptische en Amerikaanse militairen die in 1980 voor het eerst plaatsvond.

De laagste soldatenrangen werden overgeplaatst naar de troepen van het ministerie van Binnenlandse Zaken, dat verantwoordelijk was voor de binnenlandse stabiliteit. Begin jaren tachtig groeide de Centrale Veiligheidsdienst van honderd- naar driehonderdduizend manschappen.[32] Er waren echter ook duizenden hoogopgeleide maar overbodige officieren. Zij moesten aan inkomen en status inboeten nu een onmiddellijke dreiging voor het eerst sinds de on-afhankelijkheid van 1952 was geweken.

Om deze officieren tegemoet te komen werden de Nationale Projectendienst en Arabische Organisatie voor Industrialisering opgericht om de vergroeiing van het bedrijfsleven met het militaire instituut te faciliteren en aan te sturen. De militaire productiecapaciteit moest de nationale economie aanzwengelen, en de fabrieken van het leger werden aangespoord om over te stappen op de productie van uiteenlopende huis-tuin-en-keukenproducten als wasmachines, kachels, kleren en medicijnen. Tegelijkertijd was het een manier om officieren te belonen voor hun loyaliteit.

De militaire productie was aanvankelijk bedoeld voor speciale winkels waar legerpersoneel tegen gesubsidieerde prijzen inkopen kon doen. Soldaten werden in sommige gevallen zelfs uitbetaald in tegoedbonnen die alleen geldig waren in deze winkels. Gebruikmakend van speciale belastingtarieven, staatssubsidies en netwerken waar andere privésectorondernemingen geen toegang toe hadden, breidde de militaire productie zich langzaam maar zeker uit, terwijl de omzet uit staatsveiligheidsoverwegingen geheim bleef.[33]

Hetzelfde gebeurde in de landbouw. In de jaren tachtig opende het leger via de Nationale Projectendienst melkfabrieken, veestallen, kippenfokkerijen en viskwekerijen. In 1985 – latere cijfers zijn niet voorhanden – produceerde het leger maar liefst 18 procent van de totale voedselproductie van Egypte. Grote stukken land die in de Nasserjaren waren geannexeerd en gebruikt voor trainingsfaciliteiten of legerbarakken werden door officieren verkocht aan (semi)particuliere ondernemingen. In sommige gevallen werden dienstplichtige soldaten gebruikt om het land te ontwikkelen, betaald door de staat. Veiligheidsvoorschriften stelden het leger in staat om onder bepaalde omstandigheden land toe te eigenen. Tegen 2014 was het Egyptische leger de grootste grondbezitter van het land.

Het leger bouwde huizen die het verkocht tegen gesubsidieerde prijzen aan militair personeel of tegen normale prijzen aan burgers en speculanten. Halverwege de jaren tachtig was 5 procent van alle nieuwbouwwoningen gebouwd door het leger. Maar het leger bouwde ook bedrijventerreinen, infrastructuur en nutsvoorzieningen zoals elektriciteitsnetwerken, riolering, bruggen, wegen, telefoonlijnen en zelfs toeristenresorts aan de Middellandse Zee.

Zo ontwikkelden zich twee tegenstrijdige economische modellen. Enerzijds werd de staat in rap tempo geprivatiseerd, geliberaliseerd en gedereguleerd – volgens de mantra van de internationale financiële wereld. Sadat en later Mubarak ontmantelden de verzorgingsstaat van Nasser, verkochten staatsondernemingen en zetten de deuren van de Egyptische economie wagenwijd open. Dit paradigma creëerde eind jaren zeventig een klasse van nouveaux riches, die de *munfatihun* werden genoemd – zij die profiteerden van het *infitah*(openstellings)-beleid van president Sadat.[34] Zij vertegenwoordigden een groeiende privésector die nauwe banden onderhield met het regime – in de Engelstalige literatuur wordt terecht de term *crony capitalists* gebruikt.

Anderzijds breidde de autonome wereld van de militairen zich uit. Buiten bereik van privékapitaal en afgeschermd van enige vorm van democratisch toezicht of controle bestuurt de militaire elite nog altijd een enorm economisch imperium. Verwijzend naar deze militaire economische bubbel spreekt de Amerikaanse onderzoeker Robert Springborg van 'een bijna volledig autonome enclave van middenklassemodernisme te midden van een alsmaar armer wordende en gemarginaliseerde derdewereldeconomie'.

De militaire elite is door de jaren heen als het ware samengesmolten met de klasse van rijke privé-entrepreneurs, hun werelden overlappen. Tegelijkertijd koesteren zij tegengestelde belangen die zich in de aanloop naar de revolutie van 2011 vertaalden in onenigheid binnen het regime. De militaire top reageerde aanvankelijk nerveus op de enorme privatiseringsdrang van het zakenkabinet dat in 2004 aantrad, terwijl de privésector juichte. Het vooruitzicht van een neoliberale oud-bankier als president in de persoon van Gamal Mubarak stuitte binnen het leger helemaal op weerstand. Gamal had in tegenstelling tot zijn vader geen verleden in het leger; zijn achtergrond was de financiële wereld en dus vormde hij een potentiële bedreiging voor de economische belangen van de militairen.

De machtspositie van het leger stond op het spel voor de Hoge Militaire Raad toen deze in 2011 de macht overnam. De legertop was niet geïnteresseerd in maatschappelijke verandering, maar wilde slechts de militaire autonomie veiligstellen. Indien het leger zonder kleerscheuren de interim-periode zou overleven, dan zou de volkswoede tegen Mubarak wellicht een zegen blijken.

7

De zomer van 2011 was stilte voor de storm.

Het latente gevoel van onvrede over de resultaten van de veronderstelde revolutie begon langzaam een weg naar buiten te vinden. Het transitieproces verliep moeizaam en de beloftes van de militairen begonnen als holle frasen te klinken. Enkele taxichauffeurs begonnen twijfels te uiten (altijd een teken aan de wand).

Aangewakkerd door de beweging op straat nam de algehele vertwijfeling toe. Verhalen over het gebruik van militaire tribunalen voor burgers begonnen mondjesmaat door te dringen tot het grotere publiek. Internationale media berichtten erover, demonstranten zongen erover en activisten voerden campagne tegen de mensenrechtenschendingen van het leger.

In de militaire communiqués werd herhaaldelijk gesproken over de families van de martelaren en de vreugden van het nieuwe Egypte – alles was slechts een kwestie van tijd. Het oude regime zou volledig opgerold worden, de beulen van weleer zouden hun straf niet ontlopen. De economie zou bovendien weer draaien als vanouds – en beter – mits men bereid was te werken.

Op de officiële Facebookpagina van de Hoge Militaire Raad (de legerleiding communiceerde regelmatig via Facebook) stelden de generaals op 22 juni voor de zoveelste keer dat ze van plan waren een 'burgerlijk bewind te realiseren op basis van democratie, vrijheid en sociale rechtvaardigheid'. Ondertussen waren ze, naar eigen zeggen, druk bezig de veiligheidssituatie te verbeteren, de toevoer van basisgoederen veilig te stellen, vrijheid van meningsuiting te garanderen en corruptie uit te bannen.

Maar de zoete woorden van de militairen en hun woordvoerders in de media werden tegengesproken door de feiten en begonnen langzaam hun glans te verliezen.

De families van de martelaren werden genegeerd door de nieuwe orde. Metrohalte Mubarak was weliswaar omgedoopt tot Shohada' ('Martelaren'), maar daar bleef het bij, zo leek het. Nabestaanden van slachtoffers kampeerden daarom gedurende de maand juni op straat, voor de deuren van Maspiro om hun eisen kracht bij te zetten. Zij werden in hun strijd bijgestaan door sympathisanten en konden rekenen op brede waardering.[35]

Vooraanstaande leden of geestverwanten van het Mubarak-regime, die bekend kwamen te staan als *feloel* (letterlijk 'overblijfselen' of 'achterblijvers') werden ogenschijnlijk met rust gelaten. Zij genoten nog altijd een bevoorrecht bestaan, leefden weelderig in ballingschap – zoals zakenman Hussein Salem, die naar Spanje vluchtte aan het begin van de achttien dagen – of waren gewoon nog werkzaam voor de nieuwe interim-regering.

De economie lag bovendien in puin. Sinds het begin van de opstand was de economie in een neerwaartse spiraal beland. De Egyptische effectenbeurs werd tot weken na de val van Mubarak gesloten gehouden, wat voor een algehele angststemming zorgde onder speculanten en (buitenlandse) investeerders, die de laatste decennia zo belangrijk waren geworden voor de Egyptische economie. Als gevolg daarvan namen de buitenlandse valutareserves (dollars), die cruciaal zijn voor de invoer van brandstof en voedsel, af.[36] Intussen bleven de toeristen weg. In 2010, het jaar vóór het begin van de revolutie, had Egypte veertien miljoen toeristen mogen verwelkomen. In 2011 zouden dat er slechts negen miljoen zijn, een daling van 35 procent. Maar liefst 12 procent van de werkende bevolking vond emplooi in de toerismesector. Voor de meesten van hen betekende de val van Mubarak het begin van economisch mindere tijden.

De junta en het kabinet van Essam Sharaf hadden bovendien geen alternatieve economische ideeën voorhanden, en dus was er sprake van een vicieuze cirkel. De politieke onzekerheid zorgde voor terughoudendheid bij investeerders die normaliter naar Egypte kwamen vanwege onder meer het stabiele politieke klimaat, de lage lonen, lage brandstofprijzen (want gesubsidieerd) en de relatief rechteloze positie van arbeiders. Hoe langer de interimregering aan de macht bleef, des te instabieler en onvoorspelbaarder ging het economische en politieke landschap eruitzien. Het gevolg was dat investeerders wegbleven en de economische malaise en dus de onrust toenamen.

Er heerste verwarring. Wat zou de toekomst brengen? En hoe te reageren? Stakingen (door de junta 'sectorale eisen' genoemd) werden ontraden door de militairen. Alleen samen staan we sterk, verkondigden zij. Maar zomaar alles accepteren was ook geen optie.

De nieuwe politieke partijen, die in de weken en maanden na de val van Mubarak als paddenstoelen uit de grond schoten, worstelden ook met de nieuwe situatie. De taal die ze bezigden, was doorspekt met woorden als 'vrijheid' en 'democratie', maar geen enkele partij wist te overtuigen. Politici schipperden hopeloos tussen enerzijds het partijpolitieke 'democratiseringstraject' zoals dat was vastgelegd in de grondwetswijzigingen van maart en anderzijds de brede coalities op straat om druk uit te oefenen op de macht. De Moslimbroederschap, de enige partij die werkelijk een brede achterban had, voer ondertussen een koers parallel aan die van de militairen. De top van de broederschap floot hetzelfde deuntje als de generaals, bewees zo nu en dan lippendienst aan de eisen van de revolutie en riep de achterban op 'de democratie' te omarmen – de stembus zou verandering brengen, zo luidde het devies.

Vanwege de afwezigheid van een volksvertegenwoordiging of andere gangbare inspraakorganen vertolkte de beweging op straat het revolutionaire sentiment. De eisen van de demonstraties bepaalden het ritme van de politiek. De verwarring over de kant die het land op ging leidde tot hevige discussies op straat. De smeulende woede kwam af en toe ongecontroleerd en onvoorspelbaar naar buiten.

Op een zomerse dag in juni liep ik door de ministeriële wijk van de stad naar huis. Voor de smeedijzeren hekken van het ministerie van Justitie had zich een woedende menigte verzameld. Buurtbewoners duwden tegen de hekken en gooiden stenen naar het gebouw. Fathi Sorour, voormalig parlementsvoorzitter onder Mubarak, prominent lid van de NDP en afgevaardigde van de nabijgelegen volkswijk Sayeda Zeinab, was gesignaleerd. Volgens de menigte moest Sorour de gevangenis in voor fraude en corruptie. En als het regime er geen werk van zou maken, dan zou men het zelf wel doen. Terwijl de schemering inviel, probeerde de beveiliging van het gebouw de aanwezigen tevergeefs te kalmeren. Naarmate de tijd verstreek, groeide de massa. Ruiten sneuvelden. Met loeiende sirenes en onder een regen van stenen moest Sorour uiteindelijk door een gepantserde politiebus worden ontzet.[37]

Op 28 juni zaten Ziyad, Philip en ik in een hoek van de Jamayka Bar, een van de groezeligste barretjes van Downtown, waar vooral middelbare, stoffige mannetjes komen om na hun werk, onder het genot van een dampende portie gekookte bonen, een aantal biertjes te drinken en luidruchtige gesprekken te voeren. We praatten, net als iedereen in die tijd, over de recente politieke ontwikkelingen. In de tijd van Mubarak werd weliswaar over politiek gesproken, maar op dezelfde manier waarop men krantenkoppen bespreekt: het was een schouwspel dat ver van de burger af stond en geen enkel effect had op het dagelijks leven. Mensen hadden een mening, vloekten een keer en maakten grappen, daar hield het wel zo ongeveer mee op. Na de achttien dagen veranderde dit. De politiek was tot leven gekomen en iedereen deed mee.

Een aantal weken eerder waren Mubarak en zijn twee zonen Alaa en Gamal gearresteerd op verdenking van corruptie en betrokkenheid bij het geweld tegen betogers gedurende de achttien dagen, een duidelijke concessie aan de demonstranten die elke week de straat op gingen om genoegdoening voor de martelaren en de berechting van het ancien régime te eisen. Toch was dit nauwelijks bevredigend, vonden wij. De leden van het gezin Mubarak hadden zonder twijfel bloed aan hun handen; Mubarak was dertig jaar eindverantwoordelijke geweest van een martelend regime, Gamal was al jaren een hooggeplaatste pief in de politieke partij van zijn vader en Alaa was een keiharde zakenman die zijn connecties met het regime gebruikte om vermogen te vergaren. Er waren dus genoeg redenen om hen te vervolgen. Er werd nu gedaan alsof hun enige misdaad tijdens de achttien dagen werd begaan. Het systeem waar zij jarenlang een cruciaal onderdeel van waren, bleef buiten schot.

Tegelijkertijd praatten we over de toegenomen angst voor een veronderstelde buitenlandse dreiging. Enkele dagen eerder hadden de autoriteiten een Israëlische spion gearresteerd, wellicht moesten Egyptenaren voorzichtiger zijn in hun omgang met buitenlanders.

Sinds de val van Mubarak hadden regeringswoordvoerders geprobeerd de collectieve angst en het gevoel van eenheid aan te wakkeren door te wijzen op het gevaar van een nooit nader gespecificeerde buitenlandse dreiging, consequent *al-taraf al-talit* genoemd (letterlijk 'de derde partij' maar meer bedoeld als 'de vijfde colonne').[38] Tijdens demonstraties, als ik een camera of een notitieboekje tevoorschijn haalde, gebeurde het regelmatig dat ik door een overbezorgde burger in mijn nekvel werd gegrepen. Soms werd ik in het voorbijgaan zonder reden uitgescholden voor spion, het woord *gassus* (spion) lag veel mensen in de mond bestorven. In die tijd werd ik een keer door een woedende menigte in een zijstraat van het plein omringd, door elkaar geschud, uitgescholden en even later uitgeleverd aan de militaire politie, die mij na een korte controle liet gaan.

Iedereen die er anders uitzag, of simpelweg niet voldeed aan het beeld van de stereotiepe Egyptenaar, was verdacht. Niet alleen ik had ervaring met deze collectieve paranoia, ook Philip werd regelmatig met achterdocht behandeld. Het was voor hem de allergrootste frustratie. Hij woonde al zijn hele leven in Egypte en mengde zich actief in politieke kwesties. Toch werd hij door velen op basis van zijn uiterlijk als vreemdeling of indringer gezien. Het duurde nooit lang voordat iemand zich tot hem keerde en vroeg: '*Inta mineen?* ('Waar kom je vandaan?') Soms reageerde Philip geïrriteerd. 'Mijn vader komt uit Opper-Egypte, mijn moeder uit Duitsland,' blafte hij dan. Maar meestal verbeet hij zich en beantwoordde hij keurig de vragen van zijn ondervragers om commotie te voorkomen.

Ziyad werkte in die dagen mee aan een film genaamd *Bibo w Beshir* – een soort Arabische versie van de Hollywoodfilm *What Women Want* – maar hij was allerminst tevreden. De film was apolitiek, een romantische comedy, en sloot op geen enkele manier aan op de belevingswereld van Ziyad. Net nu het leven, in zijn eigen bewoording, betekenis had gekregen, was hij gedwongen om zich elke dag met zoetsappige fictie bezig te houden. Maar hij was blut en bovendien werd de film geproduceerd door een kennis van hem, zijn deelname was een vriendendienst.

De homoseksuele Ziyad worstelde bovendien met zijn liefdesleven. Hij was verliefd geworden op een heteroseksuele vriend die zijn avances niet beantwoordde. Het was de zoveelste romantische teleurstelling voor Ziyad. Hoewel hij in die dagen af en toe een scharrel had, was het moeilijk voor hem om een vaste partner te vinden. In Egypte wordt publiekelijk neergekeken op homoseksualiteit, maar toch bestaat er in Caïro een levendige en tegelijkertijd erg onvolwassen scene. Veel jonge homoseksuelen weigeren de confrontatie aan te gaan met familie en maatschappij en blijven voor het thuisfront veilig in de kast. Avontuurtjes zijn geen probleem, maar een toegewijde langdurige relatie is voor velen een stap te ver, tot grote frustratie van Ziyad.

Terwijl we deze dingen bespraken, hielden we met een half oog Twitter in de gaten. Er waren die avond festiviteiten georganiseerd in het Balloon Theater voor de families van de martelaren die al weken voor de deur van Maspiro kampeerden. Die avond raakten de families op de stoep van het theater slaags met de aanwezige veiligheidsdiensten. Niet veel later lazen we tweets over rellen op het Tahrirplein.[39] De veiligheidsdiensten hadden de families weggejaagd bij het theater. De families trokken vervolgens naar het ministerie van Binnenlandse Zaken, maar stuitten op het plein opnieuw op de knuppels en schilden van de veiligheidsdienst.

Toen wij aankwamen was het plein gehuld in traangas. Politie-eenheden hielden samen met het leger de wegen bezet die het plein en het ministerie van Binnenlandse Zaken met elkaar verbinden en schoten van ver hun granaten af, soms regelrecht in de mensenmassa. In de loop van de nacht groeide de menigte. Het nieuws over de families van de martelaren verspreidde zich snel en vanuit de hele stad snelden sympathisanten toe. Maar er was meer aan de hand: de woede over het trage tempo van de hervormingen speelde mee. Daarnaast was er sprake van een vete. De veiligheidsdiensten hadden het monopolie op geweld, maar tijdens de achttien dagen hadden de troepen een geweldig pak slaag gekregen. Ook zij hadden collega's moeten begraven. Er bestonden wraakgevoelens aan beide zijden.

De ervaring van die avond was voor Ziyad de bevestiging dat de revolutie nog verre van voorbij was. 'We zeiden altijd tegen elkaar *el-sawra mustamirra* (de revolutie gaat door), maar die avond voelde ik pas wat dat betekende.' Het was voor het eerst sinds de achttien dagen dat er binnen een mum van tijd zoveel mensen naar het plein kwamen om te vechten tegen de troepen van het ministerie. Er was blijkbaar nog enorm veel woede.

Tegelijkertijd had Ziyad gezien hoe de troepen reageerden op de demonstranten. 'Zij daagden ons uit. Ze staken middelvingers naar ons op, scholden ons uit voor hoerenjongens, gooiden stenen, schoten met traangas en genoten ervan. Maar die middelvingers vond ik misschien nog wel het ergst. Het was persoonlijk, die jongens geloofden echt dat wij de slechteriken waren.'

Toen Philip en ik tegen drie uur in de ochtend bekaf, misselijk en duizelig van het traangas naar huis wilden gaan, kwamen we niet ver van het plein tussen de vechtende linies terecht en moesten we een flatgebouw in vluchten om de politie te ontlopen. Een poging om uit het gebouw te ontsnappen werd onmogelijk gemaakt door een traangasgranaat die vlak voor de ingang ontplofte en het trappenhuis van het gebouw vulde met de grijsblauwe rook. Samen met de portier, zijn gezin en enkele bewoners van de eerste verdieping renden we al hoestend, vloekend en brakend de trappen op richting het dak. De rest van de nacht keken we van bovenaf toe hoe de politie in het wilde weg traangas afvuurde terwijl legereenheden achter de politielinies de straten bewaakten. Ook zagen we van bovenaf de baltagiyya, burgers (of politie in burger), vaak jonge jongens, die meevochten aan de zijde van de politie, de orders van de officieren gehoorzaamden en zo nu en dan ongezien de linies overstaken. Die avond vielen er bijna zeshonderd gewonden, relatief weinig, maar die proporties kenden we toen nog niet.

De generaals noemden de rellen de volgende dag 'ongegrond' en stelden dat leden van het oude regime verantwoordelijk waren. Zij hadden volgens de junta misbruik gemaakt van 'de heiligheid van het bloed van de martelaren' om onrust te stoken en een conflict tussen het volk en de militairen te ontketenen. Daarmee was voor veel revolutionairen de grens bereikt; *El-Moshir* (de veldmaarschalk) moest weg.

Op de muren van de stad verschenen aankondigingen voor een 'tweede revolutie': een sit-in op het Tahrirplein tot het vertrek van de militaire junta. Duizenden activisten deden mee. Maar de sit-in werd wekenlang genegeerd door het regime en overschreeuwd door de islamisten – exemplarisch voor het politieke krachtenveld op dat moment. Het werd een keiharde les voor de protestbeweging in Egypte.

In tegenstelling tot de achttien dagen, toen alles geïmproviseerd moest worden, kon men zich deze keer voorbereiden op een langdurig protest. Op donderdagavond was het plein al afgeladen vol en overal waren jongeren druk in de weer met de voorbereidingen.

Er werden spandoeken opgehangen en podia gebouwd. Boven het plein werd een gigantisch wit laken opgehangen tegen de snikhete zomerzon, waaronder het merendeel van de tenten werd geplaatst. Andere tenten stonden in de schaduw van de Mugamma', het enorme overheidsgebouw aan de rand het plein, en in de toen nog verfrissend groene tuin van de Omar Makrammoskee, vernoemd naar een islamitische geestelijke die leiding gaf aan het verzet tegen de Franse overheersing in de achttiende eeuw. Het woord van het moment was *El-Qassaas* (straf of retributie).

De revolutie was terug op het plein. De muren van de Mugamma' en andere gebouwen werden beschilderd met politieke cartoons en leuzen. Een bekend kunstwerk op de muur van een universiteitsgebouw van de Amerikaanse universiteit was van de hand van graffitikunstenaar El-Teneen ('de draak').[40] Het werk bestond uit een rood-wit schaakbord met aan de ene kant vijf rijen pionnen, en aan de andere kant de grote overige stukken die een gevallen koning beschermen. Op het plein was een hoek ingericht waar deze kunstenaars samen konden werken. Elektriciteit werd afgetapt van de straatlantaarns op het plein en elke avond werden er workshops, theater- en muziekvoorstellingen georganiseerd. Philip, Jasmina, Selma, Ziyad, Lobna en andere leden van mediacollectief Mosireen organiseerden bovendien dagelijks vertoningen van Cinema Tahrir. Groepen betogers discussieerden, aten, rustten uit, lazen poëzie, dansten en speelden toneel. Kortom, Tahrir was opnieuw de creatieve vrijplaats van de stad. Het protest en het kampeerterrein waren bovendien beter georganiseerd dan ooit. Toch ontbrak er iets.

De betogers slaagden er niet in een brede laag van de samenleving te enthousiasmeren voor het protest en de sit-in bleef geïsoleerd. Er waren geen massale arbeidersstakingen of campagnes van burgerlijke ongehoorzaamheid. De publieke opinie was niet in lijn met die van de demonstrerende minderheid. Daarnaast had het regime kennelijk geleerd van zijn fouten; politie en leger bewaarden afstand. De dagelijkse marsen die werden georganiseerd, hadden niet hetzelfde deregulerende effect als in het verleden. Het was vakantie en de overheid draaide op halve kracht. De protesten werden genegeerd en verloren daarmee hun kracht.

Maar als de sit-in genegeerd kon worden, wat was dan het nut? En hoe lang moest men blijven zitten? Het werd een ongekende uitputtingsslag en naarmate de dagen verstreken, groeide de onrust in het kamp.

Sommige kampeerders begonnen ventilatoren, koelboxen en muziekapparatuur te installeren om het verblijf aangenamer te maken. Maar onbewust werd daarmee het verschil tussen arm en rijk, zoals dat buiten het plein bestond, in het protestkamp gebracht. Diefstal was het gevolg. In publieke bijeenkomsten werd besloten om dan maar een soort politiedienst of pleinbeveiliging in te stellen die de veiligheid van het plein moest waarborgen en bij de ingangen controles zou opzetten.

De twaalf verschillende podia die langs de randen van het plein waren gebouwd, werden bijna vierentwintig uur per dag bemand door een hele rits politieke groeperingen die allemaal, in meer of minder eloquente bewoordingen, hun boodschap probeerden over te brengen. De vuilnisdiensten moesten gereguleerd worden, net als de interne communicatie tussen de verschillende politieke groeperingen. Dit alles in de zinderende hitte van juli 2011.

Het Tahrirplein veranderde in een minimaatschappij waar men dezelfde problemen moest overwinnen die men in de buitenwereld tegenkwam. Mijn vrienden waren drie weken lang betrokken bij het reilen en zeilen van deze maatschappij, met slapeloze nachten, eindeloze discussies, ruzie en frictie met andere pleinbewoners tot gevolg. Overdag en 's avonds heerste er een vreedzame en politiek diverse stemming op het plein, maar 's nachts sloeg de stemming om en werd het grimmiger.

Op 23 juli, meer dan twee weken na het begin van de sit-in, werd zoals elk jaar de coup van de Vrije Officieren van 1952 herdacht. Normaliter is dat een feestdag voor heel Egypte waarop het leger door de straten paradeert. Maar ditmaal was de context anders. Betogers op het plein besloten voor de gelegenheid vanaf Tahrir te marcheren naar het hol van de leeuw, het ministerie van Defensie in de wijk Abbasiya. Nog voor de protestmars van enkele duizenden het ministerie had bereikt, werd de menigte echter tegengehouden door soldaten, tanks en rollen prikkeldraad. Even later volgde een aanval van gewapende baltagiyya terwijl soldaten van het leger toekeken. De stoet zat gevangen tussen het scherpe prikkeldraad van het leger enerzijds en vechtersbazen anderzijds en moest een weg naar buiten forceren. Ziyad verzamelde stenen en leverde ze af aan de frontlinies, waar ze gebruikt werden als munitie. Hij was een lafaard, zo zei hij zelf, en bovendien kon hij slecht mikken. Een betoger kwam die avond om het leven nadat hij op zijn hoofd door een steen was geraakt.[1]

Tijdens de sit-in verbleef ik net als Philip en Jasmina avonden op het plein, maar ik sliep thuis. Ik dronk thee met boeren uit Assiut, een stad in Opper-Egypte, die waren gekomen om zich aan te sluiten bij het protest omdat ze een familielid hadden verloren tijdens de achttien dagen. De boeren zaten stoïcijns in hun *galabiyya* voor de massieve deuren van de Mugamma', en sliepen elke avond op kartonnen bedden onder een constructie van lappen en lakens. We deelden sigaretten, aten *koshari* (een typisch Egyptische volksmaaltijd met linzen, pasta, rijst, gebakken uien en tomatensaus) en doodden de tijd met potjes voetbal op een vrijgemaakt stuk van het plein.

Ik praatte er met studenten die mij vertelden over de worstelingen op de universiteit. Een jongen en een meisje van de Ain Shams-universiteit in Caïro vertelden dat zij na de val van Mubarak vol energie terug naar de campus gingen en er daar achter kwamen dat alles hetzelfde was gebleven. Dezelfde beveiliging terroriseerde de studenten en gehoorzaamde de bevelen van dezelfde rector. 'Elk instituut in Egypte heeft een kleine Mubarak aan het hoofd,' vertelde de jongen wijs. Het meisje, dat een hoofddoek droeg, was minstens even fel. 'Deze beweging is niet te stoppen. Wat er ook zal gebeuren, wij zijn de meerderheid. Wij hebben na dertig jaar eindelijk onze stem en ons zelfrespect hervonden. Wij houden nooit meer onze mond,' zei ze vol overtuiging. De revolutie was voor haar ook een persoonlijk proces geweest. Ze had leren vertrouwen op haar eigen ideeën en durfde zelf na te denken. Tijdens de achttien dagen kon ze haar ouders er nog niet van overtuigen dat ze haar naar het plein moesten laten gaan, maar nu konden ze haar niet tegenhouden. 'Mijn ouders snappen ook dat er iets is veranderd, dus nu moet ik elke avond voor middernacht thuis zijn. Dat vind ik prima. Maar,' voegde zij eraan toe terwijl ze met een hoofdbeweging in de richting van een stel voetballende jongens wees, 'de revolutie is pas geslaagd als ik met hen mee mag doen.'

De twee wisselden elkaar af en vulden elkaar aan en raakten bij elke melig bedoelde opmerking kort de hand van de ander aan, een bekend gebruik in Egypte. Maar er was meer gaande. Ons gesprek was één lange flirt. Toen ik vroeg naar de relatie tussen hen, begonnen ze beiden te blozen en lachte de jongen zijn tanden bloot. Het meisje antwoordde ad rem: 'Ik moet nog niet denken aan trouwen, ik wil eerst mijn studie afmaken en iets betekenen voor mijn land.'

De meeste tijd bracht ik echter door met Mohamed, een mollig dertienjarig ventje dat zich op eigen houtje had aangesloten bij het protest. De eerste keer dat ik hem zag, stapte hij brutaal op me af en zei dat ik hem moest interviewen. Vanaf dat moment waren we vrienden. Mohamed vertelde mij 's avonds wat er overdag in het kamp gebeurde, stelde me voor aan mensen en legde me uit waarom hij naar het plein was gekomen. 'Wat ik tijdens de achttien dagen meemaakte, hier op deze plek, daar wil ik de rest van mijn leven voor vechten,' zei hij.

Hoewel Mohamed vanwege zijn leeftijd lang niet door iedereen serieus werd genomen, intervenieerde hij in discussies op het plein. Hij was pienter, brutaal en vooruitstrevend. Zo greep hij ooit subtiel in toen twee christelijke jongens mij op het plein toefluisterden dat zij hun islamitische landgenoten eigenlijk niet vertrouwden. Ook was ik er een keer getuige van hoe Mohamed een oudere man tegensprak die verkondigde dat vrouwen niets te zoeken hadden in het protestkamp. Lachend, bijna verontschuldigend keek hij me dan aan en rolde met zijn ogen.

Maar over zijn eigen situatie weigerde hij uit te weiden. Hij vertelde kortaf dat zijn oom wist waar hij was, dat zijn ouders ergens in de armere delen van Giza woonden en dat zijn familie niet geïnteresseerd was in politiek. Maar de dikke laag eelt op zijn zwart geworden voeten deed mij vermoeden dat hij dakloos was. Hij droeg elke dag dezelfde groezelige spijkerbroek en hetzelfde rode T-shirt en sliep bij kennissen op het plein, in de openlucht tussen de tenten of ergens beschut onder een boom, maar hij was nooit alleen. Hij speelde soms met andere dakloze kinderen op het plein die te midden van het protestkamp de warmte van een gemeenschap hadden gevonden. Maar Mohamed was anders. Hij rookte bijvoorbeeld niet, wat veel andere kinderen wel deden, en hij ontfermde zich over de anderen. Nadat de sit-in op 1 augustus uit elkaar werd geslagen door het leger, heb ik hem nooit meer gezien.

Naarmate de sit-in langer duurde, nam ook de weerzin ertegen toe – met name vanuit de hoek van de politieke islam. De Moslimbroeders, de salafisten, de gematigden van de Wasatpartij en voormalig gewapende groeperingen die geweld hadden afgezworen en sinds de achttien dagen parlementaire politiek omarmden, zoals Gama'a Islamiyya (Islamitische Groep), noemden de sit-in consequent 'chaos', 'een buitenlandse samenzwering' en zelfs 'de contrarevolutie'.[42] De broederschap stevende af op de macht en een glorietijd van de politieke islam lag in het verschiet – dát was voor hen de revolutie. Een stel seculiere activisten mocht dat niet verstoren.

In moskeeën gelieerd aan politiek-islamitische organisaties werden liberalen en seculieren uitgemaakt voor ongelovigen en werd het protest op Tahrir weggezet als een manier om een wig te drijven tussen het Egyptische volk en het leger. Tegenstanders van het protest begonnen samen te komen op het Roxyplein in de welvarende wijk Heliopolis in het noorden van de stad. Demonstraties tegen de sit-in en vóór de democratische weg van het leger – georganiseerd door de Moslimbroederschap – werden luider.

In een poging het anti-juntaprotest op Tahrir in diskrediet te brengen en om het 'islamitische karakter van Egypte te benadrukken' organiseerden islamisten op vrijdag 29 juli de Vrijdag van Eenheid op het Tahrirplein. Het was een overweldigend machtsvertoon van de islamisten, die met tienduizenden tegelijk het plein kwamen bezetten. De meesten van hen kwamen van het platteland en werden met bussen naar de hoofdstad gebracht. Mannen droegen traditionele gewaden en sandalen en hadden een baard. De aanwezige vrouwen (het waren er niet veel) droegen een zwarte nikab. Op de podia riepen fanatieke predikers dat de sharia ingevoerd moest worden. De seculiere betogers werden de vijanden van God genoemd.

De grootste en best georganiseerde politieke stroming van het land (de politieke islam) had zich laten zien en de aanblik was niet prettig geweest. Liberale opiniemakers begonnen in het openbaar te twijfelen aan het principe van democratie dat volgens hen zou leiden tot een strenggelovige staat waar sociale normen tot ijzeren wetten zouden worden verheven. Hier en daar gingen stemmen op om het leger aan te houden als buffer voor de opmars van de politieke islam en volledig vrije verkiezingen te heroverwegen.

Terwijl de angst voor de conservatieve islam het seculiere kamp verdeelde, pleegde het leger zijn eerste massamoord.

Op 9 oktober 2011 werden 27 ongewapende koptisch christelijke demonstranten voor de deuren van Maspiro vermoord door soldaten in gepantserde militaire voertuigen. Lobna en onze vriend

Sherief Gaber maakten de slachting van dichtbij mee.

De demonstratie bestond volgens hen vooral uit families, oudere mensen en kinderen. De meesten van hen kenden de leuzen niet die in die dagen werden gebruikt. Toen de groep Maspiro in zicht kreeg, stond de militaire politie al klaar. Achter de soldatenlinie stonden tanks en pantservoertuigen. Hoewel niemand had gerekend op geweld, viel het leger aan voordat iemand het gebouw had bereikt. Er ontstond paniek. Terwijl de soldaten er met hun wapenstokken op los ramden, wierpen de betogers barricades op met de materialen die voorhanden waren. In de verte klonken geweerschoten. Even later verschenen de pantservoertuigen die zigzaggend op de menigte inreden, door de barricades en over de stoepen.[43] De meeste doden vielen die avond in die eerste twintig minuten. Zij werden vermorzeld onder de wielen van de voertuigen.

Lobna en Sherief verstopten zich onder de oprit van de Zes Oktoberbrug, waar de legervoertuigen niet konden komen. Tegenover de oprit was een steeg waar men de stoffelijke overschotten van de slachtoffers naartoe bracht. De meesten waren overreden, maar Lobna zag ook enkele lijken die doorzeefd waren met kogels.

Sherief gooide stenen naar de soldaten, die met getrokken wapenstokken achter vluchtende betogers aan renden. Uiteindelijk wisten de betogers een van de drie pantservoertuigen tot stilstand te brengen. Het werd in de fik gestoken. Tegelijkertijd probeerde Lobna via Twitter het nieuws naar buiten te brengen. De nieuwsdienst van de staat verdraaide namelijk de feiten en volgens de officiële berichtgeving was het leger aangevallen door 'militante christenen'. Zogenoemde 'eervolle burgers' werden opgeroepen om naar Maspiro te komen om het 'heroïsche Egyptische leger' te beschermen.[44] Door de hele stad werden checkpoints opgericht, en in sommige gevallen werden christenen gearresteerd alleen maar omdat ze christen waren.

De volgende ochtend gingen Lobna, Sherief, Ziyad en tientallen andere activisten naar het koptische ziekenhuis om de namen van slachtoffers te verzamelen, te filmen en te praten met nabestaanden. De hal was vol met doodskisten en rouwende familieleden. Het was voor Sherief een van de meest trieste ervaringen van de revolutie. Hij ging dagenlang niet naar huis. Hij wilde en kon niet alleen zijn, en al helemaal niet op een normale plek, thuis, in een veilige omgeving. Hij sliep bij vrienden op de bank, bleef nachten wakker en probeerde zichzelf bezig te houden. Samen met andere leden van mediacollectief Mosireen maakte Sherief een bijna tien minuten durende video over de gebeurtenissen die tienduizenden keren bekeken werd.

Sherief kon zijn angst en verdriet uiteindelijk omzetten in woede en energie tegen de militaire junta. Zijn uitlaatklep was strijd en dat sleepte hem erdoorheen.

De massamoord op de kopten was weliswaar een aanval op een minderheid, maar gericht tegen de maatschappij als geheel. Het waren drastische maatregelen om een einde te maken aan het zelf-vertrouwen van het Egyptische volk. Niet in staat de 'stabiliteit te herstellen' richtten de militairen hun pijlen op de zwaksten om angst en tweedracht te zaaien. Het was een lompe versie van een aloude verdeel-en-heerstactiek die het regime gedurende de jaren had verfijnd.

Sinds jaar en dag waren sektarisme en religieuze onverdraagzaam-heid machtige wapens geweest om de bevolking te verdelen. Tijdens de Mubarakjaren werd de dreiging van een sektarische escalatie ge-bruikt om extreme veiligheidsmaatregelen te verantwoorden. De koptische minderheid, circa acht miljoen mensen of 10 procent van de bevolking, werd kwetsbaar gehouden door het regime.

Om de islamitische oppositie de wind uit de zeilen te nemen nam het regime van Mubarak wetgeving aan die de islamitische meerderheid bevoordeelde; zo was het makkelijker voor moslims om een gebedshuis te bouwen dan voor christenen.[45] De tegenstel-lingen tussen beide geloofsgemeenschappen werden van bovenaf aangewakkerd. Tegelijkertijd werd radicaal islamitisch antichriste-lijk activisme oogluikend toegestaan. De banden tussen fanatieke salafistische knokploegen en delen van het veiligheidsapparaat zijn dan ook schimmig. Ruzies en conflicten die niet per se sektarisch van aard zijn, kunnen door de bemoeienissen van (salafistische) predikers omslaan in sektarisch geweld waarbij de minderheid – de kopten – veelal aan het kortste eind trekt. Christenen voelden zich bedreigd en de veiligheidsstaat van Mubarak presenteerde zich als een onmisbare buffer tegen radicale elementen. Zonder de veiligheidsdiensten waren de christenen ten dode opgeschreven, zo was de suggestie. Tijdens de achttien dagen toonden moslims en christenen echter aan dat er geen inherent conflict bestaat tussen beide gemeenschappen.

Na de val van Mubarak volgde het leger dezelfde tactiek als Mubarak: het lieerde zich stilzwijgend aan de islamitische meerderheid. Ondanks de eenheid tussen moslims en christenen tijdens de achttien dagen nam het aantal gevallen van sektarisch geweld toe. Zo leidde de dood van twee moslims in Minya, een stad in Opper-Egypte, in april 2011 tot grootscheepse sektarische rellen en kwamen in mei vijftien mensen om het leven toen woedende menigtes, opgehitst door een salafistische prediker, drie kerken aanvielen in de wijk Imbaba in Caïro.

Op 30 september werd een kerk aangevallen in het dorp Merinab in de provincie Aswan, het uiterste zuiden van Egypte. Kopten voelden terecht dat ze gemarginaliseerd werden door het regime en genegeerd door de media. Sommigen besloten tot een sit-in voor de deuren van Maspiro, om hun onvrede daarover kenbaar te maken. De sit-in werd aangevallen door baltagiyya. De mars op zondag 9 oktober was georganiseerd als reactie op het geweld en tegen de voortdurende marginalisering van de koptische gemeenschap. De mars bestond vooral uit families en werd geleid door leden van de kerk.

Onder de slachtoffers van de slachting was de twintigjarige Mina Daniel, die samen met zijn zus meeliep in de demonstratie. Mina zou na zijn dood uitgroeien tot een van de bekendste iconen van de revolutie.

Mina woonde in de arbeiderswijk Ezbet El-Nakhl in het noorden van de stad, maar kwam oorspronkelijk uit Assiut, een stad in het zuiden van Egypte, waar hij de discriminatoire aard van het Egyptische rechtssysteem had leren kennen. Nadat negen leden van zijn familie waren gearresteerd bij een conflict met een stel fundamentalistische moslims, verhuisde het gezin naar Caïro. Zijn 21 jaar oudere zus Mary vertelde later tegen een Egyptische krant dat zij zich ten tijde van het conflict realiseerde dat het regime collaboreerde met de fanatiekelingen.

Enkele jaren voor de revolutie raakte Mina betrokken bij politiek activisme, maar hij weigerde zich aan te sluiten bij een partij of organisatie. Hij vocht, zoals hij zelf zei, voor de armen van Egypte. De sporadisch oplaaiende sektarische spanningen waren voor hem direct verbonden met armoede. 'Waarom vechten christenen en moslims altijd alleen maar in de arme delen van het land?' vroeg hij ooit aan een vriend.

Ik ontmoette hem voor het eerst enkele maanden eerder, tegen het einde van de achttien dagen in een veldhospitaal op het Tahrirplein. Op een van mijn ontdekkingstochten over het plein liep ik met een vriend een van de provisorische ziekenhuizen binnen. Voor onze neus werd de toen nog onbekende Mina Daniel binnengedragen, breed lachend maar met tranen in zijn ogen van de pijn. Hij was in zijn been geschoten en zijn vrienden hielden zijn hand vast terwijl ze hem moed inspraken. Hij lachte en huilde tegelijk, groette ons met een kreun, schudde onze handen en zei dat zijn verwonding niets voorstelde. De dokter, die ernstig kijkend met een scalpel in de weer ging, leek echter een andere mening toegedaan. Mijn vriend nam een foto van Mina terwijl hij werd behandeld. Op de foto lacht hij nog steeds, maar de pijn is duidelijk zichtbaar.

Pas enkele weken na de Maspiro-aanval, toen de beeltenis van Mina op vlaggen, posters, flyers en maskers begon te verschijnen, herkenden we hem van de foto. Hij werd het nieuwste symbool van de revolutie en zijn naam zou nog duizenden malen weerklinken in de verongelijkte straten van Egypte. Zijn activisme en duidelijk christelijke naam werden een symbool voor de diversiteit die de revolutie wilde uitdragen. 'Ze vermoordden Khaled, ze vermoordden Mina,' zongen betogers voortaan om aan te geven dat het geen conflict was tussen religies, maar van een volk tegen de tirannie van de staat.

In de dagen die volgden op de massamoord, leek het lawaai in de straten van Egypte gedempt. De mensen leken verdoofd. Er was geen collectieve woede, er was nauwelijks verontwaardiging. De sfeer was apathisch, niemand praatte over de gebeurtenissen bij Maspiro. Het land was niet gegrepen door woede, maar door zwijgen. Men was angstig, uit het veld geslagen en men hulde zich in een ongemakkelijke stilte.[46]

Het leger onderzocht de gebeurtenissen, en concludeerde dat geen enkele soldaat of officier schuldig was.[47] In plaats daarvan werden 31 burgers in staat van beschuldiging gesteld wegens opruiing. Onder hen waren activisten die betrokken waren bij de Nee Tegen Militaire Tribunalen Voor Burgers-campagne. Excuses werden door het leger nooit gemaakt. Er was echter een grens overschreden.

Die winter zou de storm losbarsten.

8

De woede, de angst en de frustraties kwamen allemaal naar de oppervlakte nadat het leger in de ochtend van 19 november met geweld een einde maakte aan een kleine sit-in op het Tahrirplein.[48] In de daaropvolgende dagen veranderde de omgeving van het plein in een oorlogsgebied.

De bloedige rellen zouden de geschiedenis in gaan als Mohamed Mahmoud, vernoemd naar een zijstraat van het Tahrirplein waar de hevigste gevechten plaatsvonden. Voor Nazly Hussein, een vriendin die ik eerder dat jaar had ontmoet, was Mohamed Mahmoud onvergetelijk. 'Het ging niet om macht, het ging om waardigheid. We moesten het leger laten weten dat het ons ernst was, dat het niet meer ongestraft kon moorden.'

Tot aan de achttien dagen was de achtentwintigjarige Nazly nauwelijks politiek actief geweest. Ze woonde op zichzelf in een mooi appartement op de achttiende verdieping in Maadi, met uitzicht over de Nijl in haar eigen bubbel van luxe, zoals ze haar situatie zelf omschreef. Voor de revolutie dineerde ze in hotels en in de weekends vluchtte ze naar de badplaatsen aan de Rode Zee. Haar vroegere vrienden studeerden allemaal aan de Amerikaanse universiteit in Caïro en waren niet geïnteresseerd in politiek. 'De Mohamed Mahmoudstraat kenden wij vroeger alleen maar als de McDonaldsstraat,' vertelde ze ooit lachend.

Nazly is een telg uit een vooraanstaande familie die banden onderhield met de Egyptische politieke elite. Haar grootvader was minister van Landbouw geweest en haar oudoom ambassadeur in de Verenigde Staten. Haar moeders familie was oude Arabische aristocratie en had zich verspreid over de regio. Nazly's overgrootvader werd in 1940 in Syrië vermoord voor zijn aandeel in de Syrische onafhankelijkheidsstrijd, waarna zijn weduwe met zes kinderen via Palestina naar Egypte vluchtte. Een nicht van haar moeder is Samira Shahbander, de tweede vrouw van de voormalig Irakese dictator Saddam Hussein.

Die geschiedenis was belangrijk voor de familie, ze zorgde voor een politiek besef, maar Nazly hield zich jarenlang afzijdig. Ze werkte met autistische kinderen, ventileerde in besloten kring haar kritiek op het regime, maar sloot zich niet aan bij de protesten die ze af en toe in Caïro zag. Op 25 januari 2011 ging Nazly echter met haar twee broers de straat op. Die dag veranderde haar leven. Achttien dagen lang weigerde ze naar huis te gaan. Na de val van Mubarak gaf ze haar baan op. Ze raakte betrokken bij de campagne Nee Tegen Militaire Tribunalen Voor Burgers en werd fulltime revolutionair. Ze was een gangmaker in de groep. Meer nog dan anderen stond zij in contact met een uitgebreid netwerk van activisten door het hele land. Energiek als ze was, ging ze nooit een discussie uit de weg. Ze confronteerde politieagenten en soldaten in het openbaar en hief regelmatig leuzen aan tegen het militair regime, en later tegen president Morsi.

Op donderdag 17 november, de dag voor een grote protestdag, was er een feest georganiseerd – dat was gebruikelijk in die tijd. Ondanks de bedrukte politieke situatie probeerden we plezier te maken. Terwijl we binnen dansten, hoorden we buiten de eerste demonstraties al voorbijkomen. Het zorgde vaak voor een broederlijke sfeer. Het feest liep die avond echter volledig uit de hand; mensen dronken te veel en maakten ruzie. Maar ook dat gebeurde vaker in die tijd. Er was zoveel opgekropte emotie.

De volgende dag stond het Tahrirplein vol, maar er gebeurde verder niets.[49] Het was de verjaardag van Alaa Abdel Fattah, een vriend van Nazly, die in de gevangenis zat op de belachelijke verdenking dat hij verantwoordelijk was voor moorden bij Maspiro een maand daarvoor. Al zijn vrienden kwamen samen op het plein, feliciteerden elkaar en spraken elkaar moed in. Tegen middernacht ging iedereen naar huis. Een groepje mensen die tijdens de achttien dagen verwondingen hadden opgelopen, zou die nacht overnachten op het plein. Zij eisten nog altijd herstelbetalingen van het nieuwe regime. De volgende ochtend werden zij van het plein verwijderd door de veiligheidsdiensten. Binnen enkele uren stroomde het plein opnieuw vol.

Nazly werd wakker gebeld door een vriend die zei dat er iets gaande was op het plein. Toen zij aankwam, rond elf uur, was het nog relatief rustig. Toen vier politiebusjes even later het plein probeerden over te steken, sloeg de vlam in de pan. Een van de busjes werd overmeesterd, de rest werd met stenen bekogeld. Het overmeesterde busje werd triomfantelijk over het plein gereden en even later in de fik gestoken. Nazly: 'Dat was geweldig, maar iedereen wist dat een reactie niet uit kon blijven.'

Tegen de middag verschenen de troepen en begonnen de rellen. Het ging meteen hard tegen hard. Nazly vocht mee in de frontlinie. Ze gooide stenen maar werd al vrij snel uitgeschakeld door een traangasgranaat en de menigte uit gedragen.[50] Een vriendin van Nazly kreeg hagel in haar gezicht geschoten. Haar verwondingen vielen echter mee. Een andere vriend had minder geluk. Hij werd die middag in zijn oog geraakt. Uit zijn oogkas stroomden bloed en pus en hij had een griezelig afwezige glimlach op zijn gezicht terwijl hij door Lobna terug werd gebracht naar het plein. Zij ging mee in de ambulance. Nazly rende erachteraan maar stopte na honderd meter met rennen. Ze was in shock.

Uitgeput van het vechten meldde Nazly zich aan bij een tot ziekenhuis omgebouwde moskee aan de rand van het plein om te helpen bij de verzorging van de gewonden. De meeste gewonden kampten met ademhalingsproblemen door het vele traangas. Het slecht geventileerde gebouw bood weinig verlichting. Nadat dokters een aanval van de veiligheidsdiensten hadden afgeslagen door in hun witte jassen voor de deur van het ziekenhuis te gaan staan, kwam het leger al schietend het plein op rennen. In het halfuur dat volgde, vielen talloze doden en gewonden. Soldaten sloegen met wapenstokken op alles en iedereen, schoten met scherp en staken alle tenten op het plein in de fik. Ook het ziekenhuis werd aangevallen.

Nazly rende naar buiten en zag tot haar grote schrik dat het gebied tussen het ziekenhuis en het plein bezaaid was met doden en gewonden. Het centrum van de stad was veranderd in een oorlogsgebied. In paniek rende ze terug naar het ziekenhuis, waar op dat moment ene Shihab werd binnengebracht. Dokters dachten aanvankelijk dat hij – net als iedereen – ademhalingsproblemen had en lieten hem achter bij Nazly. Shihab ging echter hard achteruit. Hij ademde steeds moeilijker en veranderde van kleur. Pas toen ontdekte Nazly dat hij een kogelwond in zijn rug had. Hij stierf enkele tellen later. Nazly: 'Ik keek omhoog en zag dat de dokters tranen in hun ogen hadden. Ze sloegen uit woede met hun hoofden tegen de muur. Ik had gehoopt dat ze rustig zouden blijven zodat ik me aan hen zou kunnen optrekken, maar nee.'

Nazly was ten einde raad en voelde zich schuldig voor de dood van Shihab. Het plein was gehuld in rook, er brandde van alles en het ziekenhuis was een chaos. Ze liep naar buiten en het leger was overal. Op dat moment verwachtte ze zelf ook te sterven. Ze was op. Ze wilde huilen of schreeuwen, maar ook dat ging niet.

Later kwam iedereen samen bij Pierre op de negende verdieping aan de rand van het plein. Vanaf het balkon van zijn huis filmde een Britse vriendin hoe een soldaat achteloos het levenloze lichaam van een betoger richting een vuilnisbelt in de hoek van het plein sleepte. Rondom de vuilnisbelt lagen minstens tien andere lichamen. Daaromheen werden vluchtende betogers, mannen en vrouwen, afgeranseld met stokken en knuppels. Er klonken voortdurend geweerschoten. Deze beelden zouden een enorme impact hebben.[51]

Nazly sliep bij Pierre of op het plein. Ze at nauwelijks en liep dagenlang in dezelfde kleren. Dit was echter niet het moment om daarover in te zitten. Ondanks de vele doden en gewonden heerste er een gevoel van onverzettelijkheid. Door stand te houden lieten de betogers zien dat ze niet zouden opgeven.

De veiligheidstroepen werden op afstand gehouden met knikkers afgevuurd met katapulten, stenen, laserpennen en vuurwerk. Men leerde snel. Molotovcocktails werden voortaan per krat bereid en niet meer per fles, en steeds meer betogers droegen gasmaskers. Achter de frontlinie was Nazly actief. Ze deelde water uit aan de aanwezigen en ze hielp mensen die last hadden van het traangas. Ze gebruikte een goedje dat 'microgel' genoemd werd, een soort witte vloeistof die met een plantenspuit in de ogen van slachtoffers werd gespoten. Maar niet iedereen kon ter plekke worden verzorgd. Veel gewonden – sommigen hadden het schuim op hun lippen staan – moesten met motoren en brommers van de frontlinie naar de ziekenhuizen op het plein worden vervoerd. Desondanks bleef de stemming goed. Tussen de salvo's en de charges door werd er gescandeerd en gezongen aan de frontlinie.

Mede vanwege de video van de dode demonstrant die bij het vuilnis wordt gegooid, werd op dinsdag een miljoenenmars georganiseerd. Het was een rare dag. Terwijl er in de straten rondom het plein onophoudelijk werd gevochten, stroomde het plein vol. De mensen stonden schouder aan schouder en maakten alleen ruimte om de gewonden achter op de motoren door te laten. Iets verderop renden gehavende jongeren rond met schilden en stenen in hun handen en verband om hun hoofd. Ze waren al vier dagen in gevecht met de politie en het leger.

Die avond eindigde Nazly uitgeput in het huis van Pierre. Ze liep het balkon op en werd overmand door emoties. Het hele plein, tien-, misschien wel honderdduizenden mensen, scandeerde tegelijk tegen de militaire junta. Nazly: 'Dat voelde zo goed, wat een ontlading was dat! Na de frustraties van al die maanden, de woede over de arrogantie van die generaals en het verdriet over de moorden bij Maspiro werden de leuzen tegen de militaire raad eindelijk breed gedragen. Ik was buiten zinnen. Het plein voelde zo sterk!' Die avond sliep Nazly voor het eerst in dagen.

De volgende ochtend vroeg verschenen honderden Moslim-broeders op het plein om een einde te maken aan het geweld. Samen met het leger probeerden zij de boel te sussen en een einde te maken aan het protest. Aanvankelijk probeerden ze betogers te overtuigen Mohamed Mahmoud te verlaten, even later begonnen ze te duwen. Tientallen stevige Moslimbroeders vormden een kordon terwijl het leger achter hen een grote betonnen muur plaatste midden in de Mohamed Mahmoudstraat. Er werd geduwd en getrokken en een enkeling gooide een steen, maar daar bleef het bij. De leden van de broederschap namen het protest over en scandeerden: 'Het leger en het volk zijn één!'

Later op de dag liepen Selma en Nazly het plein op, waar de broeders inmiddels in de meerderheid waren. Ze discussieerden met hen. De broeders hadden het over het belang van de parlementaire verkiezingen die een aantal dagen later zouden beginnen – verkiezingen die zij geheid zouden gaan winnen. 'Verkiezingen, terwijl mijn schoenen nog onder het bloed zitten,' schreeuwde Nazly.

De Moslimbroederschap was als enige echte volkspartij voorbestemd de verkiezingen te winnen. Maar het geweld kon die verkiezingen wel eens in diskrediet brengen. Het hoge aantal slachtoffers tastte de geloofwaardigheid van de junta aan – en dat was een bedreiging voor de algehele politieke transitie waar de broederschap van hoopte te profiteren. Daarom stonden de broeders en de soldaten zij aan zij en maanden zij de betogers tot kalmte. De stembus zou gerechtigheid brengen, zo was hun boodschap.

Na vijf dagen puilde het mortuarium van Caïro uit door alle verminkte lichamen uit de Mohamed Mahmoudstraat. Meer dan vijftig betogers vonden de dood en honderden raakten gewond. Volgens een onderzoek van het Egyptisch Initiatief voor Persoonlijke Rechten waren de interventies van de veiligheidsdiensten bedoeld geweest om blijvende schade te veroorzaken en niet om te de-escaleren zoals het ministerie beweerde.[52] Ruim zestig betogers verloren een oog, onder hen Malek Mostafa en Ahmed Harara, twee bekende activisten. Laatstgenoemde had tijdens de achttien dagen zijn rechteroog al verloren. Hij zou voortaan blind en met twee ooglappen diagonaal over elkaar door het leven gaan.

De junta had kostbaar gezichtsverlies geleden en werd gedwongen een datum te stellen voor de definitieve machtsoverdracht. Het vage 'zomer 2013' werd 'juni 2012'.

De directe omgeving van het Tahrirplein was veranderd in een smeulend slagveld, ruiten waren gesneuveld, huizen beschadigd en auto's uitgebrand. Stoeptegels waren gebruikt om mee te gooien en overal lagen kogelhulzen, traangasgranaten, glas, stenen en prikkeldraad. Mohamed Mahmoud werd afgesloten door een muur van betonblokken en winkels in de omgeving bleven nog weken gesloten. Tanks en soldaten stonden achter de muur opgesteld. Het was tijd voor verkiezingen!

———

De via een referendum aangenomen grondwetswijzigingen van maart 2011 stelden dat een gekozen parlement zich zou buigen over de grondwet. Dat parlement moest binnen zes maanden worden gekozen. Die verkiezingen werden in drie fasen gehouden, verspreid over november en december 2011 en januari 2012. De eerste ronde was op 28 november. Volgens commentatoren waren het de eerste vrije parlementsverkiezingen sinds de onafhankelijkheid van 1952, ook al regeerde het leger met harde hand en stond de winnaar al lang van tevoren vast.

Tijdens mijn rondes langs de stemlokalen van de stad ontmoette ik rijen enthousiaste mensen. Veel van hen waren blij dat ze eindelijk hun stem mochten uitbrengen en dat daarmee het einde van de transitieperiode in zicht kwam. Buiten een stemlokaal in de wijk Mounira, ten zuiden van Downtown, verwoordde een tweeëndertigjarige kruidenier het sentiment.

'Het is voor mij de eerste keer in mijn leven dat ik naar de stembus ga,' vertelde de man. 'Ik ben dus trots dat ik dit mag meemaken en dat we dit hebben afgedwongen. Maar we moeten zorgvuldig omgaan met deze verantwoordelijkheid. Ik heb gestemd op de Partij voor Vrijheid en Gerechtigheid, van de Moslimbroederschap. Waarom? Ten eerste lijken alle partijen op elkaar, er is er geen enkele die zich met duidelijke plannen onderscheidt. Ten tweede heeft de broederschap ervaring, ze bestaat al bijna honderd jaar en heeft tienduizenden leden. Ze verdient dus een kans. Als het bewind mij niet bevalt, stem ik de partij de volgende keer gewoon weer weg. Dat is toch democratie?'

De kruidenier had meegedaan aan de protesten tegen Mubarak tijdens de achttien dagen, maar daarna niet meer. De interim-regering mocht niet de schuld krijgen van alle problemen, vond hij. Daarnaast was het tijd dat Egyptenaren de regering een kans gaven. 'We kunnen niet bij elk probleem de straat op gaan. Als de rust terugkeert, zal het land beter draaien,' stelde hij hoopvol. Terwijl ik wegliep, zwaaide hij trots naar me met zijn in blauwe inkt gedoopte duim als bewijs dat hij had gestemd. 'Democratie!' riep hij me lachend na.

Uiteindelijk zou iets meer dan de helft van de ongeveer vijftig miljoen stemgerechtigden een stem uitbrengen. De Partij voor Vrijheid en Gerechtigheid kreeg 45 procent van de stemmen en behaalde daarmee een klinkende overwinning. Een conservatief islamitische alliantie onder leiding van de salafisten van de El-Nourpartij werd verrassend tweede; maar liefst een kwart van de mensen had op hen gestemd. De islamitische partijen lieten daarmee zien dat zij de enige serieuze kracht waren in post-Mubarak-Egypte. Hun organisatie, ervaring en financiering (met name uit de Arabische Golf) bleken superieur en zij beschikten over een uitgebreid netwerk van moskeeën en predikers die bereid waren een partijpolitieke boodschap te verkondigen. De liberale maar uiterst elitaire Wafd-partij werd derde met 7,5 procent.

Gedurende de verkiezingen bezocht ik drie middelgrote steden in het land om een idee te krijgen van de publieke opinie. In Assiut, een stad in Opper-Egypte waar politiek islamitische stromingen traditioneel sterk zijn, bracht ik mijn avonden door met ambitieuze twintigers. Bij het vreedzaam kabbelende water van de Nijl dronken we thee en rookten we *shisha* (waterpijp). We luisterden naar moderne muziek en praatten over vrouwen, voetbal en politiek. De jongens hadden tijdens de achttien dagen hun eigen protesten georganiseerd in de stad en noemden zichzelf volmondig revolutionairen. Tijdens Mohamed Mahmoud waren enkelen van hen zelfs naar Caïro gereisd om deel te nemen aan het protest. Maar toch stemden de jongens uiterst conservatief. Ze waren tegen de junta en vóór vrijheid, maar ook voor behoud van culturele en religieuze waarden, zo zeiden ze. De meesten van hen hadden daarom op de salafisten gestemd, de Moslimbroederschap vonden ze te hiërarchisch. De salafisten waren respectabele mensen.

In Mansoura, een stad in de Nijldelta, bracht ik samen met Ziyad een bezoek aan typische feloel (leden van het oude regime) die wanhopig probeerden aan te haken bij de nieuwe stand van zaken. Eerder die maand had een rechter besloten dat de mannen van Mubarak deel mochten nemen aan de verkiezingen, mits ze nooit waren veroordeeld. En dus zaten Ziyad en ik op een middag tegenover de vijfenvijftigjarige Waheed Fouda, parlementslid namens de NDP in 2010 en volgens de campagne EmsikFeloel ('pak de feloel') een meedogenloze partijfunctionaris en lokale tiran.

'Onzin,' stelde Fouda tijdens ons gesprek. Hij was nooit een overtuigd NDP'er geweest. 'Ze wilden het imago van de partij in de regio verbeteren en zochten naar mensen die lokaal geliefd waren. Zo kwamen ze bij mij terecht,' zei hij tijdens een gesprek in het clubgebouw van een chique vrijetijdsvereniging die door zijn familie werd gefinancierd.

Fouda werd omgeven door een handjevol zakenlieden, politici en journalisten die geen moment van zijn zijde weken. Zijn nors kijkende advocaat en persverantwoordelijke – een nieuwslezer bij een lokale staatsomroep – benadrukten dat Fouda altijd oppositie had gevoerd binnen de NDP en dat hij liever als onafhankelijke kandidaat in het parlement had gezeten om zijn district optimaal te vertegenwoordigen. 'Maar vanwege zijn populariteit in de stad was hij gedwongen om lid te worden van de club,' luidde de slappe verklaring van zijn advocaat.

Een oudere broer van Waheed, Mamdouh Fouda, had van 1971 tot 2000 in het parlement gezeten voor de regerende partij en Waheed erfde zijn kiesdistrict. 'Ik heb een bekende naam,' zei Waheed. 'De mensen weten dat ik een volksjongen ben en dat ik in dienst sta van mijn mensen. Daarom stemmen ze op mij.' Na een korte aarzeling stelde hij dat het zijn taak was om de Egyptische revolutie voort te zetten in het parlement. Als zijn programmapunten noemde hij sociale rechtvaardigheid, een redelijk minimumloon, beter onderwijs en betere zorg.

Uiteindelijk zouden de partijen die waren voortgekomen uit de NDP van Mubarak slechts 3,5 procent van de stemmen behalen.

In Suez werd ik verwelkomd door Abbas Abdel Aziz, de bebaarde lijsttrekker van de Partij voor Vrijheid en Gerechtigheid die mij verzekerde dat de Moslimbroederschap een ruime overwinning zou behalen. 'Het volk,' stelde de man zelfverzekerd en hoogdravend, 'weet dat wij niet corrupt zijn en zal ons belonen voor al die jaren dat wij oppositie hebben gevoerd tegen Mubarak. Ze zijn dat niet vergeten. De uiteindelijke overwinning van onze partij is het logische gevolg van de Egyptische revolutie. De tijden zijn veranderd, de toekomst is van ons.'

———

Philip, Ziyad, Nazly en al mijn andere vrienden weigerden te stemmen. Verkiezingen werden door hen beschouwd als naïef of zelfs contraproductief omdat ze de militaire macht zouden legitimeren. De stembusgang was volgens hen niets anders dan een middel om de woede in controleerbare banen te leiden en het straatprotest in diskrediet te brengen.

Nazly: 'De verkiezingen kwamen voor het leger als geroepen.

Na maanden van tegenslag groeide de protestbeweging op straat in populariteit. We hadden de unieke mogelijkheid om via protest de macht van het leger terug te dringen. Maar in plaats daarvan lieten we ons richting de stembus leiden, en moesten we opnieuw vechten met de wapens van de tegenstander.'

Terwijl de (inter)nationale aandacht zich op de verkiezingen richtte, probeerden activisten de geest van protest levend te houden. Voor de zwarte ijzeren hekken die de witte gebouwen, keurige gazons en kaarsrechte palmbomen van het parlement omheinen, hadden honderden revolutionairen een protestkamp opgeslagen dat #occupycabinet werd genoemd, een directe verwijzing naar de Occupyprotesten die inmiddels in volle gang waren in de Verenigde Staten en elders. Hoewel het protestkamp voortkwam uit het Mohamed Mahmoudprotest, keerden de aanwezigen zich specifiek tegen de installatie van de nieuwe regering van premier Kamal al-Ganzouri, de opvolgers van Essam Sharaf. Laatstgenoemde had onder publieke druk zijn ontslag ingediend tijdens Mohamed Mahmoud, waarna de junta Al-Ganzouri had aangesteld. De junta had echter geen enkel mandaat van het volk en dus ook niet het recht om bestuurders aan te wijzen, zo redeneerden de betogers.

Centraal tussen de tenten stonden tientallen houten kisten, met daarop de namen van de slachtoffers die tijdens Mohamed Mahmoud waren gevallen. Langs de randen van de straat stonden tenten en lagen mensen in slaapzakken dicht tegen elkaar aan.

De ingangen van het protestkamp werden permanent bewaakt door vrijwilligers. Sinds de interventie van de Moslimbroeders was er een einde gekomen aan het massale geweld. In plaats daarvan werden in die dagen regelmatig activisten ontvoerd en mishandeld door politie in burger. Een verminkt lichaam werd dan enkele uren later ergens in de stad achtergelaten. Dit gebeurde onder anderen met de tweeëntwintigjarige student Ibrahim Mohamed Abdel Ghaffour.

Voor de camera's van mediacollectief Mosireen vertelde Ibrahim later dat hij in een busje werd getrokken nadat hij een vriend had bezocht in het ziekenhuis. Hij werd bewusteloos geslagen en kwam een halfuur later bij 'op een vreemde plek'. Daar werd hij mishandeld en ondervraagd. 'Ze richtten een camera op mij en wilden mij laten bekennen dat ik werd betaald door het buitenland om deel te nemen aan het protest, dat er drugs werden gebruikt in het protestkamp en dat we anderen dwongen om zich bij ons aan te sluiten.' Abdel Ghaffour weigerde te bekennen.

Een ander slachtoffer was Abudi Ibrahim. Hij werd in de avond van 16 december een witte bus in getrokken door een officier in burger. Nadat hij minstens een uur was mishandeld, werd zijn bebloede lichaam over de hekken van het parlement tussen de betogers geworpen. De gebeurtenis was een vonk in een uiterst ontvlambare situatie. Betogers reageerden door stenen en vuurwerk te gooien naar de troepen die zich in het parlementsgebouw en de omliggende ministeries hadden verschanst. Soldaten klommen vervolgens op het dak van het parlement en wierpen stukken glas, balken en stenen naar de betogers die beneden op straat stonden – een betere symbolische weergave van de politieke stand van zaken, ten tijde van 'de meest vrije verkiezingen uit de Egyptische geschiedenis', was nauwelijks voor te stellen.

———

Jasmina bracht haar dagen door in het ziekenhuis, waar ze getuigenissen van de gewonden filmde. Het was een van de weinige dingen waar ze nog toe in staat was. Ze kon niet meer tegen de enorme hoeveelheden traangas in de lucht. Maar ze kon ook niet thuis zitten en niets doen. Daarom sloop ze elke dag met haar camera stiekem langs de ziekenhuisbeveiliging en sprak ze urenlang met de slachtoffers. Soms ging ze ook zonder camera, gewoon om hen te bezoeken.

De ziekenhuizen waren één grote chaos. De gewonden werden opgevangen in grote hallen met tientallen bedden. Naast die bedden en in de hallen van het gebouw lagen familieleden te slapen op dekens of stukken karton. De dokters waren constant in paniek. Er waren niet genoeg bedden en medicijnen. Zelfs personeel was schaars.

Na enige tijd gingen soldaten patrouilleren buiten de ziekenhuisdeuren. Ze wilden weten wie de gewonde activisten bezochten en waarom. Zelfs vrienden en familieleden konden niet naar binnen en werden in sommige gevallen gearresteerd. Jasmina stopte met filmen. Ze voelde zich nutteloos en verslagen. Ze kon niets doen om een einde te maken aan de stroom gewonden, het maakte niets uit wat ze deed. Rond die tijd kreeg Jasmina last van paniekaanvallen waarbij ze niet meer kon ademen. 'Ik was niet depressief, ik was leeg,' vertelde ze later.

Het appartement waar Philip, Jasmina en ik samenwoonden, lag precies tussen alle brandhaarden in. Zodra we de deur uit liepen, keek je in het gezicht van een soldaat, zag je het prikkeldraad en de tanks en voelde je het traangas in je neus en in je ogen prikken. Veel mensen hadden de buurt tijdelijk verlaten en waren bij kennissen of familie elders in de stad gaan logeren. Anderen liepen rond met maskers, zwembrillen of zakdoeken tegen het traangas. Het Tahrirplein was slechts vijf minuten lopen, evenals het ziekenhuis. Het parlement lag letterlijk om de hoek. De flat zelf was klein en uiterst gehorig. Wanneer we de narigheid wilden ontvluchten en naar huis gingen, werden we wakker gehouden door de loeiende sirenes van ambulance of politie, door traangas of het geschreeuw van de veiligheidstroepen.

Al die herinneringen en die constante confrontatie: het werd Jasmina te veel. Ze kon niet meer ontsnappen aan de ellende, ze zat er letterlijk middenin. Bij alles wat ze deed, werd ze herinnerd aan de strijd die nog gevoerd moest worden, aan de slachtoffers en aan het feit dat ze zelf misschien niet genoeg had gedaan. Jasmina: 'Ik voelde me een mislukking op zoveel vlakken. Ik kon niets doen voor de mensen die ik dagelijks filmde, ik was een bezoeker, ik filmde, maar het veranderde niets aan de situatie. Het was het enige wat ik kon doen, maar het voelde zo zinloos.'

Een bijkomend probleem was dat iedereen worstelde met vergelijkbare problemen. Selma kreeg last van nachtmerries, Lobna zonderde zich soms dagen achtereen af, Ziyad kreeg woedeaanvallen en dronk veel, terwijl Nazly sporadisch instortte en dan alleen maar kon huilen.

Jasmina: 'We zaten allemaal gevangen in dezelfde realiteit, maar tegelijkertijd konden we elkaar nauwelijks bijstaan. Dus ik deelde mijn zorgen en trauma's niet meer met vrienden, laat staan met mijn familie. Zij begrepen al helemaal niet waarom ik deed wat ik deed. Ze maakten zich zorgen over mij en dus probeerde ik hen gerust te stellen en vertelde ik niet wat ik meemaakte.'

De rellen rondom het parlement bereikten een hoogtepunt tijdens een wrede aanval van het leger op 17 december. Officieren renden met getrokken pistolen op de menigte af alsof het een middeleeuwse veldslag betrof. Enkele betogers konden niet op tijd wegkomen en werden vertrapt door de militairen, letterlijk. Onder hen was een jonge vrouw. Op beelden van een Arabische nieuwszender was te zien hoe de vrouw door de soldaten op haar hoofd werd getrapt terwijl ze al bewusteloos op de grond lag. Mensen die haar probeerden te helpen, werden neergeknuppeld door de razende soldaten. Het zwarte gewaad van de vrouw werd losgerukt waarna haar blauwe bh zichtbaar werd. Terwijl twee soldaten de bewusteloze vrouw wegsleepten, nam een derde – gekleed in sportschoenen, een legerbroek, een zwarte trui en een helm – een aanloop en schopte haar keihard tussen haar borsten.

De volgende ochtend opende *El-Tahrir*, een krant die zich tevergeefs probeerde op te werpen als de krant van de revolutie, met een foto van het voorval op de voorpagina. Erboven stond met koeienletters '*Kazeboon*' ('Leugenaars'), een term die de junta zou achtervolgen. De vrouw in de blauwe bh zou een symbool worden voor de wreedheid van de militairen.

Toen de rellen een paar dagen later tot een einde kwamen, waren er zestien doden en opnieuw honderden gewonden gevallen. Onder de doden bevond zich de progressieve Sheikh Emad Effat, een vooraanstaande geestelijke van de Al-Azhar-universiteit, de meest prestigieuze soennitische onderwijsinstelling. Sheikh Effat was een bekende onder revolutionairen en had zich sinds de val van Mubarak herhaaldelijk gemengd in het protest. Zijn beeltenis zou dezelfde status krijgen als die van Mina Daniel.

Iets meer dan een maand later, op 1 februari 2012, zat ik met Ziyad en Yassin Gaber, een vriend die als journalist werkte bij de Engelstalige uitgave van de Egyptische krant *Al-Ahram*, te drinken in de bar van het uitgestorven Lotushotel, vlak bij het Tahrirplein. De barman was een oude Nubiër die graag een praatje maakte met de klanten in zijn stille, muziekloze bar. We praatten over een voorval in Port Said, een stad aan de noordelijke monding van het Suezkanaal, waar eerder die avond doden waren gevallen bij ongeregeldheden tussen voetbalsupporters van El-Ahly uit Caïro en El-Masry uit Port Said. Het radiootje achter de bar stond aan en de monotone stem van een nieuwslezer vertelde dat het dodental nog altijd opliep. Binnen een halfuur ging het van 12 naar 17 naar 27 naar 42. Verbijsterd zaten we te luisteren. De oude barman schudde zijn hoofd en vervloekte Mubarak. 'O god, dit is allemaal zijn schuld,' mompelde hij zachtjes.

De beelden op de televisie in de lobby waren vaag. Na het eindsignaal van de scheidsrechter stormden honderden fans van El-Masry het veld over om de supporters van de tegenstander een lesje te leren. Het licht in het stadion ging vervolgens uit. Het zag er angstaanjagend uit.

We dronken ons bier op, liepen de bar uit, staken het Tahrirplein over op weg naar huis maar kwamen terecht in een demonstratie van El-Ahly-fans. De demonstratie was anders dan anders. Het waren jongens, voetbalsupporters tussen de vijftien en vijfentwintig jaar oud, die furieus waren, gekrenkt en verdrietig. Het was midden in de nacht. De menigte van ongeveer duizend man liep in sneltreinvaart richting het treinstation op het Ramsesplein en wij liepen mee. Er werd geschreeuwd, gezongen, gescholden en gezwegen. De demonstratie was ongecontroleerd. De trein met daarin de overlevenden uit Port Said kon elk moment aankomen, en de jongens wilden er zijn om de inzittenden te ontvangen. Auto's weken uit en toeterden uit medeleven.

In de witmarmeren ontvangsthal van het station had zich al een menigte verzameld in afwachting van de trein. De spanning was om te snijden. Algauw was de ontvangsthal tot de nok toe gevuld. Mensen stonden op de trappen, de balkons, de rails en de perrons en hingen over de relingen. De slachtoffers waren allemaal aanhangers van El-Ahly, maar supporters van aartsrivaal Zamalek s.c. waren ook van de partij. Dit was geen moment voor kleingeestige rivaliteit. Dit was serieus. Het station trilde op zijn grondvesten.

'Het volk wil de berechting van de veldmaarschalk!' zong men. Maar ook: 'Port Said, krijg de kolere'.

Na enkele uren verschenen in de verte de koplampen van de trein, die onder luid applaus maar tergend langzaam het station kwam binnenrijden. Nog voor de trein stilstond, stonden massa's mensen erbovenop en werden de gewonden van de slachtpartij over de hoofden van de menigte naar buiten gedragen. Al scheldend, zingend en huilend liepen we naar buiten. Het was vijf uur in de ochtend, de zon kwam op en uitgeput liepen we naar huis, wetende dat er geweld zou volgen. Een dergelijke gebeurtenis zou niet zonder gevolgen blijven. Maar wat was er precies gebeurd en waarom?

In heel Egypte zijn er slechts twee voetbalclubs die ertoe doen: El-Ahly en Zamalek s.c., allebei afkomstig uit Caïro. Deze twee clubs wonnen samen 47 van de laatste 54 kampioenschappen en hebben honderdduizenden aanhangers verspreid door heel het land. Vrijwel iedereen heeft een voorkeur, je bent óf Zamalkawi óf Ahlawi.

De Ultra's splitsten zich in 2007 af van de reguliere supportersverenigingen, zowel bij El-Ahly als bij Zamalek s.c.[53] Zij wilden onafhankelijk zijn van het clubbestuur en gingen verder in hun clubliefde dan de gemiddelde supporter. Ze waren grof en opstandig, jong en onhandelbaar. In de van bovenaf gereguleerde dictatuur van Mubarak, waar elke organisatievorm zich moest conformeren aan de wensen van de staat, vormden de Ultra's een alternatief; duizenden jongeren sloten zich aan. Afkomst speelde geen rol, loyaliteit was belangrijk, aan de club en aan elkaar.

Deze houding botste met de staat. De Ultra's gingen hun eigen gang, bepaalden hun eigen regels en creëerden een eigen cultuur. Zij vochten met andere supporters en vooral met de politie. ACAB (All Cops Are Bastards) was een van hun slogans en werd weldra een van de lijfspreuken van de revolutie. Het stond geschreven op vrijwel alle muren van Downtown. De Ultra's Ahlawy, maar ook de Ultra's White Knights, de harde kern van Zamalek s.c., waren gehard in de strijd en fungeerden als de natuurlijke stoottroepen van de revolutie; gedurende de achttien dagen, maar ook tijdens Mohamed Mahmoud stonden de Ultra's vooraan. Leden van de Ultra's waren bovendien, net als andere jongeren in Egypte, in voorgaande jaren gepolitiseerd. Tijdens de oorlog tussen Israël en Hamas in 2009 verschenen er Palestijnse vlaggen in de stadionvakken van de Ultra's en werden hun leuzen politieker. Hoewel de organisatie nooit officieel een politiek standpunt innam, waren sommige leden politiek actief. Zij deden op eigen initiatief mee aan demonstraties.

Dit waren de jongens uit de volksbuurten die al dan niet opgepompt door synthetische drugs, in trainingsbroek, op het ritme van de houseachtige festivalmuziek urenlang met de politie konden matten. Harde maar over het algemeen sympathieke jongens die onvermoeibaar zongen tijdens demonstraties en altijd te herkennen waren aan de rode gloed van de fakkels die ze bij zich hadden.

Het bloedbad in Port Said was een manier geweest om de Ultra's Ahlawy een toontje lager te laten zingen. Het was de wraak van het veiligheidsapparaat, althans, zo werd het ervaren (al wezen sommigen ook naar de rivaliteit tussen beide voetbalclubs).[54] Bij het bloedbad kwamen 74 mensen om het leven. Het jongste slachtoffer was dertien jaar oud.

———

De volgende dag liepen Nazly en ik mee in een protestmars van duizenden Ultra's Ahlawy naar het ministerie van Binnenlandse Zaken. Lobna en Selma filmden de mars. Betogers droegen vlaggen mee met daarop de beeltenissen van de slachtoffers. Er werd gezongen:

Hoor de moeder van de martelaar roepen!
Het militaire regime heeft mijn kinderen vermoord

Ik ging naar Port Said in een rood shirt
Ik kwam terug in een witte doodskist
en werd een martelaar voor mijn land!

oohoohohoo
De hemel wacht op jou, o martelaar
oohoohohoo
En de revolutie begint opnieuw!

De betoging werd toegejuicht door bewoners in de omgeving. Onderweg naar het ministerie hield de massa een minuut stilte. Iets verderop stonden de bewapende veiligheidstroepen te wachten achter rollen prikkeldraad. De soldaten keken nerveus.

Een jongen niet ouder dan twintig, in een nauw zittende afgezakte spijkerbroek en slippers, met achterovergekamde zwarte haren glimmend van de gel, stapte op de troepen af met tranen in zijn ogen en schreeuwde met schorre stem: 'Hij was dertien jaar oud! En hij stierf in het stadion! Jullie hebben hem vermoord! Waarom?

Jullie keken toe en deden niets! Jullie hebben het laten gebeuren!'

De soldaten – waarschijnlijk even oud en ook supporters van El-Ahly – wisten zich geen houding te geven en keken ongemakkelijk naar de grond. Achter hen hield een officier zijn troepen streng in de gaten. De jongen voor het prikkeldraad huilde terwijl hij de troepen waarschuwde. 'Niemand van jullie zal hiermee wegkomen,' dreigde hij.

Even later, terwijl de duisternis inviel, vlogen de traangasgranaten ons opnieuw om de oren.

De rellen zouden deze keer vijf dagen duren en ten minste vijf betogers zouden de dood vinden.

Op de vierde dag werd Selma neergeschoten.

9

Op een warme lentenacht, ergens in april 2012, reden Nazly en ik in haar oude Mitsubishi naar huis. We hadden zojuist een onstuimige avond gehad in de Caïro Jazz Club, een van de weinige live-muziektenten van de stad. We waren dronken. Ik reed, ook al had ik nog geen rijbewijs.

De straten waren verlaten en wij zongen hardop mee met de nostalgische woorden van het nummer 'Eh fi amal' ('Ja, er is hoop') van de Libanese zangeres Fairuz.

Onder de Zes Oktoberbrug, achter het Egyptisch Museum, passeerden we twee tanks die met hun lompe gestaltes onder het oranje licht van een straatlantaarn het kruispunt domineerden. Bij het zien van de tanks draaide Nazly verbeten haar raam open. Terwijl ze half naar buiten hing, schreeuwde ze uit volle borst: 'Oprotten met het militair regime, stelletje hoerenzonen!' De soldaten keken ons verbijsterd na. Ik trapte het gas in.

Het was een typisch tafereel voor die dagen. De stemming in het land was grimmig en de reputatie van het leger was flink beschadigd.

Revolutionair Caïro verkeerde in een staat van beleg. Veel van de jongeren die het geweld van dichtbij hadden meegemaakt, leefden in een parallel universum. In slechts een jaar tijd hadden zij euforische pieken en hartverscheurende dalen beleefd. Ze hadden vrienden verloren en hechte nieuwe banden gesmeed.

Het brute geweld van de staat was een bijna dagelijkse realiteit – net als de strijd ertegen. Deze strijd bepaalde in die dagen ons leven en onze relaties. Alles werd politiek en iedereen werd gedwongen een standpunt in te nemen. Je was vóór of tegen de junta, vóór of tegen de rector van de universiteit en vóór of tegen de Ultra's. Het was nauwelijks meer mogelijk om buiten de eigen politieke ervaring te treden, er was te veel gebeurd. Politieke tegenstellingen verdeelden vriendengroepen, klaslokalen, families en de stad.

'In die tijd keken we als we wakker werden direct op Twitter om te kijken hoeveel doden er die nacht waren gevallen, en wie er gearresteerd was,' zei een vriend later tegen me. De dood was dichtbij in die dagen. En de bereidheid om te sterven werd een realiteit.[55]

Er was een onbekend aantal dodelijke slachtoffers gevallen gedurende het bewind van de militaire junta, bijna allemaal onschuldige burgers. Er waren duizenden gewonden en nog eens vele duizenden waren verdwenen achter tralies, veroordeeld door partijdige rechters in militaire tribunalen.

De slachtoffers van de strijd werden de helden van de revolutionaire jeugd en de vermoorde personificatie van de strijd. Ze waren doorsneejongens uit doorsneegezinnen (het waren vrijwel altijd de armere jongens die betaalden met hun leven) die vermoord werden vanwege de collectieve hoop op een betere toekomst. Ze werden de gezichten van een beweging zonder leider. Ieder slachtoffer werd herinnerd en diende als brandstof voor een volgende ronde. Iedere dode leidde tot verontwaardiging en wraakgevoelens bij broers, zussen, buren en vrienden. Kortom: met iedere martelaar werden meer mensen onderdeel van het conflict.

Hun portretten verschenen op spandoeken in de straat van de overledene met daaronder een korte uitleg, op vlaggen van vrienden die meeliepen in demonstraties en op zelfgemaakte kartonnen protestborden van verontwaardigde betogers en verdrietige vaders.

De moeders van de martelaren werden geëerd als moeders van een ontwrichte generatie. Umm Khaled, de moeder van Khaled Saïd (met wie het in 2010 allemaal begon), maakte regelmatig haar onvrede met de militairen kenbaar en werd gezien als woordvoerster van Egyptes eigen Dwaze Moeders. Op 6 juni 2012 liep ik mee in een grote demonstratie in Alexandrië ter ere van het tweejarig jubileum van de gewelddadige dood van Khaled Saïd.

De demonstratie wrong zich door de oude klassiek aandoende straten van de binnenstad en stopte na zonsondergang in een steeg, niet ver van de zee, onder het huis van wijlen Khaled Saïd. Zijn moeder stond op het balkon gehuld in een zwart gewaad. Een uur lang werd de oude vrouw toegezongen door de menigte. Ze huilde, wuifde en zong mee met de leuzen tegen de junta.

Maar wie was een martelaar en wie niet? Het woord zelf was even beladen als 'revolutie', 'legitimiteit' en 'democratie', en de betekenis was afhankelijk van politieke affiliatie. Politieagenten noemden de slachtoffers aan hun kant ook martelaren. Het ministerie van Defensie verklaarde op 9 maart, tijdens de Nationale Dag van de Martelaren, dat er 55 militairen waren omgekomen tijdens het bewind van de junta – martelaren volgens het ministerie.

Voor aanvang van de eerste sessie van het gloednieuwe parlement, op 23 januari 2012, hielden de 508 volksvertegenwoordigers een minuut stilte om de martelaren te herdenken die de verkiezingen mogelijk hadden gemaakt. Maar de martelaren voor wie zij zwegen, vielen tijdens de achttien dagen. De anderen telden niet. Terwijl de parlementsleden die dag hun nieuwe rol mochten uitproberen, verzamelden demonstranten zich voor de deur van het parlement om retributie voor álle martelaren te eisen. Enkele honderden betogers vonden dat het eerste parlementsdebat overschreeuwd moest worden door de straat. Tussen het parlement en de betoging stonden echter leden van de Moslimbroederschap enkele rijen dik met hun armen ineengehaakt. Zij wilden niet dat het protest het parlement zou bereiken en traden op als collectieve uitsmijter. Hun tijd was eindelijk aangebroken en hun parlement mocht niet verstoord worden door onruststokers.

Twee dagen na de opening van het parlement, tijdens het eenjarig jubileum van de revolutie, op 25 januari 2012, gingen tienduizenden Egyptenaren de straat op om de revolutie nieuw leven in te blazen. Anderen, onder wie de Moslimbroeders, grepen de dag aan om de revolutie te vieren. De broeders domineerden het plein vanaf 's morgens vroeg en riepen dat het leger en het volk nog altijd één waren. Her en der kwam het tot kleine ongeregeldheden langs de randen van het plein.

Vrienden verzamelden zich die avond voor de deur van Maspiro langs de oever van de Nijl, waar zij na het vallen van de duisternis de witte muren van het gebouw gebruikten als projectiescherm voor de eerste voorstelling van Askar Kazeboon ('Liegende Officieren'), een initiatief dat was voortgekomen uit Cinema Tahrir. Het was een simpel concept. Uitspraken van officieren werden in beeld en geluid gespiegeld aan de realiteit. Kazeboon zou in de komende maanden uitgroeien tot een begrip en overal in Egypte vertoningen organiseren.[56]

Achttien dagen later, op 11 februari 2012, precies een jaar na de val van Mubarak, riepen activisten en leden van de nieuwe onafhankelijke vakbonden[57] op tot een algemene staking. De staking boezemde het regime angst in. Op radio en televisie verschenen zogenaamde specialisten om de kwalijke gevolgen van een staking uit te leggen. De economie verkeerde in zwaar weer en er was geen ruimte voor 'sectorale eisen'. De staking mislukte, behalve op de universiteiten en middelbare scholen. De volgende generatie liet zich blijkbaar niet onbetuigd.

De binnenstad was verdeeld, letterlijk en figuurlijk. In de nacht voordat Selma werd neergeschoten, had het leger opnieuw zware betonnen muren geplaatst, deze keer op alle wegen die naar het ministerie van Binnenlandse Zaken leidden. De binnenstad werd daarmee een doolhof. Tientallen straten die voorheen belangrijk waren geweest voor de doorstroom van het verkeer, waren nu veranderd in doodlopende stegen. Een aantal geplaatste muren werd in de daaropvolgende maanden afgebroken door betogers of versierd door rebelse kunstenaars.

Alles was in beweging en alles reageerde op alles.

Na een uiterst onstuimige anderhalf jaar leek de Arabische lente – oppervlakkig bezien – in rustiger vaarwater te komen. Op Syrië en Bahrein na was men overal bezig met een zekere wederopbouw. In Tunesië hadden de islamisten de verkiezingen gewonnen en leek een stabiele toekomst nabij. In Jemen werden in februari 2012 presidentverkiezingen gehouden, met maar één kandidaat. Een door de Verenigde Staten en de Golfstaten opgestelde overeenkomst moest vervolgens een vreedzame transitie garanderen. In Libië was Gaddafi uitgeschakeld en hadden NAVO-troepen een overwinning van de rebellen veiliggesteld. De Nationale Overgangsraad nam het bestuur over tot aan de verkiezingen en stuurde duizenden Libische veteranen naar Egyptische ziekenhuizen, op kosten van het nieuwe regime. Maandenlang werden de hotels van Caïro bevolkt door getraumatiseerde Libische jongeren die hun vroegere bestaan op pauze hadden gezet om oorlog te voeren tegen hun eigen dictator.

In Egypte werd voormalig president Mubarak op 2 juni 2012 veroordeeld tot een levenslange gevangenisstraf na een lang en chaotisch proces. De oude Mubarak werd berecht in de rechtbank van de politieacademie, die enkele maanden eerder nog de Hosni Mubarakpolitieschool heette. Er was ogenschijnlijk veel veranderd.[58]

Daarnaast maakte men zich op voor presidentsverkiezingen. Sinds de rellen in Mohamed Mahmoud was het leger gebonden aan een datum om de macht over te dragen; op 30 juni zou de transitie definitief voorbij zijn. In mei vonden de verkiezingen plaats. Wat het sluitstuk had moeten worden van een democratiseringsproces werd een chaotische vertoning.

Een maand voor de verkiezingen oordeelde de kiescommissie dat tien van de drieëntwintig kandidaten om de een of andere reden niet geschikt waren. De populaire salafistische priester Hazem Salah Abu Ismaïl werd uitgesloten vanwege het feit dat zijn moeder in het bezit was van een Amerikaans paspoort en dat was verboden. Multimiljonair en absolute leider van de Moslimbroederschap Khairat el-Shater werd gediskwalificeerd vanwege een strafrechtelijke veroordeling in 2007. Zijn vervanger was de minder bekende en iets tammere Mohamed Morsi, die meteen de bijnaam El-Stebn ('het reservewiel') meekreeg.

Posters met daarop de besluitvaardige gezichten van de kandidaten, vergezeld van een leus, verschenen in het straatbeeld, campagneteams trokken door de straten en politieke partijen deelden flyers uit. Er werd zelfs een heus verkiezingsdebat georganiseerd, live op televisie tussen twee van de vijf kanshebbers. Voormalig Moslimbroeder Abdel Moneim Aboul Fotouh nam het op tegen de oud-voorzitter van de Arabische Liga en oud-minister van Buitenlandse Zaken Amr Moussa. Het was een groots opgezet schouwspel, maar de kandidaten overtuigden niet. Beiden bleven hangen in nietszeggende uitweidingen en voorzichtige oneliners.

Na de eerste ronde van de verkiezingen waren beide debaters uit de race. De twee overgebleven kandidaten representeerden nog altijd de enige twee georganiseerde krachten in het land: voormalig NDP'er en gepensioneerd luchtmachtcommandant Ahmed Shafik, die premier was onder Mubarak, en Moslimbroeder Mohamed Morsi. Beiden wonnen in de eerste ronde ongeveer een kwart van de stemmen. Een lichte tegenvaller voor de broeders, die bijna zes miljoen stemmen minder kregen dan zes maanden eerder tijdens de parlementsverkiezingen. Het was een teken aan de wand.

Ahmed Shafik werd door velen gezien als de kandidaat van het oude regime, en wegens zijn nadruk op stabiliteit en openbare orde als het grootste gevaar voor de revolutie.[59] Zijn populariteit was gebaseerd op twee angsten: enerzijds voor de dominantie van de politieke islam en anderzijds voor totale revolutionaire chaos. Zijn achterban was seculier-conservatief en bestond uit zakenlieden uit de kring van Mubarak, voormalige legerofficieren, een deel van de kosmopolitische elite en christenen die hem zagen als laatste buffer tegen de islamisten. In juni, tijdens een lunch van de Amerikaanse Kamer van Koophandel in Egypte, pochte Shafik dat Mubarak voor hem een voorbeeld was en dat hij met 'executies en brute kracht' binnen een maand de orde zou herstellen.

Shafik was voor veel revolutionairen een stap terug en daarom onacceptabel. Morsi en zijn organisatie hadden laten zien dat ze niet veel beter waren. De broeders waren partijmannen, loyale apparatsjiks, die berekenend en risicoloos te werk gingen. Zij wilden macht en de eisen van de revolutie waren voor hen slechts een manier om die macht te verwerven. Morsi werd desondanks een logische keuze voor eenieder die een terugkeer van het ancien régime wilde voorkomen. Zijn achterban bestond uit een gelegenheidscoalitie van meer of minder conservatieve islamisten, progressieve liberalen, socialisten en revolutionairen.

De tweede ronde was voor velen dus een keuze tussen twee kwaden.

Voor de verkiezingen zouden plaatsvinden, hadden de militairen echter nog een laatste verrassing in petto. Op 14 juni 2012, slechts twee dagen voor de beslissende ronde van de presidentsverkiezingen, bepaalde het hooggerechtshof – waarvan de rechters nog waren aangewezen door Mubarak – dat het parlement ongrondwettelijk verkozen was. Daarop werd het parlement ontbonden, nog geen vijf maanden na de eerste zitting – een enorme klap voor de Moslimbroederschap. De wetgevende macht kwam opnieuw bij de militaire raad te liggen.

Bovendien waren de volksvertegenwoordigers er vanwege interne verdeeldheid niet in geslaagd hun belangrijkste taak uit te voeren: het vormen van een honderdkoppige commissie belast met het schrijven van de grondwet. Er was dus nog geen duidelijkheid over de bevoegdheden van de toekomstige president.[60] Twee uur voor het sluiten van de stembussen op 16 juni kwam daar verandering in met een constitutionele declaratie van de junta, die bepaalde dat de Hoge Militaire Raad ook na de verkiezingen een machtig en autonoom instituut zou blijven. Met name de broederschap schreeuwde moord en brand. Volgens Mohamed el-Beltagy, een hooggeplaatste broeder, was er sprake van een coup d'état. Leden en sympathisanten van Mohamed Morsi trokken vervolgens naar het plein, en leiders van de beweging bezigden oorlogstaal.

Ondanks het feit dat de officiële overwinning pas op 21 juni bekend zou worden gemaakt, eiste de broederschap ten overstaan van duizenden betogers op het Tahrirplein op 19 juni al de overwinning op. Het Morsikamp voerde de druk op en organiseerde een sit-in totdat de uitslag bekend zou worden gemaakt en de bevoegdheden van de president waren hersteld. De militaire raad en de Moslimbroederschap waren vanaf de val van Mubarak tot elkaar veroordeeld, maar het venijn van de machtsstrijd zat in de staart en speelde zich af op de achtergrond. Terwijl de pleinen van Egypte gevuld waren met Morsisympathisanten, stelde de kiescommissie de bekendmaking van de uitslag uit. De ultieme patstelling leek daarmee bereikt.

Op 24 juni, drie dagen later dan de bedoeling was (en die volgens ingewijden gebruikt werden voor diepgaande onderhandelingen tussen de Hoge Militaire Raad en de broeders), maakte Sultan Farouk, de voorzitter van de kiescommissie, in een tergend lange speech bekend dat Mohamed Morsi met 52 procent van de stemmen de verkiezingen had gewonnen. Het nieuws kwam als een verlossing voor de tienduizenden aanhangers van Morsi die zich hadden verzameld op het Tahrirplein en nagelbijtend het nieuws afwachtten. De revolutie van de broeders was compleet.

Lobna bevond zich op dat moment met haar toenmalige vriend Aalam in Zamalek. Ze keken samen naar de bekendmaking op tv maar het duurde zo lang en het was zo saai dat ze besloten naar buiten te gaan. De straten waren uitgestorven, een zeldzaam genoegen in Caïro. Lobna en Aalam liepen hand in hand over straat. Overal hoorden ze radio's en televisies aan staan. Toen ze vernamen dat Morsi had gewonnen, zoenden ze elkaar uitbundig, midden op straat, niet uit blijdschap, maar uit protest. Lobna: 'We dachten dat een openbare zoen op dat moment waarschijnlijk de beste manier was om ons verzet tegen de puriteinse Moslimbroederschap kenbaar te maken.'

Lobna was weliswaar blij dat Shafik had verloren – hij was volgens haar de personificatie van alles wat mis was met Egyptes politieke elite – maar tegelijkertijd stond ze te popelen om het gevecht met de broederschap aan te gaan. De broeders hadden de revolutie al zo vaak dwarsgezeten door compromissen te sluiten met het oude regime of met de militaire junta. Maar nu zouden ze zich niet meer achter de machthebbers kunnen verstoppen, dacht Lobna.

Bij gebrek aan een parlement werd Mohamed Morsi op 30 juni ingezworen door het constitutionele hof. Hij werd de vijfde president van Egypte sinds de staatsgreep van Nasser in 1952 en de eerste die niet afkomstig was uit de kweekvijver van militairen. De Egyptische revolutie die op 25 januari 2011 was begonnen met een roep om brood, vrijheid en sociale rechtvaardigheid had voor het eerst in de geschiedenis van Egypte een Moslimbroeder aan de macht gebracht.

Tijdens de ceremonie werd de nieuwe president geflankeerd door legerleiders Hussein Tantawi en Sami Enan. Het leger was voortaan ondergeschikt aan de president, zo luidde de boodschap.

Een dag eerder verscheen Morsi op het Tahrirplein. Ten overstaan van tienduizenden aanhangers trok hij theatraal zijn colbert uit om aan 'zijn volk' te laten zien dat hij eronder geen kogelwerend vest droeg. De nieuwe president sprak lovend over de macht van de gewone Egyptenaar, de verdiensten van de democratie en zijn persoonlijke verplichtingen aan Egypte.

Philip, Jasmina en al mijn andere vrienden waren sceptisch. Geen van hen had deelgenomen aan de verkiezingen en geen van hen had Morsi welkom geheten op het Tahrirplein. Zij wisten dat de revolutie niet voorbij was met de verkiezing van Morsi. De eisen van de revolutie zouden niet worden ingewilligd en de golf van verzet die de laatste maanden zo krachtig was geweest, zou weer van zich doen spreken, zoveel was zeker.

Terwijl Morsi zich op het Tahrirplein liet toejuichen door duizenden aanhangers, arriveerden Philip en ik met een auto vol met spullen bij ons nieuwe huis. In de verte waren de kreten, het enthousiaste gejuich en de woorden van Morsi duidelijk te horen. De straten om ons heen waren verlaten. Een enkele politieagent speelde met zijn telefoon, de zon scheen en de vogels floten. De stad leek even op adem te komen terwijl wij dozen de trappen van ons nieuwe appartement op droegen.

Op de avond van zaterdag 29 juni 2013, bijna een jaar na de inauguratie van Mohamed Morsi, zat ik met Selma en een aantal andere vrienden aan een tafeltje in de hoek van restaurant Estoril in het centrum van Caïro.

Alles wees erop dat de protesten de volgende dag de grootste sinds maanden zouden worden, maar niemand van ons keek ernaar uit. We zagen er zelfs tegen op.

Buiten, in de straten rondom het Tahrirplein, hadden zich al duizenden mensen verzameld. Het plein zelf stond bomvol. Onderweg naar het restaurant, terwijl ik me met grote moeite door de menigte probeerde te wurmen, werd ik herhaaldelijk staande gehouden door betogers die op agressieve toon vroegen naar mijn afkomst. Een van hen greep me bij mijn kraag en vroeg schreeuwend of ik misschien Syrisch was. Zo ja, voegde hij er met een dreigende glimlach aan toe, dan zou hij me ter plekke vermoorden.[61]

Binnen zaten we wat ongemakkelijk bij elkaar. Het eentonige gezoem van honderden vuvuzela's, toeters en fluitjes drong het restaurant binnen, net als de leuzen van de menigte. Enigszins zenuwachtig dronken we ons bier.

Een dag eerder, op 28 juni, waren bij rellen tussen voor- en tegenstanders van de president in Alexandrië drie doden gevallen en velen raakten gewond. Ook waren er mensen omgekomen in Zagazig en in Mansoura (steden in de Nijldelta) nadat woedende menigtes lokale hoofdkwartieren van de Moslimbroederschap hadden aangevallen.

Terwijl wij die avond in het restaurant zaten, maakten de woordvoerders van de zogenaamde Tamarod(rebellie)-campagne in een live uitgezonden persconferentie bekend dat er maar liefst 22 miljoen handtekeningen waren opgehaald.[62] 'In naam van de miljoenen ondertekenaars is Mohamed Morsi niet langer de legitieme president van de Arabische Republiek Egypte,' verklaarde een woordvoerder van Tamarod euforisch. Via de website werd de 'algemene vergadering van het Egyptische volk' opgeroepen om de volgende dag de straat op te gaan en zich te verzamelen voor de deuren van El-Ittahadeiya, het presidentieel paleis, op het Tahrirplein en op alle andere pleinen van het land.

In het restaurant maakten wij ons echter grote zorgen. Op internet werden instructies rondgestuurd door allerlei onduidelijke politieke groeperingen over wat wel en wat niet te doen op 30 juni. Ook Tamarod had nadrukkelijk opgeroepen om tijdens het protest géén leuzen aan te heffen tegen het ministerie van Binnenlandse Zaken, de politie of het leger. Het was niet het moment voor verdeeldheid, zo stelde de campagne samen met andere politieke organisaties. Het volk moest eenheid tonen en zich gezamenlijk uitspreken tegen het desastreuze bewind van de Moslimbroederschap. Alleen dan was er kans van slagen.

De instructies lagen in het verlengde van de berichtgeving van veel van de commerciële media die in de weken voorafgaand aan 30 juni openlijk opriepen tot protest tegen de falende president. De nationalistische commerciële media (ook wel 'liberaal' genoemd vanwege hun seculiere profiel) kanaliseerden alle woede over het falen van de politieke transitie richting de persoon van Morsi. De kern van het probleem lag volgens hen bij de twijfelachtige loyaliteit van de broederschap. De broeders, zo luidde de redenering, waren loyaal aan hun specifieke religieuze stroming en niet aan het vaderland. Ze dienden dus niet per definitie de belangen van Egypte, wat de broederschap feitelijk een staatsgevaarlijke organisatie maakte.

Deelname aan de demonstraties op 30 juni werd in die context een nationale plicht. De toekomst van Egypte als zodanig stond op het spel. Het ging niet om brood of sociale rechtvaardigheid, dat was naïeve spielerei uit het verleden. Nee, het land werd bedreigd door de staatsgevaarlijke Moslimbroeders en hun internationale handlangers van Hamas en gewapende rebellen uit Syrië. Op 30 juni zouden Egyptenaren hun ware gezicht laten zien en de toekomst weer in eigen handen nemen.

Dit sentiment, dat zich louter tegen Mohamed Morsi en zijn Moslimbroederschap keerde, werd een jaar eerder slechts verkondigd door een handvol rabiate nationalisten en wraakzuchtige veiligheidsmensen. In een jaar tijd was het mainstream geworden en bepaalde het de politieke uitingen op straat.

De leuzen waren nationalistisch. De meeste betogers riepen openlijk om een militaire interventie. De nieuwe sterke man binnen het leger, generaal Abdul Fatah al-Sisi, was volgens menigeen de juiste man om Egypte te redden uit de klauwen van de islamisten. En iedereen die het daar niet mee eens was, was een Moslimbroeder en dus een verrader. Palestijnse vlaggen waren nergens meer te bekennen.

Elders in de stad hielden tienduizenden aanhangers van president Morsi sinds enkele dagen de straten rondom de Rab'a El-Adawiyamoskee bezet. Zij zwoeren 'de legitieme president van Egypte' te verdedigen tegen wat zij de contrarevolutie noemden. De sfeer was er anders dan bij het protest van de oppositie. Het percentage mannen dat gekleed ging in galabiyya was er hoger, evenals het percentage vrouwen in nikab. De gemiddelde leeftijd was er ook hoger en een groot deel van de aanwezige betogers was overduidelijk afkomstig van het platteland, wat de sfeer gemoedelijker maakte.

De verdeeldheid in Egypte was daarmee opnieuw een fysieke werkelijkheid geworden. Voor- en tegenstanders van de president hadden hun eigen semipermanente nederzettingen in de stad. In beide kampen beweerde men het werkelijke Egypte te vertegenwoordigen en werden tegenstanders beticht van landverraad. Ook bereidde men zich in beide kampen met stokken, stoot- en slagwapens voor op een eventuele gewelddadige confrontatie en in beide kampen eigende men zich het Egyptische leger toe. Zowel op en rond het Tahrirplein als bij de Rab'a El-Adawiyamoskee klonk zo nu en dan de even beladen als pijnlijke leus uit een ver gewaand verleden: 'Het leger en het volk zijn één!'

Het leger hield zich ondertussen op de achtergrond. Via helikopters, die vrijwel permanent boven de stad hingen, hield het de bewegingen van beide kampen in de gaten.

In binnen- en buitenlandse media werd openlijk gesproken over de mogelijkheid van een burgeroorlog en vergelijkingen met het Algerije van de jaren negentig drongen zich op.[63]

Die avond in Estoril spraken we vol ongeloof over de situatie waarin we waren beland en speculeerden we over wat het leger zou doen. 'Het leger zal zeker een kant kiezen en vervolgens met de andere kant afrekenen,' zei Selma. 'En de kans is klein dat ze aan de kant van de islamisten zullen interveniëren. Als ze dat doen, zijn ze overgeleverd aan de macht van de broederschap en is hun reputatie aan gort. Dat zullen ze niet laten gebeuren.'

Daarover waren bijna alle aanwezigen het eens. Maar we vreesden de manier waarop het zou gebeuren. Iedereen aan tafel was vanaf de eerste dag betrokken bij de revolutie, maar nu de beweging tegen het bewind van Morsi een hoogtepunt zou bereiken, zakte de moed ons in de schoenen. Het ancien régime stond op het punt een spectaculaire comeback te maken over de rug van massaal volksprotest en burgerlijke ongehoorzaamheid, en niemand in het land leek het te beseffen. De alomtegenwoordigheid van de xenofobe antibroederschapstemming hadden ook wij onderschat en pas die avond leek de ernst tot ons door te dringen. We voelden ons verslagen en geïsoleerd.

Sommigen dachten dat de veiligheidsdiensten het vuurtje zouden opstoken. In de chaos waar het hele land op rekende, kon het veiligheidsapparaat ongemerkt afrekenen met bepaalde prominente dissidente figuren zoals Selma en Nazly, die na tweeënhalf jaar revolutie bekende figuren waren geworden binnen de revolutionaire beweging. Er gingen geruchten over dodenlijsten van het ministerie van Binnenlandse Zaken waar naar verluidt vrienden van ons op stonden.[64] Iedereen zou de volgende dag de straat op gaan, maar niet van harte.

Omar, een vriend, vertelde die avond dat hij had geïnvesteerd in extra bescherming: een veiligheidsbril om zijn ogen te beschermen tegen eventuele rondvliegende hagel.[65] Hij wilde de volgende dag eigenlijk niet demonstreren. Maanden later schreef hij in een pakkend artikel over zijn vertwijfeling die avond. 'Ik wil Morsi weghebben, maar alle stemmen die ik hoor zijn feloel. (...) Daarnaast gaan al mijn vrienden wel demonstreren, dus hoeveel keus heb ik nou werkelijk? Moet ik thuisblijven en op televisie zien hoe mijn vrienden hun dood tegemoet lopen?'

Verder speculeerden we die avond over Tamarod. De campagne had in korte tijd grote hoogtes bereikt, maar sommige activisten twijfelden aan de intenties van de beweging. Was Tamarod een oprecht initiatief dat simpelweg op het juiste moment de juiste snaar had weten te raken, of werd het gefinancierd en aangestuurd door elementen binnen het leger en het veiligheidsapparaat? Woordvoerders van de campagne spraken over de wandaden van het regime van Morsi, maar lieten het leger en de politiediensten consequent buiten schot.[66]

Hoe het ook zij, de volgende dag gingen in Egypte miljoenen mensen de straat op. Tijdens de demonstraties werden politieagenten her en der door betogers op de schouders genomen; een groter contrast met de demonstraties van januari 2011 was nauwelijks voor te stellen.

Drie dagen later werd Mohamed Morsi, de vijfde president van Egypte, afgezet door het leger en vierde het volk feest.

Hoe had het zover kunnen komen?

DEEL III

De Moslimbroederschap

30 JUNI 2012-3 JULI 2013

'De strijd om legitimiteit'

10

Dat religie een grote rol speelt in Egypte, is natuurlijk niets nieuws. 'Egypte is een godsdienstig land,' is een veelgehoorde zin.

'Ben je moslim of christen?' is een van de vragen die een buitenlander tot vervelens toe moet beantwoorden. Beide antwoorden worden doorgaans goedgekeurd en kunnen rekenen op een vriendelijke glimlach. Een antwoord dat suggereert dat je niet in God gelooft, of in een andersoortige god of in meerdere goden, is fout en wordt doorgaans beantwoord met een verwarde of afkeurende blik, een ellenlange preek over de schepping, het hiernamaals en Gods genade. Dit is een weerspiegeling van officieel overheidsbeleid dat ook slechts 'de religies van het boek' erkent (jodendom, christendom en islam). Volgens de Egyptische bureaucratie is iedereen islamitisch, christelijk of joods, andere opties zijn er niet.[1]

Vijf keer per dag klinkt de oproep voor het gebed uit de tienduizenden kleine en grote moskeeën van Caïro. Vrijwel elke straat heeft een plek waar gelovigen op vaste tijden samenkomen om te bidden, een *gaama'a*. In sommige gevallen zijn dit simpele houten hokjes met een tapijt op de grond, een paar wastafels voor het rituele wassen van het gezicht, de nek, handen en voeten, en een preekstoel. Elke vrijdagochtend zijn de straten van de stad verlaten. Tegen het middaguur verzamelen de mannen en jongens uit de buurt zich in en rondom deze lokale moskeetjes voor het gebed.

Wanneer je een afspraak hebt bij de kapper of iets wilt afrekenen en de dienstdoende kapper of caissière is toevallig aan het bidden, dan wacht je even, dat is heel normaal. Een buschauffeur bidt langs de weg, een politieagent doet het achter zijn politiebus, op de stoep of op zijn post, een portier doet het onder de trap en een zakenman doet het op kantoor; bidden is in Egypte een alledaags verschijnsel. Tijdens demonstraties, in het heetst van de strijd, wordt de oproep voor het gebed vrijwel altijd gerespecteerd. Zodra de muezzin begint te roepen, lassen de betogers een tijdelijke stilte in.

In taxi's luisteren chauffeurs uren achtereen naar eentonige preken van bekende of minder bekende predikanten die hun recitaties via cassettebandjes, mp3 of de radio verspreiden. In de liften van sommige gebouwen wordt automatisch de *do'a' el-safar* ('gebed van de reis') afgespeeld wanneer de lift zich in beweging zet.

In plaats van goed werkende veiligheidsgordels heeft iedere Egyptische bus op de voor- en achterruit een pakkend religieus vers staan dat het voertuig en de inzittenden een behouden reis moet garanderen. In vrijwel elk huis en elk kantoor hangt de religie aan de muur: een aantal ingelijste soera's, het handje van Fatima,[2] een foto van de koptische paus, een schilderij van de heilige maagd of een tekening van Sint Joris.[3] Christenen laten een kruis tatoeëren aan de binnenkant van de pols en (over)ijverige moslims laten baarden staan of dragen met trots een flinke *zibiba* (letterlijk 'rozijn', maar gebruikt voor de bruine bidplek die ontstaat door regelmatig contact met het bidkleed – in sommige gevallen lijkt de plek meer op een kwaadaardige ontsteking of schaafwond) op het voorhoofd.

Popartiesten in strakke en gescheurde spijkerbroeken zingen met zoete stem over hun liefde voor God en de verdiensten van de profeet. Mobiele telefoons van tieners zijn uitgerust met religieuze beltonen en nieuwslezers beginnen hun dagelijkse bulletin met een gebed. Ongeacht persoonlijke opvattingen over religie presenteert iedere publieke persoon zich bij voorkeur als vrome en godvrezende ziel; religieuze toewijding wordt immers gerespecteerd.

Ook het dagelijkse taalgebruik is doorspekt met religieuze verwijzingen. In een doorsneeconversatie met een doorsnee-Egyptenaar word je om de haverklap met religieuze zegswijzen geconfronteerd. Ook een minder gelovige, of zelfs ongelovige, Egyptenaar kan tijdens een gesprek laconiek de profeet aanhalen om een wens duidelijk te maken, een beroep doen op Gods barmhartigheid om je te bedanken of op Gods almacht om je te straffen of Gods naam gebruiken om een uitspraak kracht bij te zetten.[4]

In Egypte is religie nog altijd de zucht van het onderdrukte schepsel, het hart van een harteloze wereld, en de ziel van zielloze omstandigheden. Maar het is tevens de opium van het volk.[5]

Egypte mag dan een godsdienstig land zijn, de alomtegenwoordigheid van religie is relatief nieuw en heeft politieke oorzaken. Het is onder meer het gevolg van een bewuste strategie om de aanwezigheid van religie in het publieke domein te vergroten. Een voorbeeld is graffiti. Op de meest willekeurige plekken in de stad staan korte religieuze leuzen geschreven als *izkur allah* ('gedenk God'), *la tinsa tuzkur allah* ('vergeet niet God te noemen') of *allahu akbar* ('God is groot'). In de vunzige wc-hokjes van koffiehuizen, op schuttingen, muren en reclameborden, en zelfs in het verzamelde stof op de achterruiten van auto's laten fanatiekelingen hun religieuze sporen na. Het is een vorm van activisme dat als doel heeft de publieke ruimte te domineren.

Volgens de Iraanse socioloog Asef Bayat is er in Egypte de laatste veertig jaar sprake van een islamitische opleving. In zijn artikel 'Revolution without Movement, Movement without Revolution: Comparing Islamist Activism in Iran and Egypt'[6] vergelijkt Asef Bayat de ontwikkeling van de politieke islam in Egypte en Iran en bespeurt hij een duidelijk verschil in de manier waarop islamistisch gedachtegoed en religieuze leefwijzen gemeengoed werden in beide landen. In Iran, zo stelt Bayat, was er sprake van een islamitische revolutie (in 1979) zonder dat er een brede en diepgewortelde islamitische beweging aan voorafging. In Egypte was het precies andersom: islamitisch gedachtegoed werd alsmaar dominanter in de maatschappij, maar bereikte nooit de macht.

Om dit proces goed te kunnen begrijpen moeten we kijken naar de doelstellingen, opvattingen en geschiedenis van de meest prominente islamitische organisatie in het land, de Egyptische Moslimbroederschap.

'Allah is ons doel, de Koran is onze grondwet, de Profeet onze leider, jihad onze weg, en de dood voor Allah onze hoogste aspiratie'[7]
– zo luidt het fanatieke motto van de Al-Ichwan Al-Moeslimoen
(de Moslimbroederschap), die in 1928 werd opgericht door Hassan
al-Banna, een onderwijzer uit Ismaïlia.[8]

Al-Banna keerde zich tegen buitenlandse economische dominantie, tegen de corruptie van de Egyptische elite, tegen de de-
cadentie van de koninklijke familie en tegen, wat hij noemde, de
vernedering van moslims overal ter wereld. De Egyptische maatschappij, zo stelde Al-Banna, was net als andere gekoloniseerde gebieden ontwricht. Door de dwingende invloed van het Westen had
men de islamitische oorsprong van Egypte uit het oog verloren en
was de samenleving moreel verdorven.

De Moslimbroederschap streefde derhalve naar onafhankelijkheid van Egypte en de rest van de gekoloniseerde islamitische wereld. De regering diende een waarachtige afspiegeling te vormen
van de samenleving, wat volgens Al-Banna betekende dat landen
met een islamitische meerderheid een islamitische bestuursvorm
moesten hebben.[9] Deze landen moesten islamitische staten worden; de scheiding tussen kerk en staat was immers een Europees
en daarmee koloniaal concept, zo stelde Al-Banna. Deze islamitische staat zou echter niet zomaar opgelegd kunnen worden, maar
zou voortkomen uit een werkelijk islamitische maatschappij. Men
diende te beginnen bij de basis. 'Uit de gemeenschap [zal] zich de
goede staat ontwikkelen,' schreef Al-Banna kort na de oprichting
van de beweging.[10]

Zijn boodschap vond weerklank bij de nieuwe stedelijke middenklasse, die de economische beperkingen van de koloniale overheersing aan den lijve ondervond, en bij kapitalisten, die de macht
van de communisten wilden inperken. Leden werden aangemoedigd om via het netwerk van de broederschap economische rela-

ties aan te knopen buiten de bezetter om. De organisatie bood een religieus, 'Egyptisch' alternatief voor de corrupte en verwesterde kringen van de Egyptische elite.

De broederschap organiseerde religieuze bijeenkomsten, liefdadigheid voor de armen, gezondheidszorg en scholing. Tegelijkertijd mengden de broeders zich in de lokale en landelijke politiek, al was het vanaf de zijlijn. Partijpolitiek werd door Al-Banna afgewezen. In plaats daarvan organiseerden de broeders politieke bijeenkomsten en demonstraties om de publieke opinie te beïnvloeden, maar altijd met de langetermijnbelangen van de organisatie in gedachten.

De broederschap groeide gestaag, van slechts achthonderd leden in 1936, via tweehonderdduizend twee jaar later naar maar liefst een half miljoen in 1948. Vanwege deze enorme groei was de broederschap al vrij vroeg in een positie om politieke eisen te stellen. Geen politieke macht, maar invloed, daar ging het de broeders om.

Richard P. Mitchell geeft in zijn boek *The Society of the Muslim Brothers* een voorbeeld van de manier waarop de broederschap aan invloed trachtte te winnen:

[De grondlegger van de Moslimbroederschap Hassan al-]Banna stelde zich kandidaat voor het district Ismai'iliyya, waar de beweging was ontstaan, maar zijn kandidatuur was nog niet bekendgemaakt of [leider van de Wafd-partij en op dat moment premier Mostafa al-]Nahhas riep hem bij zich en verzocht hem dringend zich terug te trekken. Zonder veel tegenwerpingen ging Al-Banna akkoord, maar hij bedong wel 'een prijs', die inhield: ten eerste dat de beweging zich weer vrijuit en volop zou kunnen manifesteren en ten tweede dat de regering zou beloven op te treden tegen de verkoop van alcohol en tegen prostitutie. [Al-]Nahhas stemde hiermee in en kondigde kort daarna beperkingen af op de verkoop van drank op bepaalde tijden van de dag, tijdens de ramadan en op religieuze feestdagen. Ook trof hij maatregelen om prostitutie illegaal te maken en gaf hij onmiddellijk opdracht een aantal bordelen te sluiten. Hervatting van sommige activiteiten van de organisatie stond hij eveneens toe, waaronder het laten verschijnen van sommige publicaties en het houden van bijeenkomsten. Nu de kwestie van de verkiezingen op deze manier uit de wereld was geholpen, meldde [Al-]Banna in maart dat hij een regering van de Wafd-partij zou steunen.[11]

De broederschap was geen revolutionaire organisatie die de bestaande orde omver wilde werpen. Nee, de top van de organisatie bestond vanaf dag één uit reformistische strategen die bereid waren met de autoriteiten samen te werken wanneer het hun uitkwam – een cruciaal gegeven om de recente ontwikkelingen in Egypte te begrijpen.[12]

Vanaf het vroege begin had de broederschap bovendien een paramilitaire vleugel, Al-Gihaz Al-Sirri genaamd ('Het Geheime Apparaat'). In lijn met de strategische aard van de beweging werd gericht geweld gebruikt om politieke druk uit te oefenen. Met name in de late jaren veertig organiseerde Het Geheime Apparaat verschillende sabotageacties en liquidaties.

In reactie op de groeiende politieke onrust werd de Moslimbroederschap op 18 december 1948 per militair decreet verboden. Honderden leden werden gearresteerd en oprichter Hassan al-Banna werd verbannen naar Opper-Egypte. Twintig dagen na het decreet werd premier Mahmoud El-Noqrashi Pasja vermoord. Ondanks een pleidooi van Al-Banna waarin hij de moord op de premier afkeurde, werd de oprichter van de broederschap bij een vergeldingsactie in februari 1949 in Caïro op straat doodgeschoten.

Na de onafhankelijkheid leek de Moslimbroederschap aan invloed te zullen winnen. De organisatie onderhield goede banden met enkelen van de samenzwerende officieren die deelnamen aan de staatsgreep van 1952 en daarmee een einde maakten aan de Egyptische monarchie en de Britse overheersing. Moslimbroeders die door de Britten gevangen waren gezet, werden vrijgelaten en vooraanstaande leden van de organisatie, onder wie Sayyid Qutb, traden op als adviseurs. De broederschap wilde zich echter niet onderwerpen aan het regime. De leiding wenste onafhankelijk te blijven en weigerde onder andere Het Geheime Apparaat te ontbinden. Daarnaast bestonden er reële meningsverschillen tussen de broeders en de officieren over de rol van religie in de maatschappij. De relatie begon stilaan te bekoelen.

Nadat Gamal Abdel Nasser, de leider van de staatsgreep en daarna president van Egypte van 1954 tot 1970, een overeenkomst had gesloten met de Britten over de evacuatie van de Kanaalzone door Britse troepen, beschuldigden leden van de broederschap hem van verraad.[13] Op 26 oktober 1954 probeerde een lid van Het Geheime Apparaat Nasser tijdens een openbare bijeenkomst te vermoorden.[14] De moordaanslag betekende het definitieve einde van een voorzichtige samenwerking tussen de militairen en de Moslimbroeders. Woedende aanhangers van de populaire president vielen het hoofdkwartier van de organisatie aan en Nasser reageerde meedogenloos. De aanslagpleger en vier leden van Maktab al-Irshad ('Het Bureau van de Leiding') werden door een militair tribunaal ter dood veroordeeld. Duizenden leden werden gearresteerd.

Het wrede beleid van Nasser ten opzichte van de gematigde broederschap had de deur opengezet voor radicalere organisaties. Voor sommigen had de weg van de geleidelijkheid definitief gefaald. Geïnspireerd door het werk van Sayyid Qutb, die in de gevangenkampen van Nasser zou uitgroeien tot een van de belangrijkste ideologen van een gewelddadig islamisme, kozen zij aan het eind van de jaren zestig en in de vroege jaren zeventig voor een meer militante aanpak en richtten zij nieuwe jihadistische groeperingen op, waaronder El-Gihad El-Islami (Islamitische Jihad) van Ayman al-Zawahiri, de latere rechterhand van Osama Bin Laden, El-Gama'a El-Islamiyya (Islamitische Groepering) en Takfir wal Higra (Excommunicatie en Exodus). Deze gewelddadige organisaties zouden in de vroege jaren negentig het toppunt van hun invloed bereiken.

Zwaar gehavend kwam de broederschap uit de regeerperiode van Nasser tevoorschijn. Vooraanstaande leden waren vermoord en duizenden kwijnden weg in de gevangenkampen van het regime. De bloedige onderdrukking betekende echter geenszins het einde van de beweging, integendeel. Onder Sadat (1970-1981) beleefde de politieke islam een opleving en zouden de broeders doordringen tot de instituties van de staat.

———

De jaren zeventig boden nieuwe mogelijkheden voor de broederschap. In 1961 nam de staat de controle over El-Azhar over, de hoogste religieuze autoriteit in de soennitische islam. Religieuze uitspraken werden daardoor geassocieerd met het regime, waardoor het aanzien van de religieuze instituties erodeerde. De reguliere islam was daarmee ingekapseld. Het Arabisch nationalisme had bovendien aan aantrekkingskracht ingeboet door de militaire nederlaag tijdens de Zesdaagse Oorlog in 1967. Voor jongeren uit de verarmde middenklasse, die niet profiteerden van de markthervormingen van Sadat, was de politieke islam een van de weinige alternatieven.

Sadat was bovendien vastberaden om zijn politieke rivalen uit te schakelen en gebruikte religie om zijn doel te bereiken. De nieuwe president brak met het links populistische beleid van zijn voorganger en wilde de seculiere oppositie monddood maken door het islamisme de ruimte te geven, met name op de universiteiten.[15]

Sadat begon met de ontmanteling van de verzorgingsstaat van Nasser. Zaken als armenzorg werden in toenemende mate overgelaten aan (islamitische) non-gouvernementele organisaties en privémoskeeën gelieerd aan religieuze organisaties. Deze leverden onder meer kinderopvang, medische zorg, (religieus) onderwijs, naailessen en cursussen voor hoger opgeleide jongeren. Veel van deze instellingen werden gefinancierd door *zakat* (liefdadigheid – een van de vijf zuilen van de islam) van rijke moslims in de regio.

Sadat introduceerde een nieuw discours. In plaats van strijd-vaardig, gehoorzaam en solidair dienden Egyptenaren onder Sadat gelovig, nationalistisch en ondernemend te zijn.[16] De staat introdu-ceerde de vrije markt en propageerde een religieuze levensstijl. De staatsmedia breidden hun religieuze programmering uit en radio- en televisie-uitzendingen werden vijfmaal daags onderbroken voor de oproep tot het gebed. De verkoop van alcohol werd bovendien aan banden gelegd. Gecharmeerd van deze maatregelen beloofden de broeders dat ze zich niet openlijk zouden uitspreken tegen het regime. Daarnaast zwoeren zij het gebruik van geweld definitief af.

Het verbod op de organisatie bleef weliswaar gehandhaafd, maar activiteiten van de broeders werden gedoogd. Moslimbroeders die door Nasser gevangen waren gezet, werden door Sadat vrijgelaten en het maandblad van de broederschap, *El-Da'wa* ('De roeping'), dat in die dagen een oplage had van rond de honderdduizend, mocht in het openbaar verschijnen.

Sadat gedroeg zich ondertussen roomser dan de paus in een po-ging de loyaliteit van de islamisten te winnen. Hij noemde zichzelf 'de gelovige president' en vulde tegen het einde van zijn president schap de Egyptische grondwet aan met de bepaling dat de sharia (islamitische wetgeving) 'de voornaamste bron [is] van alle wetge-ving', een lang gekoesterde eis van de broeders.

Toch zou zijn vrome voorkomen Sadat niet behoeden voor de krachten die hij zelf had aangewakkerd. Nadat hij vrede had ge-sloten met Israël, werd 'de gelovige president' tijdens een militai-re parade vermoord door Khaled Islambouli, een legerofficier die zich had aangesloten bij een van de gewelddadige groeperingen die zich in de vroege jaren zeventig hadden afgesplitst van de getem-de Moslimbroederschap. Door Sadat te vermoorden hoopten de jihadisten een religieus geïnspireerde opstand te ontketenen. Maar de gewenste reactie bleef uit. In plaats daarvan werden honderden sympathisanten, leden en leiders van jihadistische organisaties ge-arresteerd.[17]

De moordenaars van Sadat werden geëxecuteerd. De oprichter van de Islamitische Jihad werd tot levenslang veroordeeld. Hij werd in maart 2011 echter vervroegd vrijgelaten door de junta, anderhalve maand na de val van Mubarak. De leider van de Islamitische Groepering, Ayman al-Zawahiri, en vele anderen werden nooit veroordeeld voor de moord op Sadat. Zij kwamen halverwege de jaren tachtig vrij.

Veel van de gearresteerde jihadisten vertrokken na hun vrijlating naar Afghanistan om daar, met steun van de Verenigde Staten, Pakistan en Saoedi-Arabië, aan de zijde van Osama Bin Laden en het latere Al Qaida te vechten tegen de Sovjets. Anderen zochten hun heil in Opper-Egypte, en begonnen in de dorpen hun activiteiten te organiseren. Zij ageerden openlijk tegen de staat, predikten morele discipline, organiseerden sociale voorzieningen, onderwijs, transport en lokale rechtspraak.

In de daaropvolgende jaren zou een gewapende strijd tussen militanten van de Islamitische Groepering en het regime van Mubarak de politieke context bepalen. Delen van Opper-Egypte werden afgesloten van de rest van het land en belegerd door leger en politie.[18] Duizenden veronderstelde militanten werden opgesloten, gemarteld en gedood.

De broederschap bouwde ondertussen aan een imperium. Vanaf de jaren tachtig drongen de broeders als individuele leden door in de staatsbureaucratie, de media, het onderwijs, maatschappelijke dienstverlening en zelfs het parlement.[19] Leden van de beweging domineerden bovendien de grote vakverenigingen van artsen, ingenieurs, apothekers, advocaten, tandartsen, handel, leraren en universitair docenten.[20] De organisatie introduceerde regelingen die de doorstroom van afgestudeerden moest bevorderen. Financiele instellingen gelieerd aan de broederschap boden leningen tegen lage rente, zorgverzekeringen en aanvullende trainingen aan.

Het netwerk dat op die manier werd opgebouwd, vormde een aantrekkelijk alternatief voor hoger opgeleide jongeren uit de lagere middenklasse, een soort religieus *old boys network* waarvan de leden elkaar maatschappelijk vooruit hielpen. De broederschap moedigde haar leden aan hun capaciteiten optimaal te benutten en creëerde een omgeving waarin men werd beoordeeld op prestaties en toewijding, en niet op afkomst. De leden konden zich bovendien mengen in politieke discussies over onderwerpen die normaliter onderbelicht bleven, zoals het lot van politieke gevangenen in Egypte, de Palestijnse zaak en de situatie van oorlogsslachtoffers in Irak en Joegoslavië.

Kinderen van de meer liberaal georiënteerde hogere middenklasse weken ondertussen uit naar privé-universiteiten. Bedrijfskunde, economie en bouwkunde werden de nieuwe studies van de elite. Traditionele studies zoals rechten en geneeskunde en beroepsopleidingen voor accountants, administratief medewerkers en apothekers werden in toenemende mate gedomineerd door de conservatievere lage middenklasse. Een hele generatie van conservatieve advocaten voor wie *fiqh* (islamitische jurisprudentie) de hoogste autoriteit was, was het gevolg.

In 1992 werd de zoon van Hassan al-Banna verkozen tot hoofd van de beroepsvereniging voor advocaten. De vereniging veranderde volgens hem door toedoen van de Moslimbroeders in die jaren in een islamitische organisatie waarvan de leden 'zich aan de sharia houden'.

Toch representeerde deze toenemende institutionele macht van de broederschap niet per se de werkelijke voorkeuren van Egyptes studerende en werkende bevolking. Slechts een kleine minderheid deed mee aan vakbondsverkiezingen. Wel is het verhelderend wat betreft de intenties van de broeders, hun organisatorische capaciteiten, hun financiële mogelijkheden en hun electorale tactieken. De interne discipline van de beweging stelde de broeders in staat verkiezingen te winnen. Maar dat betekende niet dat ze ook werkelijk in de meerderheid waren.

Organisatie op *grassroots*-niveau was echter nog altijd de basis van het succes van de broederschap. In heel Egypte hadden de broeders de leiding over een netwerk van alternatieve moskeeën, scholen, jeugd- en sportverenigingen, vrouwenorganisaties, klinieken en debatclubs die het leven van velen vormgaven. In de vroege jaren negentig bestonden er maar liefst veertigduizend privémoskeeën in Egypte, een groei van meer dan honderd procent sinds het midden van de jaren zeventig. Tegelijkertijd leverden meer dan vijfduizend islamitische ngo's sociale voorzieningen aan ongeveer vijf miljoen arme Egyptenaren.

Om de islamitische organisaties de wind uit de zeilen te nemen, probeerde het regime zich religieuzer voor te doen. Het aantal ambtenaren op het ministerie van Religieuze Zaken steeg tussen 1982 en 1996 van zesduizend naar tweeëntwintigduizend. Daarnaast kwam de politieke partij van Mubarak, de NDP, met religieuze pamfletten om de juiste koers uit te zetten voor de vrome Egyptische jeugd. In 1989 deed het leger hetzelfde met het pamflet *El-Mujahid* ('De strijder'). Deze accommodatie van de politieke islam leidde tot een zekere fundamentalisering van de seculiere staat en daarmee de maatschappij.[21]

De productie en verkoop van islamitische lectuur en pamfletten bloeiden. Tientallen islamitische kranten, week- en maandbladen werden in die jaren opgericht. In 1994 was meer dan een kwart van alle boeken die in Egypte werden gepubliceerd van religieuze aard, een toename van 25 procent sinds 1985. Tijdens de boekenmarkt van Caïro in 1995 had maar liefst 85 procent van alle verkochte boeken een religieuze inslag.

Halverwege de jaren negentig greep het regime opnieuw in. De seculiere oppositie van de jaren zeventig was monddood gemaakt en de islamisten waren overbodig. De institutionele macht van de broederschap vormde bovendien een bedreiging voor het regime. Tientallen leiders werden gearresteerd en door militaire tribunalen veroordeeld tot dwangarbeid.[22] Islamitisch activisme op de universiteiten werd aan banden gelegd, evenals de wildgroei aan privémoskeeën en islamitische ngo's. De repressie ging gepaard met een mediacampagne waarin de broederschap werd afgeschilderd als een (semi)terroristische, extremistische organisatie.

In de top van de broederschap was op dat moment reeds een kentering gaande. Moslimbroederschapexpert Carrie Wickham spreekt van een generatieconflict tussen de oude en de middengeneratie. De oude generatie had de harde hand van Nasser van nabij meegemaakt en bekeek de wereld buiten het islamistische milieu met achterdocht, scepsis en vrees. De middengeneratie daarentegen bestond uit mannen die in de jaren zeventig lid waren geworden en tot wasdom waren gekomen binnen de studentenorganisaties en vakverenigingen. Zij hadden politieke ervaring opgedaan en pleitten voor een bredere acceptatie van de broederschap, meer transparantie en politieke participatie. Een aantal van hen splitste zich in 1996 af om de Wasatpartij (centrumpartij) te vormen. Anderen bleven zich binnen de partij inzetten voor een koerswijziging.

Bij de parlementsverkiezingen van het jaar 2000 wonnen individuele leden van de broederschap 15 van de 454 zetels, een enorme opsteker voor de middengeneratie. Daarnaast was 2000 het jaar van de opkomst van een (reeds genoemde) buitenparlementaire protestbeweging die meer ruimte afdwong voor dissidente meningen. Bij verkiezingen in 2005 wonnen leden van de broederschap maar liefst 88 zetels, 20 procent van de stemmen. Daarmee werd de organisatie plotseling het grootste oppositieblok in het parlement zonder campagne te hebben gevoerd. Wat de broederschap wel had, waren een sterke organisatie, voldoende financiering (onder andere uit de Arabische Golf), een reputatie en een slimme slogan: 'De islam is de oplossing'.

Een reactie kon niet uitblijven.

Weer lanceerde het regime een golf van repressie, de heftigste sinds de dagen van Nasser. Prominente leden van de organisatie werden opnieuw gearresteerd en op basis van valse beschuldigingen veroordeeld. Honderden leden van de beweging verdwenen achter de tralies.

De broederschap reageerde ook. De broeders weten de repressie aan hun eigen roekeloze politieke ambities en een foutieve inschatting van hun eigen beperkingen. De middengeneratie werd intern gemarginaliseerd en een conservatievere stroming die pleitte voor een meer naar binnen gerichte opstelling won aan invloed – de benoeming van Mohammed Badie tot geestelijk leider in 2010 is hier een voorbeeld van. Het was dit conservatieve en politiek onervaren leiderschap dat de touwtjes in handen had aan de vooravond van de revolutie.

———

Nog tijdens de achttien dagen zaten leiders van de broederschap met toenmalig vicepresident Omar Suleiman om de tafel. Terwijl honderdduizenden in het hele land schreeuwden om de val van het regime, waren de broeders bereid het op een akkoordje te gooien.[23]

Vanaf de val van Mubarak tot aan de verkiezing van Mohamed Morsi fungeerde de broederschap vervolgens als buffer tussen het militair regime en de revolutie. Zo nu en dan lieten de broeders hun spierballen zien, bijvoorbeeld op vrijdag 29 juli tijdens de zogenoemde Vrijdag van Eenheid, om druk uit te oefenen op het politieke proces. Maar vooral gebruikten zij hun numerieke overmacht en interne discipline om de beweging op straat te temperen. In ruil daarvoor liet de junta meer dan achthonderd gevangen islamisten vrij en kregen de broeders politieke speelruimte, erkenning en macht.

De leiding van de broederschap was ervan doordrongen dat de

organisatie voorbestemd was om het Egypte van ná Mubarak vorm te geven, mits de generaals de macht zouden overdragen en verkiezingen zouden toestaan. Dáár lag dus de focus van de broeders en niet op diepgaande maatschappelijke verandering. Zij wilden hun toekomstige machtspositie veiligstellen door soms druk op de generaals uit te oefenen en op andere momenten een pas op de plaats te maken. De broeders en de junta hadden een gezamenlijk belang: de transitie moest een nieuwe stabiele orde opleveren. De Moslimbroederschap zou het gezicht worden van die orde, het leger en de veiligheidsdiensten behielden hun autonomie.

Toch bestond er niet louter overeenstemming over de te volgen koers. Door jaren van latent conflict tussen de broeders en de militairen was er een enorm wantrouwen. Beide machtsblokken probeerden bovendien zo sterk mogelijk uit de transitie tevoorschijn te komen. De broeders en de militairen hadden weliswaar een gezamenlijk belang, maar ze waren ook elkaars concurrenten. Die concurrentie verklaart het getouwtrek rondom de parlementsverkiezingen, de presidentsverkiezingen en het schrijven van de nieuwe grondwet. In alle gevallen was er sprake van een krachtmeting tussen de broeders en hun bondgenoten enerzijds en anderzijds de door Mubarak ingerichte instituties van de staat die loyaal waren aan de oude orde en het leger. Deze krachtmeting zou ook tijdens het presidentschap van Morsi voortduren.

Binnen de broederschap begon het ondertussen te rommelen. De revolutie had een nieuwe dynamische politieke cultuur in het leven geroepen waar veel leden moeilijk aan konden relateren. Zij waren gewend aan een strakke organisatievorm en rigide commandostructuren. Tegelijkertijd was er in de voorgaande decennia zelden een reden geweest om politieke meningsverschillen op de spits te drijven. In de eerste maanden na de val van Mubarak splitsten diverse leden zich af. Onder hen was oudgediende en mastodont van de middengeneratie Abdel Moneim Abul Fottoeh. Ook een groep jongere leden splitste zich af om El-Tayar El-Masri (de Egyptische stroming) te vormen.

De interne tegenstellingen van de organisatie kwamen naar de oppervlakte op het moment dat de broederschap een positie van macht bereikte. Er waren linkse en rechtse broeders, arbeiders, werklozen, professionals en zakenlieden met gevestigde belangen in de neoliberale economische structuren die onder Mubarak waren opgezet. Deze laatste domineerde de beweging. De top van de broederschap bestond voor een deel uit steenrijke zakenlieden die gediend waren bij continuering van de ingeslagen economische koers.[24]

Vanwege de machtspolitiek van de broederschap sinds de val van Mubarak verwachtten activisten zoals Philip en mijn andere vrienden weinig van de organisatie. Lang voordat Morsi het presidentschap had overgenomen, was voor hen duidelijk dat de broeders de eisen van de revolutie slechts als holle frasen beschouwden. Onder het bewind van de militaire junta had de organisatie de toorn van de revolutionaire activisten reeds gewekt en werd Mohamed Badie, de geestelijk leider van de Moslimbroederschap, tijdens demonstraties verbaal door de mangel gehaald.

Veel activisten voorspelden dat de broeders zich uiteindelijk stuk zouden lopen op de verwachtingen van het Egyptische volk. De populariteit van de militairen was in een jaar tijd immers ook gekelderd. Niemand rekende er echter op dat het zo snel zou gaan.

11

De verkiezingsoverwinning van Morsi bracht rust, althans tijdelijk. De roes duurde dagen, misschien wel weken. De militaire junta had de macht ogenschijnlijk overgedragen aan een gekozen president, de eerste ooit in Egypte. Zijn aanhangers hingen nog dagenlang rond in de straten van Downtown en scandeerden met schorre stem: 'Morsiii! Morsi!'

Het militaire monopolie op de macht leek definitief doorbroken. De obscure Moslimbroederschap, die al meer dan tachtig jaar actief was in Egypte, zou de volgende fase van de Egyptische geschiedenis vorm gaan geven, met op de achtergrond het leger. Na het catastrofale bewind van de Hoge Militaire Raad was het nu aan Mohamed Morsi, de ietwat onbehouwen boerenzoon die zich via de gedisciplineerde rangen van de Moslimbroederschap had opgewerkt tot president van de Arabische Republiek Egypte, om de eisen van de revolutie te realiseren. Het land, zo beweerden de broeders, stond op de drempel van een bloeiperiode.

Binnen enkele dagen stond Hillary Clinton, de Amerikaanse minister van Buitenlandse Zaken, op de stoep om de steun van haar regering uit te spreken voor een 'volledige transitie'. De broederschap was in staat om de door de Amerikanen gewenste regionale stabiliteit te garanderen. De dictatoriale staat bleef gehandhaafd, maar met de broeders paste Egypte prima binnen de democratische kaders van de Verenigde Staten.

Er werd ondertussen wel van Morsi verwacht dat hij zich als staatsman zou gedragen. In de aanloop naar de presidentsverkiezingen enkele weken eerder spraken leden van de broederschap nog over de noodzaak om opnieuw te onderhandelen over de voorwaarden van het vredesverdrag met Israël. Maar dergelijke uitspraken hoorden niet bij een verantwoordelijke politicus. Tijdens zijn ontmoeting met de Amerikaanse minister van Buitenlandse Zaken stelde Morsi luid en duidelijk dat Egypte 'alle internationale overeenkomsten [zou] respecteren'.

De kersverse president beloofde binnen honderd dagen een aantal grote problemen te zullen aanpakken, te weten de verkeerschaos in de hoofdstad, de verslechterde veiligheidssituatie, het tekort aan brood en brandstof en de enorme afvalbergen die zich overal begonnen te vormen – een schier onmogelijke opgave.

Als reactie op deze belofte lanceerde een stel enthousiaste jongeren de 'Morsimeter', een digitaal platform dat de progressie van Morsi tijdens zijn eerste honderd dagen in kaart moest brengen. Meer dan 128.000 Egyptenaren meldden zich via Facebook aan voor de meter. Zo was de sfeer van het moment, men was geëngageerd en kritisch. De broederschap mocht dan ogenschijnlijk door eerlijke verkiezingen aan de macht zijn gekomen, niemand was van plan zich zomaar door Morsi te laten regeren. De instituties van de staat, die een product waren van de militaire postkoloniale wereld en een natuurlijke weerzin voelden ten opzichte van de broeders, de commerciële nationalistische media,[25] de feloel en uiteraard de revolutionairen,[26] zouden het Morsi zo moeilijk mogelijk maken. Zijn gevecht met de instituties begon direct na zijn aantreden.[27]

Op 2 augustus presenteerde Morsi zijn kabinet met aan het hoofd de kleurloze en relatief onbekende Hisham Kandil, die onder het bewind van de junta minister van Irrigatie was geweest en nauwe banden onderhield met de Moslimbroederschap. Kandil gaf leiding aan een groep van 35 ministers. Vijf van hen waren leden van de broederschap, een was een salafist en de anderen waren technocraten. Minister van Defensie was veldmaarschalk Mohamed Hussein Tantawi, voormalig voorman van de militaire junta. Elf dagen na het aantreden van het kabinet greep Morsi echter drastisch in in de rangen van het leger. Tot ieders verbazing werden de hoogste militairen van het land, Tantawi en zijn rechterhand generaal Sami

Enan, door de president aan de kant gezet. Beide militairen ontvingen de hoogst mogelijke onderscheiding, waarmee ze immuun werden voor eventuele strafrechtelijke vervolging, en ze werden benoemd als adviseurs van de president. De opvolger van Tantawi als hoofd van het leger was de zevenenvijftigjarige en relatief onbekende Abdul Fatah al-Sisi, volgens analisten een vertrouweling van Morsi en sympathisant van de broederschap binnen het leger.

Voor het gros van de Egyptenaren was het moeilijk om aan de nieuwe realiteit te wennen. De broederschap was voor velen altijd een obscuur instituut geweest en de werkelijke intenties van de organisaties waren voor hen in nevelen gehuld. Er gingen geruchten rond over het feit dat Morsi de verkoop van alcohol aan banden wilde leggen en op den duur vrouwen zou verplichten om een hoofddoek te dragen.

Het verbod op het dragen van de nikab door nieuwslezeressen werd die zomer opgeheven. Niet veel later werd Maria TV gelanceerd, een televisiezender voor en door gesluierde vrouwen. De betrokken vrouwen voelden zich, als strenggelovige maar hoogopgeleide en ambitieuze moslima's, gediscrimineerd door het opgelegde secularisme van het Mubarakregime en beschouwden het als een verworvenheid van de revolutie dat zij nu als *munaqabat* volwaardig konden deelnemen aan de maatschappij. Voor veel anderen was het echter een teken aan de wand. Veel seculiere en christelijke Egyptenaren zagen de gesluierde presentatrices op televisie als een voorbode van een toekomstige maatschappij waarin religieuze normen het openbare leven zouden beheersen.

Voor veel activisten brak een verwarrende tijd aan. Er heerste scepsis ten opzichte van de broederschap, maar van openlijk verzet was zeker nog geen sprake. Tegelijkertijd lag de onrust van de voorgaande anderhalf jaar nog te vers in het geheugen.

Jasmina richtte zich met hernieuwde zingeving op haar kunst en werd uitgenodigd om in Milaan en New York korte stages te lopen. Philip gebruikte de relatieve rust om te lezen en zijn ideeën over de aard van de Egyptische revolutie verder te ontwikkelen. Zoals veel linkse activisten was hij jarenlang overtuigd geweest van het idee dat de arbeidersklasse de drijvende kracht van sociale verandering moest zijn – maar daar kwam hij langzaam op terug. In Egypte bleken de arbeiders een afwachtende houding aan te nemen, een baan was een schaars goed. Het was de verarmde jeugd uit de achterbuurten, veelal werkloos of actief in de informele sector, die de drijvende kracht leek te zijn achter de gebeurtenissen in Egypte. Zij hadden het meest te winnen en het minst te verliezen bij grote veranderingen.

Voor mij was het tijd om op reis te gaan. De politieke transitie was schijnbaar volbracht en ik was toe aan vakantie en een nieuw perspectief. Enkele dagen na de inauguratie van Mohamed Morsi had een Nubische activist met rode verf een leus geschreven op de voorheen egale muren van het Egyptische parlement tegenover ons huis. AYNA HAQQ EL-NUBA? stond er in haastige letters, 'waar zijn de rechten van de Nubiërs?'.

Ik besloot een bezoek te brengen aan het voormalige 'Land van Goud', het zuiden van Egypte waar de Nubische minderheid oorspronkelijk vandaan komt. Het Egypte dat Morsi in handen kreeg, was een land van ogenschijnlijke rust. Maar onder de oppervlakte groeiden de tegenstellingen. Ik wilde weten wat de grootste, maar vaak verzwegen etnische minderheid van het land verwachtte van deze nieuwe president die zich voordeed als man van het volk.

De Nubiërs woonden sinds duizenden jaren langs de oevers van de Nijl, tussen de eerste en de zesde stroomversnelling, op de grens tussen het huidige Egypte en Soedan.[28] Halverwege de jaren zestig werd hun verblijf in de regio echter abrupt beëindigd door toenmalig president Gamal Adbel Nasser. Toen deze in 1958 de bouw van de Hoge Dam bij Aswan had veiliggesteld, was het lot van de

Nubiërs bezegeld. Hun leefgebied in het zuiden van Egypte en het meest noordelijke deel van Soedan moest wijken voor het Nassermeer, het grootste stuwmeer van Afrika.

De inwoners van maar liefst vierenveertig dorpen langs het Egyptische deel van de Nijl werden gedwongen te verhuizen, een gebeurtenis die in het collectieve geheugen van de Nubiërs gegrift staat als *el-tahgir* ('de gedwongen migratie'). Veertig kilometer ten noorden van Aswan, de meest zuidelijke stad in Egypte, verrees Nasr El-Nuba ('de overwinning van het Nubische volk'). De nederzetting bestond uit vierenveertig nieuwe dorpen, op een zanderig plateau midden in de woestijn, op meer dan tien kilometer afstand van de Nijl. De nilotische Nubiërs, die al duizenden jaren leefden op het ritme van de rivier, moesten plotseling overleven in het droge zachte zand. Het oude Nubië werd een modern Atlantis, een klassieke beschaving verborgen onder het water. Sindsdien bestaat er zoiets als 'de Nubische kwestie'.

Nog voor de gedwongen migratie begon het regime van Nasser met een beleid van assimilatie. Binnen de heersende ideologie van het Arabisch nationalisme was geen plaats voor minderheden, iedereen was immers Arabisch. De rijke Nubische geschiedenis verdween uit het collectieve geheugen en de Nubische taal, die niets met het Arabisch te maken heeft, kwam officieel te boek te staan als een dialect van het Arabisch. De Nubische identiteit vormde een bedreiging voor het gedachtegoed van Nasser, dat uitging van Arabische eenheid en dat het bestaan van etnische diversiteit liever verzweeg.[29]

Nog altijd wonen er ongeveer vijf miljoen Nubiërs in Egypte. De meesten van hen besloten in de late jaren zestig van de vorige eeuw de dorre vlaktes van Nasr El-Nuba achter te laten en hun geluk te zoeken in de stad, waar ze meestal onder aan de sociale ladder terechtkwamen. Zij beschikten doorgaans niet over de vaardigheden die nodig waren voor een succesvol stedelijk bestaan en kregen bovendien te maken met een diepgeworteld racisme. Lange tijd werden Nubiërs aangeduid als *barbar* (barbaar) of zelfs *'abid* (slaaf).

De dommige maar loyale Nubische conciërge, schoenpoetser of bediende werd een bekend stereotype in de Egyptische populaire cultuur.

Langzaam maar zeker begonnen de Nubiërs zich te organiseren. Er verschenen Nubische sportclubs in de steden en sociale verenigingen waar het Nubische culturele erfgoed levend werd gehouden. Maar van politieke erkenning van de Nubische zaak wilde de militaire elite in Egypte al die tijd niets weten. Erkenning van de eigenheid van het Nubische volk stond voor hen gelijk aan een verzwakking van de Egyptische eenheid en was dus een kwestie van nationale veiligheid.

Volgens Manal el-Tibi, het enige Nubische lid van de grondwettelijke vergadering, die in de zomer van 2012 belast was met het schrijven van de nieuwe grondwet, waren het veiligheidsdenken en het racisme ten aanzien van de Nubische minderheid doorgedrongen in alle facetten van de Egyptische maatschappij. De beperkte eisen van de Nubiërs – erkenning van de Nubische taal, de Nubische geschiedenis en het culturele erfgoed – stuitten op verzet van zowel de islamistische als de liberale leden van de grondwettelijke vergadering. Hoop lag volgens haar echter in het feit dat Nubiërs, net als de rest van de samenleving, mondiger waren geworden. De Nubische jeugd zou volgens haar de strijd voor gelijke rechten naar een hoger niveau gaan tillen.[30]

Nubische jongeren deden inderdaad van zich spreken. Gedurende de maand juli organiseerden zij in Caïro protesten tegen de verkoop van grote stukken grond rondom het Nassermeer aan Saoedische investeerders. De Nubiërs beschouwen deze grond als hun historisch eigendom en eisen medezeggenschap over wat er met het gebied zou gebeuren.[31]

President Morsi had tijdens zijn verkiezingscampagne de Nubische dorpen bezocht en beloofd te zullen voldoen aan de eisen van de Nubische gemeenschap. Twee weken voor de verkiezingen zei hij zelfs dat hij de rechten en bezittingen, die hun, de Nubiërs, waren afgenomen door het vorige regime, volledig zou herstellen.

Het was hoogzomer toen ik landde in Aswan, de hoofdstad van de gelijknamige provincie in het zuiden van Egypte. In dit deel van het land is het Nijldal smal; de afstand tussen de oostelijke en westelijke woestijnrand is er niet meer dan twee kilometer, waar die verder noordwaarts tien tot wel vijftig kilometer bedraagt. De steden en dorpen liggen er keurig gedrapeerd langs de rotsachtige oevers van de Nijl. De bewoonde wereld is omgeven door uitgestrekte felgroene en goudgele velden die twee tot drie keer per jaar bezaaid worden, de onverstoorbare rivier en de onverbiddelijke woestijn.

De stad leed zichtbaar onder het feit dat de toeristenstroom sinds het uitbreken van de revolutie was opgedroogd. Langs de oevers van de rivier lagen tientallen grote cruiseschepen voor anker. Hotelprijzen waren gekelderd, de haven lag vol met zeilbootjes die al weken de kade niet hadden verlaten, en sommige verkopers op de toeristenmarkt in het centrum van de stad hadden de boel tijdelijk gesloten. Maar ook in de woonwijken viel weinig te beleven. Het was ramadan en het was zomer en dus bleven de mensen binnen om met zo min mogelijk inspanning de dag door te komen. Pas na zonsondergang kwam de stad tot leven.

Ik werd ontvangen door de dertigjarige Mohamed, een ietwat dromerige neef van een Nubische vriend in Caïro. Net als veel van zijn leeftijdgenoten was Mohamed werkloos en woonde hij tot zijn spijt nog bij zijn ouders. Overdag was hij veelal onbereikbaar. 'Ik sliep,' zei hij dan 's avonds met een schuldbewuste glimlach. In de avonduren slofte hij naar een van de vele koffiehuizen van de stad om tot diep in de nacht thee te drinken met vrienden. Het leven bood hem weinig perspectief. Hij wilde graag trouwen, maar zat zonder werk en zonder inkomen en daarmee was hij kansloos op de huwelijksmarkt. Het kleine beetje geld waar hij zijn Cleopatra-sigaretten van moest kopen werd hem toegestuurd door zijn neef

Karim, mijn vriend in Caïro, en dus wilde hij best mijn gastheer zijn.

Elke avond bij zonsondergang dronken we samen een koud glas *abreq*, een traditionele Nubische drank tijdens de ramadan, gemaakt met limoensap, broodsnippers, water en suiker, en aten we een dadel of twee. Daarna volgden gesprekken met zijn vrienden over voetbal, eventuele huwelijkskandidaten, de levens van anderen en de nieuwe president. De jongemannen geloofden maar weinig van de beloofde veranderingen, maar waren bereid Morsi het voordeel van de twijfel te geven. We zien het wel, zei Mohamed sloom.

Later op de avond nam hij me mee naar de Nubische dorpen in de omgeving, waar grijze mannen in witte gewaden een nostalgisch beeld schetsten van het oude Nubië.

In het dorp Balana, een van de 44 vervallen dorpen van Nasr El-Nuba, werden Mohamed en ik rondgeleid door een bejaarde oudoom van hem, die ons liet zien hoe de nederzetting waar hij vijftig jaar eerder naartoe werd gebracht niet voldeed. De muren van vrijwel alle huizen zaten vol met barsten of waren (gedeeltelijk) ingestort. De grond was overduidelijk nooit bedoeld om op te bouwen, het was woestijngrond. Terwijl de oudoom ons wees op de gebreken van de omgeving, nam de intensiteit van zijn woorden toe. De man was nog altijd boos. Volgens hem hadden de mensen in de omgeving enorme offers gebracht. Ze waren belazerd. De enige mensen die nog in het dorp woonden, waren ouderen en kleine kinderen. De generatie ertussen had er niets te zoeken. En daarmee was de Nubische gemeenschap volgens de oude man kapotgemaakt.

De Nubiërs waren sinds de onafhankelijkheid door alle presidenten voorgelogen, zo zei hij. Ook deze keer had hij weinig vertrouwen in de toezeggingen van Mohamed Morsi. 'Maar,' voegde hij er hoopvol aan toe, 'deze president is gekozen.' Ook al had de oudoom niet op Morsi gestemd, hij koesterde hoop dat het concept democratie alleen al eerherstel zou brengen voor de Nubische gemeenschap. 'Alleen door te luisteren kan zijn ambtstermijn een succes worden. De wil van het volk, dat is toch democratie?' zei de man.

Ondanks dit voorzichtige vertrouwen in de toekomst begon de relatieve rust van de eerste maanden barsten te vertonen. De sluimerende woede stak op de meest onvoorspelbare plekken de kop op. Ondanks de stilte had de revolutie zich in de voorgaande maanden verdiept. De geest van verzet verspreidde zich nog altijd door Egypte, al was het onder de oppervlakte.

Eenmaal terug in Caïro bracht ik na de zomer samen met Philip een bezoek aan Tahsien, een klein, zanderig dorpje van tweeduizend inwoners in de Nijldelta. Uit protest tegen de structurele verwaarlozing door de centrale en provinciale overheid had het dorp zich onafhankelijk verklaard van het gouvernement.

Het dorp lag niet ver van Mansoura, een stad met ongeveer een half miljoen inwoners, maar het wekte de indruk mijlenver van de bewoonde wereld te zijn verwijderd. Het duurde anderhalf uur om de veertig kilometer vanaf Mansoura af te leggen. Een smalle zandweg van enkele kilometers lang, omgeven door palmbomen en dorre akkers, verbond Tahsien met de rest van Egypte. Een sloot, de enige watertoevoer naar het dorp, liep langs de zandweg en lag vol vuilnis.

Bij het begin van het dorp zat een stel oudere vrouwen rondom een grote dorpsoven van donkere klei. De vrouwen hielden een grijs en hard uitziend stuk brood de lucht in. 'Kijk naar het graan dat wij krijgen, dit is niet eetbaar!' riepen de vrouwen verongelijkt.

In het centrum van het dorp hield een groot hangslot de deur van de moskee gesloten. INSTORTINGSGEVAAR stond er op een bordje voor de deur. Volgens een van de mannen die zich buiten het gebouw hadden verzameld, was er al in geen maanden meer gebeden in de moskee, dat gebeurde tegenwoordig buiten. Ook de dorpsschool was om dezelfde reden al maanden dicht. Daarnaast lag het lokale elektriciteitsnetwerk plat en waren er geen riool- en wateraansluiting. De inwoners hadden in het verleden herhaaldelijk geprobeerd de aandacht te vestigen op de krakkemikkige staat van hun publieke diensten en gebouwen, maar hun geklaag, hun smeekbedes en hun aanvragen werden steevast genegeerd.

Een van de inwoners vertelde dat het idee van onafhankelijkheid in 2009 voor het eerst werd geopperd, maar uit angst voor de veiligheidstroepen werd er toen van afgezien. Nu er echter een gekozen president was, lagen de verhoudingen anders. Voor de inwoners van het dorp was Mohamed Morsi de enige gekozen politieke representatie die ze ooit hadden gekend en dus konden ze alleen hem werkelijk ter verantwoording roepen, vonden zij. De gouverneur was ooit benoemd door het Mubarakregime. De inwoners van het dorp weigerden nog langer onder zijn gezag te vallen.

Hoewel de onafhankelijkheidsdeclaratie vooral van symbolische waarde was, was er een aantal praktische consequenties aan verbonden. De inwoners van Tahsien waren een campagne van burgerlijke ongehoorzaamheid begonnen en boycotten sinds hun 'onafhankelijkheid' alle transacties waarbij het gouvernement een rol speelde. Een man uit het dorp die ons gretig te woord had gestaan, liep trots met een stapel onbetaalde water- en elektriciteitsrekeningen in de achterzak van zijn broek. 'Het hele dorp doet mee,' zei hij enthousiast.

Ook al dachten de inwoners van het dorp er anders over, de situatie van Tahsien was niet uitzonderlijk. Er waren talloze dorpen in Egypte die er minstens even slecht aan toe waren. Dat was echter niet het punt. De mensen uit het dorp eisten een betere levensstandaard en wilden de politiek ter verantwoording roepen.

Hier was de invloed van wat wij de revolutie noemden voelbaar. Een gevoel van onvrede werd omgezet in actie. De mensen van het dorp voelden zich gesterkt door de golf van verzet elders in het land en werden op die manier een voorbeeld voor anderen. In navolging van Tahsien zouden zich in de daaropvolgende weken meer dorpen symbolisch afscheiden van hun gouvernement. Voor de president en zijn volgelingen was de revolutie wellicht voorbij, de broeders waren immers op het toppunt van hun macht, maar voor anderen leek de revolutie pas te zijn begonnen.

Terwijl Morsi op 6 oktober 2012, tijdens een openbare massabijeenkomst in het stadion van Caïro ter ere van het negenendertigste jubileum van de Jom Kipoeroorlog, de eerste honderd dagen van zijn bewind de hemel in prees, begon de onvrede in het land hoorbaar te worden. De commerciële media spraken van een 'broederschappificarie' van de (staats)media en klaagden over het feit dat de hoofdredacteuren van de staatskranten die zomer waren vervangen door minder capabele sympathisanten van de broederschap.

De broeders wilden hun invloed kenbaar maken. In de eerste zes maanden van het bewind van Mohamed Morsi werden 24 journalisten aangeklaagd voor het beledigen van de president of het verspreiden van 'vals nieuws'. Daarnaast nam het aantal zaken toe waarbij de verdachte 'belediging van de islam' ten laste werd gelegd. In september 2012 werd de christelijke schoolmeester Bishoy Kamel tot zes maanden cel veroordeeld omdat hij spotprenten op internet had gepubliceerd die een belediging zouden vormen voor 'de islam, de profeet Mohamed, president Morsi en zijn familie'.

Morsi weigerde bovendien hervormingen van de politie en het ministerie van Binnenlandse Zaken door te voeren. De president beweerde de veiligheidsdiensten nodig te hebben in zijn strijd tegen de groeiende onveiligheid en pogingen om de orde te herstellen. Hervormingen van het veiligheidsapparaat kwamen later wel, verzekerde hij zijn toehoorders. En dus gingen de martelingen door. Volgens een rapport van mensenrechtenorganisatie Egyptisch Initiatief voor Persoonlijke Rechten waren er in de eerste maanden van het bewind van Morsi evenveel geregistreerde gevallen van marteling door de politie als in de voorgaande anderhalf jaar.

Desondanks liet de protestbeweging zich nog nauwelijks zien.

Er was nog geen directe aanleiding geweest om massaal de straat op te gaan. De wekelijkse demonstraties op vrijdag waren verleden tijd en de sporadische protestmarsen trokken slechts enkele honderden participanten. De werkelijke oppositie kwam in die tijd vooral uit de gelederen van de staat zelf, in de vorm van stakingen in de publieke sector.

Werknemers in verschillende sectoren gingen die maanden de straat op om hun eisen kenbaar te maken aan het nieuwe regime, zo ook de medewerkers van de universiteit van Alexandrië. De kalende Ahmed Abdel Hayy werkte sinds 1996 als administratief medewerker aan de universiteit maar verdiende nog altijd slechts vierhonderd pond per maand (ongeveer vijftig euro). Samen met collega's van andere universiteiten besloot hij te staken. 'Al het geld voor onderwijs is voor de managers op het ministerie, maar ik heb ook kinderen die ik moet voeden. Er zijn ambtenaren die meer dan honderd keer zoveel verdienen als ik. Is dat de sociale rechtvaardigheid waar we tijdens de revolutie om vroegen? Is dat waar we de straat voor op zijn gegaan en een dictator voor hebben verjaagd?' schreeuwde Abdel Hayy tijdens een protestactie op de stoep voor het Egyptische parlement.

Ook een recentelijk opgerichte onafhankelijke lerarenvakbond was al enkele weken aan het staken. Volgens een van de leiders van de vakbond was het voor het eerst in zestig jaar dat leraren op een dergelijke schaal aan het staken waren. 'We willen meer loon en een startsalaris van drieduizend pond (ongeveer driehonderdtachtig euro) per maand,' vertelde hij in een lawaaierig koffiehuis niet ver van zijn school. 'Maar belangrijker nog, we willen een einde aan de permanente financiële tekorten in het onderwijs. De overheid dient andere prioriteiten te stellen.'

De artsenstaking die op 1 oktober van dat jaar begon, was politiek gezien echter het interessantst. De vakvereniging van artsen werd sinds jaar en dag bestuurd door leden van de broederschap, en die zouden zich niet snel tegen hun president keren. De overige leden van de vakvereniging hadden zich echter buiten de leiding om georganiseerd en een staking van de grond weten te krijgen – een unicum.

Een van de aanjagers van de staking was de negenentwintigjarige radioloog in opleiding Amr Shoura. Hij behoorde tot een nieuwe generatie artsen die niet alleen maar geld wilden verdienen in een van de vele privéklinieken van het land. Zijn doel was om de publieke gezondheidszorg te verbeteren. Tijdens demonstraties op het Tahrirplein was hij een van de vele artsen die vrijwillig de gewonde betogers hielpen verzorgen. De staking beschouwde hij dan ook als onderdeel van het revolutionaire proces.[32]

De belangrijkste eis van de artsen was een verhoging van het budget voor gezondheidszorg, dat al jaren schommelde rond de 3 procent. Volgens Shoura moest dit omhoog tot minimaal 15 procent. Pas dan zouden de artsen acceptabele zorg kunnen aanbieden.

Op de tweede verdieping van een wegens stroomuitval duister koffiehuis vertelde hij dat de artsen tijdens de staking gratis zorg aanboden. 'Daarmee treffen we het overbezette management en het ministerie van Gezondheid. Zij lopen de inkomsten mis, en wij houden de patiënten aan onze kant,' vertelde Shoura. Meer dan 80 procent van de ziekenhuizen deed mee aan de staking, die kon rekenen op brede steun van de bevolking. Die steun weet Shoura aan het feit dat er sinds de revolutie openlijk gesproken kon worden over de misstanden in de publieke sector en dus ook in de zorg. 'Ministers en rijke ambtenaren zullen nooit naar een overheidsziekenhuis gaan omdat ze weten dat de zorg daar niet goed is. Toch doen ze er niets aan. Zulke tegenstrijdigheden zijn nu bespreekbaar en dus zijn we erin geslaagd om een breed publiek in te lichten over de noodzaak van onze strijd voor betere gezondheidszorg,' zei hij.

Volgens het Egyptische Centrum voor Economische en Sociale Rechten werden in heel 2012 maar liefst 3817 stakingen of economisch gemotiveerde protesten geregistreerd. Meer dan 70 procent hiervan vond plaats na de machtsovername van Mohamed Morsi, tussen de maanden juli en december komt dat neer op 450 stakingen en economisch gemotiveerde protesten per maand. In veel gevallen reageerde het regime op dezelfde wijze als in het verleden: met geweld.

De onrust op de werkvloer was een voorbode van het massale verzet tegen het bewind van Morsi dat vanaf half november zou losbarsten, en het gevolg van een spectaculaire groei in het aantal onafhankelijke vakbonden. Op 30 januari 2011, vijf dagen na het begin van de Egyptische revolutie, was de Egyptische Federatie van Onafhankelijke Vakbonden opgericht in een poging een alternatief te bieden voor het officiële staatsgeleide vakbondsapparaat. De nieuwe vakcentrale groeide als kool, elke maand sloten nieuwgevormde onafhankelijke vakbonden zich aan. Tegen oktober 2012 beweerde de Federatie rond de tweeënhalf miljoen leden te hebben.

Terwijl president Morsi de groeiende onvrede probeerde te sussen met beloftes, werd de nationale aandacht afgeleid door toenemende spanningen in de Sinaï en over de grens. Het was wederom een gebeurtenis in Palestina die de opmaat zou vormen voor een verdere escalatie.

Op 5 augustus 2012 overvielen militanten in de Sinaï een militaire basis waarbij zestien Egyptische soldaten werden gedood en twee legervoertuigen in beslag werden genomen. De militanten vluchtten met de voertuigen de grens met Israël over, waar ze werden gedood door het Israëlische leger. Het was de grootste aanval op het Egyptische leger sinds de oorlog van 1973, maar niemand eiste de verantwoordelijkheid op. Over de motieven van de daders werd bovendien niets duidelijk. De vraag waarom militanten zestien soldaten vermoordden en een doldrieste aanval op Israël ondernamen twee maanden nadat Morsi de macht had overgenomen, werd niet gesteld. Wel leidde de aanval tot onbegrip voor de militanten en de radicale islamisten, die verantwoordelijk werden gehouden voor het geweld. De aanval was tevens het begin van een schijnbaar onstuitbare golf van nationalisme. Morsi was gedwongen te reageren.

De aanval vormde de opmaat voor een grootscheeps offensief van de Egyptische strijdkrachten (in coördinatie met het Israëlische leger) in de Sinaï. Volgens het flinterdunne bewijs van de autoriteiten kwamen de aanvallers uit de Palestijnse Gazastrook. Als strafmaatregel werden de smokkeltunnels die de bevolking van de Gazastrook in leven houden vernietigd en werd de enige grensovergang tussen Gaza en Egypte gesloten. Door de Palestijnen in Gaza een dergelijke collectieve straf op te leggen toonde Mohamed Morsi zich bereid om in de internationale arena hetzelfde beleid te voeren als zijn voorganger.

Op 14 november 2012 werd Ahmed Jabari, het hoofd van de militaire vleugel van Hamas in de Palestijnse Gazastrook, geliquideerd door het Israëlische leger. De moord leidde tot een felle maar korte oorlog – bekend onder de naam Pillar of Defense – tussen Israël en Hamas, waarbij 107 Palestijnse en 4 Israëlische burgers om het leven kwamen. Deze oorlog zorgde ervoor dat de ontwikkelingen in Egypte in een stroomversnelling terechtkwamen.

De Moslimbroederschap in Egypte had zich altijd geprofileerd als een voorvechter van de Palestijnse zaak. Maar nu de broeders de macht hadden, stelden ze andere prioriteiten. Morsi wilde zich profileren als volwaardig staatshoofd die de internationale verhoudingen begreep en het politieke spel beheerste. Tijdens de oorlog van 2008/2009 organiseerde de broederschap grote demonstraties tegen het Israëlische geweld en de rol van Mubarak in het conflict. Nu waren ze aan de macht en deden ze praktisch niets. De grens bleef gesloten voor Palestijnen. Terwijl de bommen op Gaza vielen, werd Morsi ingezet om Hamas tot concessies te dwingen. Na acht dagen kwam er een einde aan het geweld.

Philip beschouwde de oorlog als hét bewijs dat er op politiek niveau niets was veranderd in de regio. De Israëlische machthebbers waren nog altijd een stel bloeddorstige oorlogscriminelen die zich weinig hoefden aan te trekken van de publieke opinie en in Egypte waren blijkbaar nog altijd een stel makke marionetten aan de macht die bereid waren zich neer te leggen bij de verdorven regels van de internationale politiek. Hij sloot zich aan bij een solidariteitskonvooi van meer dan vijfhonderd activisten dat zou proberen de belegerde strook te bereiken.

De activisten wilden benadrukken dat de strijd van de Palestijnen inherent verbonden is aan de Egyptische revolutie. Daarnaast was het voor Philip van belang dat Egyptenaren en Palestijnen samen een vuist maakten. Na zijn twee jaar durende verblijf in de Gazastrook was het een van zijn doelstellingen geweest om mensen in Egypte te informeren over de Palestijnen en te betrekken bij solidariteitscampagnes. Hij was in het verleden vaker mee geweest met dergelijke konvooien, maar altijd werden de activisten ergens halverwege staande gehouden door de veiligheidsdiensten en teruggestuurd naar Caïro. Ook deze keer rekende hij erop dat het konvooi niet ver zou komen. De activisten zouden op die manier kunnen laten zien dat de huidige regering, die beweerde pro-Palestijns te zijn, de grens even dicht hield als Mubarak altijd had gedaan. Dat gegeven wilden ze ontmaskeren voor de buitenwereld.

Maar zijn inschatting was verkeerd. De autoriteiten lieten de activisten ditmaal wél binnen. Morsi was blijkbaar gevoeliger voor de publieke opinie dan Mubarak. Zijn achterban zou het mogelijkerwijs niet accepteren als een solidariteitskonvooi zou worden tegenhouden. Het doel van Morsi was juist om te laten zien dat er wel degelijk een verschil was met het verleden.

Na lange onderhandelingen met de grensbeambten kregen de activisten toestemming om 24 uur in de Gazastrook door te brengen. Het was een uitzonderlijke uitwisseling. Het konvooi kreeg nogal wat aandacht van de media en dus wist Morsi de gebeurtenis in zijn voordeel te gebruiken. Het werd een pr-stunt van het regime dat beweerde dat het inderdaad de grenzen had geopend en al het mogelijke deed om de Palestijnen bij te staan.

Onder de achtergebleven activisten heerste een bedrukte stemming. De oorlog in de naburige Gazastrook zorgde ervoor dat politiek geëngageerde jongeren zich neerslachtig en machteloos voelden. Na alles wat er in Egypte was gebeurd, gingen de oorlogen in Palestina blijkbaar gewoon door, zonder dat iemand er iets aan kon doen. Er was zoveel gebeurd, en blijkbaar zo weinig bereikt.

12

Op de ochtend van 20 november verliet de zestienjarige Gaber Salah, beter bekend onder zijn bijnaam Gika, zijn ouderlijk huis in de volkswijk Abdien om zich aan te sluiten bij een protest in de buurt van het Tahrirplein tegen Mohamed Morsi en het ministerie van Binnenlandse Zaken. Vlak voordat hij wegging, liet hij de volgende status achter op zijn Facebookpagina: 'Ik ga naar de Ogen van de Vrijheidstraat [bijnaam van de Mohamed Mahmoudstraat, zijstraat van Tahrir]. Mocht ik nooit meer thuiskomen, blijf dan vechten voor de rechten van de martelaren.'

Die avond werd Gaber Salah met een shotgun door het hoofd geschoten door de centrale veiligheidsdiensten.

Het was precies een jaar na de rellen van Mohamed Mahmoud. Er waren protestmarsen georganiseerd om de bijna vijftig slachtoffers van die rellen te herdenken en om opnieuw retributie te eisen. Sinds de machtsovername van Morsi was er nog niet één politieagent of soldaat berecht voor die moorden. Sterker nog, alle verdachten waren vrijgesproken.

Volgens Lobna was het voortdurende politiegeweld de grootste katalysator van protest. 'De revolutie is begonnen met de eis dat er een einde zou komen aan het geweld van het ministerie van Binnenlandse Zaken. Ruim anderhalf jaar later gaan we om die reden opnieuw de straat op.'

Toch was er volgens haar een boel veranderd in de tussentijd. En bovenal, de revolutionairen hadden kostbare lessen geleerd. Ze hadden geleerd dat institutionele verandering niet werkte, dat de staat door en door een dictatuur was. Ze hadden geleerd dat je sociale verandering nooit moet overlaten aan politici en rechters; die hebben totaal andere belangen en werkten al jarenlang binnen de grenzen van wat mogelijk is. Ze hadden geleerd dat elke keer wanneer politici repten over 'martelaren' of 'gerechtigheid' zij uit waren op niets meer dan politiek gewin. Daarnaast hadden ze geleerd dat ze het recht in eigen hand moesten nemen. Ze moesten druk blijven uitoefenen vanaf de straat. Dat was de enige manier. Er restte hun niets anders dan opnieuw de straat op te gaan.

De demonstraties begonnen vreedzaam. Activisten verzamelden zich op het plein in een beduusde stemming.[33] Mensen groetten elkaar en maakten een praatje. Het belangrijkst op dat moment was om elkaar na lange tijd weer te zien en gezamenlijk de gebeurtenissen van een jaar eerder te herdenken. Sommigen kwamen bovendien net terug van een bezoek aan de Gazastrook. Zij hadden de nacht doorgebracht bij Palestijnse families thuis en in het ziekenhuis van Gaza-Stad terwijl de Israëlische bommen vielen. De aanwezigen dronken thee, wisselden verhalen uit, en zongen en scandeerden leuzen tegen de militairen én tegen Morsi. Het geweld barstte pas los in de avond. Het begon klein, er werden stenen over en weer gegooid, maar het groeide.

Lobna was aan het filmen. Zij kende Gika van voorgaande protesten. Hij was lid van de 6 Aprilbeweging en ze hadden ooit een discussie gehad over de voor- en nadelen van een strategische stem op Morsi. Gika mocht nog niet eens stemmen, maar hij dacht dat een stem op Morsi beter zou zijn voor Egypte. Uiteindelijk schoot de politie van het regime dat hij op dat moment had verdedigd een kogel in zijn hoofd.

Lobna zag hoe Gika midden op straat hevig bloedend in elkaar zakte. Het was voor haar de eerste keer dat ze erbij was op het moment dat iemand stierf en ze niets voor het slachtoffer kon doen. De medische vrijwilligers waren er die dag niet. Er was geen veldhospitaal, er waren geen ambulances en geen dokters, er was niets. Het was tekenend voor die periode. Veel mensen zaten thuis en waren niet betrokken bij wat er zich op straat afspeelde. Zij vonden het wellicht te vroeg om tegen Morsi te demonstreren. Uiteindelijk werd Gika achter op een motor meegenomen, maar hij bloedde zo hevig dat hij een spoor van bloed achterliet op straat. Hij was ter plekke in een coma geraakt en stierf een paar dagen later aan zijn verwondingen.

Zoals Khaled Saïd het symbool was van de wreedheid van het Mubarakregime, en Mina Daniel de slachtoffers van de militaire junta symboliseerde, zo kwam Gika symbool te staan voor het geweld van de staat onder het bewind van de broederschap. Zijn dood was het bewijs van de continuïteit van het beleid. Het regime van Morsi moordde met hetzelfde gemak als voorgaande regimes. Blijkbaar heerste er nog altijd wetteloosheid op straat en konden de veiligheidsdiensten nog steeds doen en laten wat ze wilden – dat was de les. In de daaropvolgende maanden zouden jongeren in gevecht met de politie herhaaldelijk aangeven dat de dood van Gika voor hen een keerpunt was.

De middelbare scholier Gika was volgens vrienden vanaf dag één betrokken geweest bij de revolutie. Tijdens de demonstraties tegen het militair regime was hij regelmatig te zien geweest op de schouders van een van zijn kameraden terwijl hij leuzen aanhief tegen de junta. Ondanks zijn leeftijd besefte hij dat de revolutie ook zijn toekomst zou bepalen. Na zijn dood zou men zijn naam scanderen. 'Gika, Gika, o jongen, jouw bloed zal het land bevrijden!'

Drie dagen voordat Gika werd neergeschoten, klapte een trein op een schoolbus in de zuidelijke stad Assiut. Maar liefst 51 schoolkinderen kwamen daarbij om het leven. Het ongeluk, waarbij de hulpverlening pas laat op gang kwam, was voor veel Egyptenaren een bewijs van de incompetentie van het regime.

Te midden van dit alles vaardigde de president op 22 november een decreet uit dat zijn macht van de ene op de andere dag vrijwel absoluut maakte zolang er nog geen nieuwe grondwet was. Volgens het decreet zouden zijn besluiten voortaan niet kunnen worden aangevochten door de rechterlijke macht. President Morsi was zelfs in staat om 'elke noodzakelijke maatregel [te nemen] om de revolutie veilig te stellen, de nationale eenheid te bewaren of nationale veiligheid te beschermen'.[34]

De broederschap wilde langdurig invloed uitoefenen via de (staats)-instituties van het land, maar het parlement was reeds ontbonden door de rechterlijke macht en hetzelfde dreigde te gebeuren met de grondwetgevende vergadering (die gedomineerd werd door de broeders) en de Shoeraraad (Eerste Kamer). De prille heerschappij van de broeders dreigde uitgehold te worden door wat zij zagen als contrarevolutionaire elementen binnen de staat en Morsi besloot in te grijpen. Het decreet was een noodgreep, bedoeld om de vorming van de nieuwe staat te beschermen met de islamisten in het centrum van de macht. Met zijn rigoureuze acties plaatste Morsi het belang van de broederschap boven al het andere en joeg hij de natie tegen zich in het harnas.

Het decreet vormde een waterscheiding. Iedereen werd gedwongen positie te kiezen: je was vóór of tegen de president. Gebeurtenissen raakten in een stroomversnelling. Egyptes rechters waren verdeeld. Het hooggerechtshof noemde het 'een aanval zonder weerga op de onafhankelijkheid van de rechters', schaarde zich achter de demonstranten en kondigde een staking aan. Het kabinet begon barsten te vertonen; presidentiële adviseurs dienden hun ontslag in en nog meer leden van de grondwetgevende vergadering trokken zich terug. De oppositie, die tot dat moment versplinterd en ineffectief was geweest, besloot de handen ineen te slaan. In reactie op het decreet van Morsi werd het Nationaal Reddingsfront opgericht. Meer dan 35 politieke organisaties sloten zich bij het front aan. Voormalig presidentskandidaten Amr Moussa en Hamdeen Sabbahi golden samen met Mohamed el-Baradei als de gezichten van het platform.

De broederschap op haar beurt werkte deze groeiende tweedeling niet tegen. De beweging presenteerde zichzelf consequent als de enige en werkelijke vertegenwoordiging van de Egyptische revolutie en noemde de oppositie – elke oppositie – collaborateurs met het oude regime. De broeders roemden zichzelf voor hun oppositie tijdens het Mubarakregime ('wij hebben het meest geleden,' riepen zij) en verschenen zelfgenoegzaam in de media.

Betogingen tegen het regime werden weggezet als het werk van feloel (niet geheel onterecht overigens; zoals ik zal uitleggen, bestond een klein maar groeiend percentage van de demonstraties in die tijd uit feloel), saboteurs en 'ideologisch gedreven' tegenstanders. Volgens de broeders genoot Morsi steun van de 'gewone Egyptenaar' en bewezen de demonstraties de mate van politieke vrijheid. In verschillende verklaringen stelde de broederschap een voorstander te zijn van vreedzame demonstraties en een sterke oppositie. Tegelijk deden de broeders schamper over de protesten van de oppositie. Zij noemden de opkomst teleurstellend en zagen dat als bewijs voor het gebrek aan steun voor de oppositie van de bevolking.

Op 30 november bereikten de overgebleven leden van de grondwetgevende vergadering een akkoord over het wetsontwerp van de grondwet. Op dat moment zaten er nog slechts vier vrouwen in de vergadering. Ook alle christenen, Nubiërs en de meeste liberale, revolutionaire en progressieve afgevaardigden hadden zich inmiddels teruggetrokken. Wat overbleef waren conservatieve islamisten, afgevaardigden van de veiligheidsdiensten en het leger. En dat was terug te zien in het eindproduct.

Het grondwetsontwerp was een poging om de belangen van de grootste spelers met elkaar te rijmen, een bestendiging van de al bestaande samenwerking tussen het leger, de politiestaat en de nieuwe 'volksvertegenwoordigers', de islamisten. Artikel 2 van de grondwet luidde dat de principes van de islamitische wetgeving (sharia) als belangrijkste bron zouden dienen voor de wet, een langgekoes-

terde wens van de islamisten. Daarnaast legde de grondwet de verantwoordelijkheid om te waken over ethiek, de moraliteit en de
'ware aard' van de Egyptische familie bij de staat. Het beledigen
van de profeet werd bij wet verboden.

Het militaire instituut kreeg vergaande autonomie; er zou geen
democratisch toezicht komen op het defensiebudget en het leger
zou het recht behouden om burgers te vervolgen in militaire tribunalen. De staat kreeg continuïteit. De dictatoriale instituties van
de staat werden behouden. Mediarestricties bleven gehandhaafd,
evenals beperkingen op onafhankelijke vakbonden.

Het referendum over het grondwetsontwerp zou volgen op 15 en
22 december, maar was daarmee gereduceerd tot een keuze tussen
een almachtige president (vanwege het presidentieel decreet dat
geldig was tot aan de implementatie van een nieuwe grondwet) en
een partijdige grondwet.

Om het constitutionele proces te steunen riepen de broeders
hun aanhangers op om op 1 december de straat op te gaan. Tienduizenden aanhangers van de president gaven aan de oproep gehoor en kwamen samen op het verkeersplein El-Nahda voor de
ingang van de universiteit van Caïro, een kleine twintig minuten
lopen van Tahrir, waar de oppositie zich had verzameld. Op het
terrein tussen de dierentuin van Caïro en de tuin van de universiteit scandeerden de aanwezigen leuzen tegen corruptie, tegen de
veronderstelde sabotage van het oude regime, vóór het decreet en
vóór de president.

De aanwezigen, die uit heel Egypte en met name van het platteland naar de hoofdstad waren gekomen, zagen de declaratie van
Morsi als een noodzakelijk middel om de revolutie te voltooien en
het oude regime onschadelijk te maken. Volgens de voorstanders
van de president waren de tegenstanders anti-, of contrarevolutio-
nair, aanhangers van het oude regime of vandalen die betaald werden door de Verenigde Staten, Israël of feloel met als doel Egypte
te destabiliseren en Morsi in diskrediet te brengen. Zij vonden het
ongehoord dat er werd geroepen om het aftreden van een gekozen

president die nog niet eens zes maanden aan het werk was. De aanwezigen wezen op het feit dat er binnen de staat oppositie bestond tegen de macht van de broeders en zij predikten geduld. Op den duur zou Morsi de strijd aangaan met het ministerie van Binnenlandse Zaken en andere overblijfselen van de dictatuur. Tot die tijd moesten de broeders hun macht consolideren. De dood van Gika werd door hen verzwegen, ontkend of goedgepraat.

Een dag na het decreet barstte het protest los. In Caïro reageerde men door de straat op te gaan. In Alexandrië en elders werden kantoren van de Moslimbroederschap en de Partij voor Vrijheid en Gerechtigheid geplunderd en in brand gestoken. Partijkantoren in Damanhour, Mansoura, Suez en Caïro werden beschadigd.[35] Foto's van uitgebrande partijgebouwen en verscheurde partijvlaggen deden de ronde op sociale media. Demonstranten noemden Morsi de nieuwe Mubarak. Enorme witte vlaggen met daarop de beeltenis van Gika wapperden over het Tahrirplein terwijl tienduizenden betogers riepen om de val van het regime.

Veel liberalen en seculieren beschouwden het decreet als een bevestiging van de dictatoriale neigingen van de broederschap. Sinds de verkiezingsoverwinning van Mohamed Morsi deden geruchten de ronde dat de broederschap op den duur streng religieuze wetgeving zou invoeren. De zo gevreesde islamitische dictatuur leek werkelijkheid te worden nu Morsi zichzelf almachtig had verklaard.

Daarmee veranderden het accent van het protest en de samenstelling van de beweging. Nieuwe mensen gingen de straat op om hun specifieke belangen en levensstijl te verdedigen. De demonstraties werden nog altijd geleid door de revolutionaire jeugd en de partijgebonden demonstranten, maar tegelijkertijd waren er een hoop nieuwkomers van allerlei snit die specifiek en louter tegen Morsi en de broederschap waren. De meesten van hen hadden niet meegedaan tijdens de protesten tegen de militaire junta en behoorden tot wat de Hizb el-Kanaba (Partij van de Bank) werd genoemd: zij die de revolutie tot dusver vanaf de bank hadden ervaren.

Andere nieuwkomers sympathiseerden openlijk met het voormalig regime van Mubarak of met het leger. Zij gaven weinig om de oorspronkelijke eisen van de revolutie of om de dood van Gika, maar vreesden een islamitisch bewind en de eventuele gevolgen daarvan voor Egypte. Voor hen was niet de politie of de dictatoriale staat als zodanig een probleem, maar Morsi en zijn transnationale beweging van broeders.

Het verzet tegen Morsi bestond derhalve uit een bonte verzameling van progressieve revolutionairen, seculiere en liberale conservatieve politieke oppositie, wispelturige leden van de Partij van de Bank, afgehaakte islamisten en wrokkige felocl.

Tijdens een van de demonstraties in die dagen van de wijk Shobra naar het Tahrirplein waren deze tegenstrijdigheden duidelijk. Philip, Jasmina, Selma, Ziyad, Lobna en Nazly liepen mee in de mars die werd aangevoerd door revolutionaire jeugd. Zij zaten op de schouders van hun kameraden, sloegen op trommels en hieven leuzen aan. De volgers waren divers. Er waren partijgebonden demonstranten die flyers uitdeelden en t-shirts droegen met daarop het logo van de partij, en er waren nieuwelingen die aarzelend hun eerste stappen zetten in een demonstratie.

Ik raakte in gesprek met een vrouw van middelbare leeftijd (althans, dat was mijn gok) en met een schelle stem, die van top tot teen gehuld was in een zwarte nikab. Boven op haar gezichtssluier droeg ze een strohoed waarvan de randen waren behangen met Egyptische vlaggetjes. De achterkant van haar zwarte gewaad was beplakt met revolutionaire stickers en de beeltenissen van martelaren. Zij had, zo vertelde ze, op Morsi gestemd tijdens de presidentsverkiezingen omdat ze had geloofd dat hij het tij zou keren en een nieuw Egypte zou bouwen. Maar nu was ze van mening veranderd en eiste ze zijn aftreden. 'Hij doet alsof hij en de mannen om hem heen het alleenrecht hebben op religie. Dat mag niemand! Zij beweren religieus te zijn, maar schieten ondertussen wel op onze jongeren. Hoe valt dat met elkaar te rijmen? Zij hebben de revolutie verraden. Weg met dit regime!'

Een man met een geruit overhemd van achter in de veertig die met een nors gezicht meeliep en zich zichtbaar stoorde aan de leuzen van anderen, redeneerde echter totaal anders. Het was voor hem de eerste keer dat hij zich aansloot bij een demonstratie sinds het begin van de revolutie. Hij vreesde het religieuze fundamentalisme van de Moslimbroederschap, zo zei hij. 'De broeders houden niet van hun land,' riep hij. Wanneer een deel van de demonstranten zich tegen de politie en generaals van de militaire junta keerde, hield de man demonstratief zijn mond, maakte hij wilde wegwerpgebaren of begon hij zijn eigen ideeën te roepen. 'Dit is niet het moment om het leger te bekritiseren,' schreeuwde hij dan. 'Deed het leger maar iets.'

Toen de mars na zonsondergang het plein had bereikt hingen revolutionairen twee grote witte spandoeken op. Op het ene stond: VERBODEN VOOR MOSLIMBROEDERS. Op het andere: VERBODEN VOOR FELOEL.

De revolutionaire jongeren vormden de energieke voorhoede van de beweging tegen Morsi, maar de nieuwe demonstranten en de commerciële nationalistische media die in hun kielzog volgden, stuurden de richting van het protest. Verschillende commerciële televisiezenders en kranten die elke beweging van Mohamed Morsi nauwlettend in de gaten hielden, keerden zich openlijk tegen zijn bewind. Volgens hen was het decreet een vergaande stap in de islamisering van Egypte. De broeders zouden volgens hen Egypte te gronde richten door een deel van de Sinaïwoestijn aan de Palestijnen te geven, het Suezkanaal aan Qatar te leasen, de Gazastrook te annexeren of Egypte als natiestaat op te heffen en het kalifaat te herstellen; men geloofde de wildste dingen. De revolutionaire stem werd minder luid verkondigd – anti-Morsi en anti-Moslimbroederschap voerden de boventoon. Dit sentiment zou uiteindelijk tijdens de laatste dagen van zijn bewind alle andere meningen overstemmen.

Op 4 december deed een deel van de commerciële media mee aan een staking uit protest tegen het gebrek aan garanties omtrent persvrijheid in het ontwerp van de grondwet. Twaalf kranten zouden die dag niet verschijnen en vijf televisiekanalen gingen op zwart.[36] Diezelfde dag marcheerden tienduizenden mensen vanuit alle hoeken van de stad richting het presidentieel paleis uit protest tegen de president, de constitutionele declaratie en het aankomende referendum.

Na zonsondergang namen de demonstranten bezit van de straten rondom het paleis. De soldaten die de omgeving moesten bewaken, zetten het op een lopen met hun verouderde kalasjnikovs stevig in hun armen geklemd nadat de enorme menigte door de eerste afzetting was gebroken op de grootste toegangsweg naar het paleis. Terwijl de demonstranten hun Laatste Waarschuwing – zoals de demonstratie was gedoopt – kwamen afleveren aan de poort van het paleis, wist Morsi te ontkomen in een gepantserde vluchtauto en werden achter de poort de tanks in stelling gebracht.

De volgende dag werden de overgebleven betogers, die een sit-in waren begonnen, aangevallen door leden van de Moslimbroederschap. De broeders hadden gehoor gegeven aan een oproep van Essam el-Erian, de tweede man van de Partij voor Vrijheid en Gerechtigheid (PVVG), de politieke partij van de Moslimbroederschap, om naar het presidentieel paleis te gaan om de legitimiteit van de president en zijn decreet te verdedigen. 'Leden van de PVVG zullen in de frontlinie aanwezig zijn, met Gods wil,' stelde El-Erian.

Tenten werden overhoop gehaald en tegenstanders van de president kregen klappen. Een even hilarisch als verontrustend filmpje deed in de daaropvolgende dagen de ronde. Op het filmpje, dat werd opgenomen vlak na de aanval van Moslimbroeders op het sit-inprotest van de oppositie, is te zien hoe een hysterische menigte de spullen doorzoekt die door de demonstranten zijn achtergelaten. De mannen, de meesten met baarden en duidelijk niet afkomstig uit de hoofdstad, zwaaien de gevonden voorwerpen voor de camera heen en weer. Een van hen heeft een pakje geïmporteerde Nesto-kaas in zijn hand, volgens hem hét bewijs dat de oppositie vanuit het buitenland werd aangestuurd. Met wijd opengesperde ogen schreeuwt de man: 'Gibna nesto ya mu'affineen' ('Nesto-kaas, stelletje rotzakken!'). Het filmpje was illustratief voor de blinde en paranoïde haat tussen beide kampen.

De aanval van de broederschap vormde de opmaat voor meer geweld. Zowel voor- als tegenstanders begaven zich naar het presidentieel paleis. Na het vallen van de avond barstte de bom. Het was de eerste keer sinds de achttien dagen dat grote groepen burgers elkaar te lijf gingen. De beelden van de rellen, die live werden uitgezonden op televisie, waren angstaanjagend. De twee partijen waren nauwelijks van elkaar te onderscheiden. Het was niet duidelijk wie bij wie hoorde. Daarnaast waren beide kampen gewapend. Voor- en tegenstanders van de president gebruikten stokken, knuppels, stenen, vuurwerk, benzinebommen, shotguns, pistolen en jachtgeweren.

De politie hield zich (tot woede van president Morsi) lange tijd afzijdig en liet de vechtende meute zijn gang gaan. Zo nu en dan intervenieerden de veiligheidstroepen aan de pro-Morsizijde van de scheidslijn, vuurden een paar traangasgranaten af en trokken zich vervolgens weer terug. Pas laat in de avond deden de veiligheidsdiensten een halfslachtige poging om de groepen uiteen te drijven, maar tevergeefs. De rellen kwamen pas ten einde nadat de Morsi-aanhangers zich tegen de ochtend terugtrokken. Bij de gevechten die nacht kwamen ten minste tien mensen om het leven en raakten honderden mensen gewond. Over de politieke affiliatie van de slachtoffers zou altijd onenigheid blijven bestaan.[37]

Voor de camera's van revolutionair mediacollectief Mosireen deed de zestienjarige Abdallah Mahmoud verslag van de gebeurtenissen. Sinds de dood van zijn vriend Gika was hij bijna permanent op het

Tahrirplein geweest. Toen hij hoorde dat de sit-in bij het presidentieel paleis werd aangevallen, ging hij met vrienden naar het paleis. Daar raakte hij verzeild in de gevechten. Hij gooide met stenen maar werd zelf neergeschoten, hij had een kogel in zijn bovenbeen.

Maar het werd nog erger. Tijdens de rellen riep dezelfde Essam el-Erian in een live-interview op televisie dat 'iedereen nu naar Ettihadiya [moet] gaan om de revolutionairen van de baltagiyya te onderscheiden. Dan kunnen we hen allemaal arresteren,' riep El-Erian paniekerig. Vergelijkbare oproepen deden de ronde op sociale media. Volgens mensenrechtenorganisatie Human Rights Watch werden er die avond 49 anti-Morsibetogers gearresteerd en mishandeld door aanhangers van de president. De gevangenen werden naar een provisorische gevangenis gebracht vlak buiten de muren van het paleis. Er doken beelden op waarop te zien was hoe gehavende en bebloede demonstranten werden ondervraagd door hysterische leden van de broederschap. 'Wie heeft je betaald? Ben je lid van de [opgeheven] Nationaal Democratische Partij?' schreeuwt een van hen tegen een uitgetelde demonstrant die met een opgezwollen hoofd zit bij te komen van een flink pak slaag. 'Je kunt beter bekennen, anders vermoorden we je!' Op de beelden is tevens te zien hoe veiligheidspersoneel in uniform aanwezig is in het gevangenkamp – er werd blijkbaar gecoördineerd tussen de veiligheidstroepen en leden van de broederschap.

Na het geweld duurden de protesten voort. Vrijwel dagelijks nam ik de metro naar Saray Al-Qobba om vervolgens met een minibus of taxi de rest van de afstand af te leggen. De route tussen de metrohalte en het presidentieel paleis werd algauw een herkenbaar traject waar een spoor van revolutionaire graffiti de weg aangaf. Het woord *churfan* ('schapen') stond overal op de muren geschreven en werd in die dagen een algemeen aanvaard scheldwoord voor leden van de Moslimbroederschap omdat ze zich lieten commanderen (als schapen) door de leiding van de beweging.

Het was een bizar tafereel. De wijk Heliopolis, vernoemd naar een van de hoofdsteden van het oude Egypte, was tot voor kort onaangetast geweest door de politieke onrust. Het was een chique wijk, in 1905 ontworpen door een Belgische baron als luxe satellietstad van het drukke Caïro. Inmiddels is de wijk een integraal onderdeel van de hoofdstad, maar nog altijd heeft hij een zeker aanzien. Het presidentieel paleis in het midden van de wijk was jarenlang de residentie geweest van Hosni Mubarak. Mede daarom weigerde Morsi er zijn intrek te nemen. Nog geen twee jaar eerder gold Suzanne Mubarak als een van de natuurlijke aanvoersters van de jetset van Heliopolis. De vrouw van de voormalige president winkelde onbezorgd in de chique boetieks van dit deel van de stad. Nu was het een brandhaard.

De brede boulevards rondom het paleis hadden een voor ons vertrouwde vorm aangenomen. De wegen waren afgezet met prikkeldraad en muren van grote betonblokken, die waren beschilderd met de beeltenissen van martelaren, politieke leuzen en uitgebreide illustraties. Op de stoepen verschenen tenten waar betogers in overnachtten, koffie- en theekraampjes en zelfs een revolutionair museum. Verkopers van gepofte zoete aardappelen in lange galabiyya's sloften tussen de mensen door. De rook van de mobiele oventjes die ze voor zich uit duwden, verspreidde de geur van het leven op straat.

Er waren nu twee bezette centra in de stad, een op en rond het Tahrirplein en een in de omgeving van het presidentieel paleis. Beide locaties werden permanent bewoond en werden afgeschermd van de buitenwereld. Desondanks ging het referendum over de nieuwe grondwet door als gepland.

Tijdens de twee verkiezingsdagen nam slechts 33 procent van het electoraat de moeite om zijn stem uit te brengen – 64 procent van de stemmers stemde voor de grondwet, in drie gouvernementen, waaronder Caïro, stemde een meerderheid tegen.

De strijd tegen Morsi werd ondertussen permanent. Alles leek in beweging te zijn. Waar het regime zich liet gelden, groeide het verzet: op de werkvloer, op straat en in de wijken.[38] Het werd een allesbepalende context die overal doorschemerde. De media waren partijdig, de straat was verdeeld, en de jeugd droeg de littekens van twee jaar revolutie. Nieuwe mensen raakten betrokken bij het revolutionaire proces, anderen haakten af. Bij veel activisten begonnen depressies en vermoeidheid op te spelen.

Voor Ziyad werden de gebeurtenissen in die tijd vaak te veel. Hij had al maanden niet meer gewerkt en vaak wilde hij dagen achtereen niet uit zijn huis komen. Zijn leven stond nu al bijna twee jaar op pauze. Hij rende van veldslag naar demonstratie, van politiebureau naar ziekenhuis naar vergadering en van mortuarium naar bijeenkomst. Hij had de strijd voorrang gegeven, maar had zichzelf daarmee uit het oog verloren. Hij voelde zich vervreemd van zijn land en gevangen in een politieke realiteit waarin hij altijd achter de feiten aan rende.

'Over een aantal jaren, of eigenlijk nu al, hebben we allemaal therapie nodig – als we dan nog in leven zijn,' zei hij terwijl we sigaretten rookten in zijn slaapkamer. 'Maar we kunnen het tegelijkertijd ook niet loslaten, dat maakt het zo lastig. Alles wordt bepaald door de politieke context – ook ons gemoed. Als het slecht gaat met de revolutie, dan gaat het slecht met ons. Dat maakt dat je zelf eigenlijk niet bestaat, en dat is funest.'

Toch was opgeven ook geen optie voor Ziyad. Hij voelde zich verbonden met de revolutie en was ervan overtuigd dat hij door moest zetten. Hij was erbij vanaf het begin en wilde erbij zijn tot het einde, maar hij maakte zich zorgen hoe hij uit de strijd tevoorschijn zou komen. Hij was er niet voor gemaakt, zei hij wel eens. Maar goed, als zijn generatie het niet zou doen, wie dan wel?

Rondom het Tahrirplein werd sinds de dood van Gika vrijwel continu gevochten. Zelfs wanneer het plein afgeladen druk was, waren de wolken traangas nooit ver weg.

De gevechten waren anders dan voorheen. De veiligheidsdiensten schoten vooral met traangas en gooiden stenen. De betogers gooiden het traangas terug aangevuld met stenen, molotovcocktails en vuurwerk. Elke avond tetterden met onregelmatige intervallen de zenuwslopende sirenes van de oproerpolitie schel boven de explosies uit. En opnieuw verschenen er muren. Op het Simon Bolivarplein, ten zuiden van Tahrir, verschenen twee muren, waarna de gevechten zich verplaatsten naar de Corniche, de boulevard langs de Nijl.

Ook voor Lobna was die lange slag rondom het plein een van de bevreemdendste periodes van de revolutie. Er was iets veranderd in de demografie van de rellen. De gemiddelde leeftijd was lager dan ooit. Het waren niet meer vrienden of bekenden die vochten, het waren vooral tieners en zelfs kinderen, anonieme jochies uit de achterbuurten. Zij vochten dag en nacht tegen de veiligheidsdiensten, raakten gewond en werden vermoord zonder al te veel poeha. Het was een bron van enorme frustratie voor Lobna. 'Onze vrienden kwamen kijken naar de rellen, of ze vochten af en toe mee. Maar om de een of andere reden hadden "wij" collectief besloten dat dit niet onze strijd was, dat onze tijd aan de frontlinie voorbij was of dat we onze strijd anders gingen invullen. De rellen werden een decor, een ruis op de achtergrond die niet meer wegging. Niemand van ons droeg de geur van traangas, dat deden anderen nu, en dat deed pijn. Het voelde alsof "we" het vuile werk door anderen lieten opknappen, en dat kon ik niet verkroppen.'

Rond die tijd begon onze vriendengroep politiek gezien langzaam uiteen te vallen. Het was voor veel mensen niet meer duidelijk wat hun rol precies was. Moesten ze vechten, discussiëren of filmen? In het verleden werden veel zaken als collectief georganiseerd, maar langzaam maar zeker gingen mensen hun eigen weg. Er ontstonden meningsverschillen over hoe men zich diende te verhouden tot het geweld en waar men zich op diende te richten. Deze discussies vonden plaats binnen de gehele revolutionaire beweging, maar ook binnen Mosireen.

Zelf verdeelde Lobna haar tijd tussen Tahrir en het presidentieel paleis, waar ze meer dan ooit verzeild raakte in discussies over de rol van het leger en de politie met mensen die nieuw waren in de protestbeweging. Met name bij het paleis, waar meer gegoede mensen kwamen demonstreren, waren velen het niet met haar eens. Zij rekenden op het leger en hoopten dat de politie de orde zou herstellen.

Lobna, Nazly en Selma probeerden de discussie binnen de anti-Morsibeweging breder te trekken door Cinema Tahrirvertoningen te organiseren waarbij de focus vooral lag op de rol van de militairen. Volgens Lobna waren de revolutionairen op dat moment namelijk nog te terughoudend in hun argumenten. 'Achteraf gezien hadden we toen agressiever moeten zijn in het debat. We hadden meer nadruk moeten leggen op de rol van het ministerie en het leger en hoe het huidige regime voortkwam uit een overeenkomst tussen het leger en de broederschap. In plaats daarvan waren we tevreden met de omvang van het protest en daar bleef het bij. We waren niet echt eerlijk tegenover onszelf. De protesten waren weliswaar groot, maar minder revolutionair dan in het verleden. Er was een boel feloel te midden van de protesten, maar niemand zei dat hardop.'

Philip koos een andere, meer economisch georiënteerde focus. Hij raakte betrokken bij een campagne die probeerde het bewustzijn over de schuldenlast van Egypte aan te wakkeren. Onder Mubarak was de buitenlandse schuld van Egypte opgelopen tot ruim 42 miljard euro en het land betaalde jaarlijks ruim 17 miljoen euro rente. Het bewind van Mohamed Morsi was bovendien in vergaande onderhandelingen met vertegenwoordigers van het Internationaal Monetair Fonds (IMF) om een nieuwe lening af te sluiten van 4,8 miljard euro om de Egyptische economie te stabiliseren. De campagne waar Philip onderdeel van was, pleitte voor het kwijtschelden van de schulden die door het dictatoriale bewind van Mubarak waren gemaakt, zodat het land met een economisch schone lei kon beginnen. Daarnaast ageerde de campagne tegen het afsluiten van een nieuwe lening.

Voor Philip was er een direct verband tussen de lening van het IMF, de economische voorwaarden die eraan verbonden waren en het geweld.[39] Hij beschouwde het onophoudelijke geweld in de omgeving van het Tahrirplein als een gevolg van de structurele ongelijkheid in Egypte, een ongelijkheid die slechts in stand kon worden gehouden door een bruut en meedogenloos veiligheids-apparaat.[40] Precies dáár vochten de jongeren tegen. Het gevecht rondom Tahrir was voor Philip meer dan decor, het was de woe-dende expressie van gemarginaliseerde jongeren die gewend waren dat er niet naar hen geluisterd werd, jongeren die geen eisen meer stelden omdat zij erkenden dat er niemand meer was tot wie zij zich konden richten.

Philip maakte er daarom een punt van om tijd door te brengen aan het front en filmde de gevechten. Volgens hem hadden de jon-geren heel duidelijke, maar weinig geraffineerde doelen. Het waren geen hoogopgeleide jongeren uit de middenklasse die hij sprak, maar ze doorzagen de politieke situatie maar al te goed. Zij zeiden dingen als: 'We vechten voor de rechten van onze broeders die ver-moord zijn door het regime.' Deze jongens voelden de ongelijkheid in Egypte en wisten dat de toekomst hun weinig te bieden zou heb-ben. Ook begrepen ze dat politieke keuzes de oorzaak waren van die ongelijkheid. En tragisch genoeg: ze beseften dat zij politiek to-taal onbeduidend waren zolang ze niet vochten. 'Door te vechten keren zij zich tegen een systeem dat zich al lang geleden tegen hen had gekeerd,' vertelde Philip.

Volgens hem waren deze jongeren vanaf dag één het radicale hart van de revolutie en de motor van de gebeurtenissen. Zij geloofden niet meer in politieke oplossingen en waren niet geïnteresseerd in wat de partijen te melden hadden. Ze wisten dat zij hoe dan ook aan het kortste eind zouden trekken. En dus vochten ze – tegen het leger, tegen de politie, tegen de broederschap, het maakte niet uit.

Philip putte hoop uit de gesprekken met de jongens. Het door en door antiautoritaire sentiment was een van de verworvenheden van de Egyptische revolutie. De verandering zat in de mensen. Politieke en economische elites werden met demonstraties en geweld geconfronteerd. Daarin zat volgens Philip de vooruitgang.

Deze redenering werkte hij uit in een artikel over de noodzaak van revolutionair geweld. Zijn redenering luidde dat het jarenlange (economische) geweld en de ontelbare misdaden van de staat een gewelddadige reactie legitimeerden. Er was bovendien een zekere ordeverstoring nodig om de staat te ontregelen. 'Zonder enige vorm van revolutionair geweld zou er geen revolutie zijn en waren we zeker nooit zo ver gekomen,' schreef hij.

Tegelijkertijd maakte hij een korte film met de titel *Waarom rellen?* voor mediacollectief Mosireen.[41] Aan het einde van de film wordt de boodschap als volgt samengevat: 'Het regime gebruikt alles wat het tot zijn beschikking heeft: voetbal, seks, religie, wat dan ook, om ons te verdelen en om zichzelf te versterken. Bestaat er rechtvaardigheid onder een regime dat is gebouwd op onrecht? We willen niet alleen Morsi van zijn troon stoten, net zoals we nooit alleen de val van Mubarak hebben gewild. We moeten hun broederschap niet, en ook hun Nationale Reddingsfront [politieke oppositie] niet. We moeten hun systeem niet, hun partijen, hun verkiezingen en hun kandidaten niet. We moeten hun politie niet en we moeten hun leger niet. Verandering betekent niet slechts een wisseling van de wacht of het organiseren van verkiezingen. (...) Geweld is nooit een doel op zichzelf. Revolutionair geweld keert zich slechts tegen een gebrek aan rechtvaardigheid.'[42]

13

De nieuwe grondwet, die eind december werd aangenomen, verankerde de alliantie tussen het veiligheidsapparaat, de staat en de broederschap. De vorming van de nieuwe staat was daarmee min of meer voltooid. Nu was het zaak om de economie te stimuleren. De lening van het IMF was daarin van levensbelang. Goedkeuring van het fonds gold als een soort garantie voor andere donoren en zette de geldkraan vanuit het buitenland open – onder andere de Europese Bank voor Wederopbouw en Ontwikkeling en verschillende Europese landen stonden te popelen om in Egypte te investeren.[43]

De crux van het moment was echter dat er een zekere vorm van stabiliteit nodig was om het vertrouwen van investeerders te winnen. Volgens het regime was dat vertrouwen de enige manier om de economie aan de praat te krijgen. Het regime moest bewijzen dat het in staat was de onrust het hoofd te bieden en dat het de economische hervormingen die gekoppeld waren aan de lening zou kunnen doorvoeren. De straat moest dus gemuilkorfd worden. Rechtvaardigheid stond voorlopig dan ook niet op de agenda.

Om dat te bereiken werd op 6 januari 2013 de roekeloze Mohamed Ibrahim aangesteld als nieuwe minister van Binnenlandse Zaken. De vijfenzestigjarige Ibrahim was een oudgediende op het ministerie. In 1968 studeerde hij af aan de politieacademie om zich in de daaropvolgende decennia omhoog te werken. In de jaren negentig, tijdens de hoogtijdagen van het conflict tussen gewapende jihadisten en de staat, was Ibrahim hoofd van de veiligheidsdiensten in verschillende regio's van Opper-Egypte, waar hij een meedogenloze en gewelddadige reputatie opbouwde. Hij diende als minister van Binnenlandse Zaken tijdens de laatste zes maanden van de militaire junta en werd nu door het kabinet van Morsi aan boord gehaald om de orde te herstellen.

Tegelijkertijd hoopte Morsi dat hij met Mohamed Ibrahim aan het roer meer grip zou krijgen op het ministerie van Binnenlandse Zaken. Na het weifelende optreden van de veiligheidsdiensten rondom het presidentieel paleis begin december twijfelde Morsi aan de loyaliteit van de troepen.

In de daaropvolgende maanden zou Ibrahim leiding geven aan een terreurcampagne om een einde te maken aan de protesten. Tijdens zijn eerste weken als minister kwamen tientallen demonstranten om het leven en werden ten minste twaalfhonderd activisten gearresteerd. Veel van hen werden gemarteld. Sommigen werden pas dagen na hun arrestatie teruggevonden, in het ziekenhuis, in de gevangenis of in het mortuarium.

Ibrahim slaagde er echter niet in om de stabiliteit te herstellen. Onder zijn ministeriële bewind escaleerde de strijd volledig.

Nazly maakte de terreur van dichtbij mee.

Aan de vooravond van het tweejarig jubileum van de Egyptische revolutie, op 24 januari 2013, stelde president Mohamed Morsi tijdens een toespraak voor de zoveelste keer dat de 'contrarevolutie' en 'overblijfselen van het Mubarakregime' de economische ontwikkeling van Egypte in de weg stonden. Net als de militaire machthebbers voor hem hadden gedaan, riep hij Egyptenaren op zich te richten op 'werk en productie' en te zorgen voor 'een gunstig investeringsklimaat'. De staat zou ondertussen 'alle obstakels voor Egyptische, Arabische en buitenlandse investeerders elimineren, en hen aanmoedigen om in Egypte te komen werken'. In dezelfde toespraak drong Morsi er bij zijn toehoorders op aan het tweejarig jubileum van de revolutie 'vreedzaam [te] vieren'.

Maar de dag verliep niet vreedzaam en niemand vierde de revolutie. In plaats daarvan gingen in heel Egypte opnieuw honderdduizenden mensen de straat op. Her en der braken rellen uit. Delen van de binnenstad van Caïro waren tot in de kleine uurtjes van de nacht gehuld in een dikke wolk traangas.

Een dag na het jubileumprotest liep Nazly het kantoor van de officier van justitie in de wijk Abdien binnen om een vriend bij te staan die een dag eerder in de omgeving van het plein was gearresteerd. Dit bezoek veranderde haar leven. Ze werd aangesproken door ouders die op zoek waren naar hun vermiste kinderen. Ze zou haar vriend die avond niet te zien krijgen.

Niemand op het kantoor van de officier van justitie kon iets vertellen over deze vermiste jongeren en het interesseerde ook niemand. Nazly voelde zich dus verplicht om iets te doen. Ze praatte met de ouders, noteerde namen en besloot hen te helpen met hun zoektocht.

Ze zocht naar patronen, informeerde wie waar wanneer was gearresteerd en probeerde vervolgens te achterhalen waar de verdachten werden vastgehouden. Indien de gevangenen voedsel, kleding of dekens nodig hadden, werd daarvoor gezorgd. Op die manier organiseerde Nazly samen met een aantal vrienden noodhulp voor de gevangenen.

Elke dag kwam ze in contact met nieuwe mensen die op zoek waren naar familieleden en elke dag kon ze namen doorstrepen op haar lijst. Maar niet iedereen werd gevonden. De namen die overbleven, zouden Nazly in de daaropvolgende weken tot wanhoop drijven.

Samen met haar kameraden maakte ze lawaai, af en toe met succes. Ze diende een officiële klacht tegen de Egyptische staat in. Diezelfde avond mocht ze in een actualiteitenprogramma komen uitweiden over de klacht en de vermisten die ze zocht. De volgende ochtend werd ze gebeld door een aantal families met de boodschap dat vermiste familieleden thuis waren. Wegens een cellentekort waren ze al die tijd vastgehouden in barakken van de veiligheidsdienst. De ochtend na het televisieoptreden van Nazly hadden ze vijf pond gekregen van een officier om met het openbaar vervoer naar huis te gaan.

Niet veel later kreeg ze een anonieme tip over arrestanten bij een politiebureau. Deze groep was zes dagen eerder gearresteerd én vrijgesproken, maar het bevel om de arrestanten vrij te laten was nooit bij de juiste mensen aangekomen.

Niet alle vermisten werden echter levend teruggevonden. Op 31 januari kreeg Nazly een telefoontje van een van de oprichters van Nee Tegen Militaire Tribunalen Voor Burgers. Deze vertelde haar dat er een ernstig gewond kind in het ziekenhuis lag. Het zou gaan om ene Omar Ahmed, een naam die Nazly op haar lijst had staan. De jongen was in zijn hoofd geschoten en hij was daarom moeilijk te identificeren. Nazly belde de vader van Omar, die hem onmiddellijk herkende.

Naast Omar lag een andere hevig toegetakelde jongen. De achtentwintigjarige Mohamed el-Guindi was afkomstig uit Tanta, een middelgrote stad in de Nijldelta. Net als Gika was hij een bekend gezicht bij protestacties. Op de avond van 27 januari werd hij gearresteerd in de omgeving van het Tahrirplein en meegenomen naar de barrakken van de veiligheidsdiensten. Enkele dagen later werd het verbrijzelde, comateuze, opgezwollen, naakte lichaam van Mohamed el-Guindi zonder boe of ba door de politie achtergelaten in het ziekenhuis. Op maandag 4 februari stierf hij aan zijn verwondingen. In zijn nek en hals waren volgens artsen duidelijke sporen van wurging zichtbaar. Daarnaast had de jongen brandplekken op zijn hele lichaam, zelfs op zijn tong. Volgens experts waren de brandplekken het gevolg van stroomschokken – een veelgebruikte martelmethode in Egypte. Het ministerie van Binnenlandse Zaken zou echter altijd blijven volhouden dat de jongen was overleden aan de gevolgen van een verkeersongeluk. De moord op Mohamed el-Guindi, leidde tot woede. Bij zijn begrafenis kwam het wederom tot rellen, in Caïro, maar ook in zijn geboorteplaats Tanta.

Op dat moment was Mohamed el-Shafei de laatste naam op Nazly's lijst. Samen met zijn wanhopige moeder ging ze langs alle ziekenhuizen, gevangenissen, rechtbanken en natuurlijk het mortuarium. Maar ze vonden hem niet.

Op 3 maart nam een arts van het Mouniraziekenhuis contact op met Nazly. Hij vertelde haar dat de politie een paar dagen eerder een dood jongetje binnen had gebracht. Voordat de artsen het jongetje hadden kunnen onderzoeken, namen de agenten hem na een woordenwisseling weer mee. Een dokter had in de tussentijd een foto weten te maken van het stoffelijk overschot. Die speelde hij door aan Nazly en zij schakelde de media in. Zodoende wist Nazly binnen enkele dagen de naam van de jongen te achterhalen – het was de twaalfjarige Omar Salah.

Enkele weken eerder had iemand toevallig een kort gesprekje met Omar gefilmd en op YouTube geplaatst – op basis daarvan werd hij herkend. In het filmpje vertelde Omar dat zijn vader dood was en dat hij werkte om voor zijn zusjes en moeder te zorgen. Hij verkocht gepofte zoete aardappelen, een baan die hij overigens meer dan zat was. Lezen en schrijven had hij nooit geleerd; zijn grootste wens was om naar school te gaan.

Volgens het ministerie van Binnenlandse Zaken was Omar per ongeluk doodgeschoten door een politieagent in de omgeving van de Amerikaanse ambassade, vlak bij het Tahrirplein. In een officiële verklaring nam het ministerie verantwoordelijkheid voor de dood van Omar en het bood verontschuldigingen aan.

Nader onderzoek van Nazly leerde echter dat er meer aan de hand was. Ze ontdekte dat het niet de politie was die Omar had doodgeschoten, maar het leger. Ze ondervraagde mensen in de omgeving van de Amerikaanse ambassade en iedereen bevestigde dat een soldaat de jongen had doodgeschoten. Het was een vreemde situatie. Het ministerie van Binnenlandse Zaken was verantwoordelijk voor talloze moorden en bood nooit excuses aan. Nu verontschuldigde het zich voor een misdaad die het helemaal niet had begaan.

Via kennissen kreeg Nazly het adres van Omars vader in handen, die bleek gewoon nog te leven. De vader verkocht ook gepofte zoete aardappelen. Omar vertelde altijd dat zijn vader dood was omdat hij zich schaamde voor zijn armoedige afkomst.

Op de avond dat Omar werd doodgeschoten, gingen vader en zoon apart van elkaar hun aardappelen verkopen in de buurt van het plein. Omar werd aangesproken door een soldaat die een van de grote betonnen muren moest bewaken vlak bij de Amerikaanse ambassade. Hij wilde een zoete aardappel. Omar antwoordde dat de soldaat moest wachten omdat hij moest plassen. Daarop schoot de soldaat twee keer en doodde hij Omar Salah.

Nazly regelde via haar contacten bij de media dat Omars vader zijn verhaal op televisie mocht vertellen. Daarop gaf het leger toe dat het verantwoordelijk was voor Omars dood.

Nazly was blij dat de waarheid boven tafel kwam, maar tijdens de begrafenisceremonie voor Omar knapte er iets. Er was een mars georganiseerd door de binnenstad van Caïro, en in het midden hield men een grote witte vlag vast met daarop de beeltenis van Omar. In de mars liepen zijn collega's mee, kinderen die hun rokende mobiele oventjes in stilte voortduwden.[44] Nazly, die vóór de revolutie al met kinderen werkte, brak. Al die doden en gemartelden, de hoop en de teleurstelling – het werd haar op dat moment te veel. Een dag later vertrok ze naar Beiroet om bij te komen.

Terwijl ze daar was, belde haar moeder om te vertellen dat Mohamed el-Shafei, de laatste naam op de lijst van Nazly, eindelijk was gevonden. Of beter gezegd: zijn lichaam was gevonden. Hij lag op een hoop in een afgelegen cel van het mortuarium. Het lichaam van Mohamed el-Shafei vertoonde sporen van marteling. Er werden drie kogels in zijn lichaam gevonden.

Nazly vloog direct terug naar Caïro om zijn ouders bij te staan, met wie ze inmiddels een goede band had opgebouwd. Ze kwam bij hen thuis en ontdekte daar dat Mohamed een bevlogen jongen was geweest, een echte revolutionair. Hij had een doos op zijn kamer waarin hij alles bewaarde wat met de revolutie te maken had. Al zijn herinneringen zaten bij elkaar: opgeraapte traangasgranaten, kogelhulzen, een projectiel waar hij door was geraakt, een doek waar hij op had gebloed. Alle voorwerpen waren voorzien van een datum en een korte omschrijving.

Alle vermisten waren nu boven water, maar Nazly was kapot. Ze rookte twee tot drie pakjes sigaretten per dag en sliep slecht. Daarnaast had ze last van nachtmerries, huilbuien en paniekaanvallen. Ze besloot weg te gaan uit Caïro, weg van de realiteit van de revolutie.

We gingen met zijn allen naar het strand, zo ver mogelijk van de hoofdstad, aan de oostkust van de Sinaï. Nazly weigerde echter mee terug naar Caïro te gaan. Enkele dagen later stuurde ze een e-mail aan vrienden waarin ze haar wat ze noemde 'revolutionaire beslissing' liet weten om langere tijd weg te blijven en te gaan werken in een resort aan het strand. Ze moest alle gebeurtenissen verwerken en dat kon alleen als ze langere tijd weg zou blijven uit Caïro.

In die periode kwam een groep mensenrechtenadvocaten met een rapport over politiegeweld in het nieuwe jaar.[45] Sinds januari 2013 had de politie volgens het rapport 63 gedocumenteerde moorden gepleegd – het trieste resultaat van het offensief van Mohamed Ibrahim. In dezelfde periode was de politie volgens het rapport verantwoordelijk voor 29 gedocumenteerde gevallen van seksueel geweld.

Niet veel later werd Karim bij ons gebracht.

Karim, een slungelige jongen uit Moqattam, een wijk aan de oostrand van de stad, was in de twintig. Hij had recentelijk een tijd in de gevangenis gezeten en hij was gemarteld. Na zijn vrijlating was hij overgebracht naar het ziekenhuis om te herstellen. Maar toen hij uit het ziekenhuis was ontslagen, durfde hij nog steeds niet naar huis. Via Hossam Bahgat, een vriend van Philip en hoofd van mensenrechtenorganisatie Egyptisch Initiatief voor Persoonlijke Rechten, kwam hij uiteindelijk bij ons terecht.

Philip en ik droegen hem gezamenlijk naar binnen. De linkerhelft van zijn lichaam leek verlamd, of beter gezegd verstijfd, zijn gezicht was permanent vertrokken van de pijn. Met veel moeite legden we hem op een bed in onze woonkamer, waar hij de volgende drie dagen zou verblijven.

Karim weigerde te eten, maar dronk de hele dag thee die zo sterk was dat het koffie leek, met vier flinke scheppen suiker. Hij rookte continu en neuriede af en toe een treurig deuntje. Als hij iets zei, sprak hij met zachte stem, maar over het algemeen was hij zwijgzaam en staarde hij met toegeknepen ogen en een gepijnigd gelaat in het oneindige. Karim had verschrikkelijke dingen meegemaakt, zoveel was duidelijk.

Langzaam maar zeker wist hij zijn ledematen te ontspannen en kwam er beweging in de linkerhelft van zijn lichaam, eerst in zijn arm, later ook in zijn been. Maar het was pas enkele weken later dat we de toedracht van zijn aandoening begonnen te begrijpen. De wonden van Karim waren niet zozeer fysiek van aard, maar psychisch. Zijn spieren waren verkrampt als gevolg van een trauma.

'Geslagen worden maakt niet zoveel uit, ze mogen me afranselen en uitschelden, het is mij om het even, ik ben wel wat gewend. Maar dat andere, dat andere zorgt ervoor dat je de wereld en jezelf gaat haten. Dat je je eigen geur en alles om je heen gaat haten,' vertelde hij voorzichtig op een avond terwijl hij ongemakkelijk naar de grond bleef kijken.

Karim was de oudste in de cel. De gevangenis zat vol met jongens van verschillende leeftijden, maar allemaal minderjarig. 'Op een avond werd ik meegenomen naar een apart kamertje, een soort kantoortje waar ik me moest uitkleden. Een paar agenten deden mij handboeien om. Vervolgens werd ik opgehangen, daarna...' Midden in de zin viel Karim stil. Hoewel het gebruik van seksueel geweld niet nieuw is in Egypte, is er een enorm taboe om erover te praten. 'Ze probeerden me te vernederen. Terwijl ze bezig waren, scholden ze en lachten ze me uit en bedreigden ze mijn familie. Hun doel is om jongens zoals ik kapot te maken,' was uiteindelijk alles wat Karim erover wilde zeggen.

Karim werd verkracht met een stok door de Egyptische politie nadat hij was opgepakt voor zijn rol in de protesten eerder die maand. Hij hoorde bij een kleine groep jongeren die sinds het tweejarig jubileum van de revolutie weigerde het plein uit handen te geven.

Eerder die maand hadden betogers, nadat een protestmars tot stilstand was gedwongen, een politiecommandant gevangengenomen en twee politiebusjes buitgemaakt. Een van de twee werd direct in de fik gezet in een zijstraat van de Corniche. De andere werd door betogers triomfantelijk het plein op gereden, geplunderd en vervolgens verbrand. Volgens de politie had Karim een rol gespeeld bij het verbranden van het tweede politiebusje.

Een aantal weken later wachtte de politie hem op bij metrohalte Dokki, waar Karim elke week kwam om zijn zus te bezoeken. Terwijl hij het metrostation verliet, werd hij gegrepen. Op het moment dat hij de politiebus in werd getrokken, zag hij aan de overkant van de straat iemand naast de agenten staan die hij herkende van het kampement op Tahrir. Hij was verraden.

Na uitvoerige gesprekken met Karim besloot Philip een korte film te maken over het gebruik van seksueel geweld door het regime. Na lang twijfelen ging Karim akkoord. Daarmee werd hij een van de weinige mannen die openlijk durfden te praten over het seksuele geweld van de staat en over de sociale en psychische dimensies ervan.

Ondertussen begonnen ook vrouwen zich te organiseren tegen seksueel geweld.

———

De straten van Egypte zijn het domein van de man. Op elke straathoek, voor elke winkel, in elk koffiehuis en bij elke moskee zitten of staan mannen. Ongelukken, opstootjes of discussies op straat, de politiek, de media, de staat en het leger, vrijwel alles in Egypte wordt gedomineerd door mannen en mannelijke perspectieven. Dat gegeven, gepaard met een gebrek aan seksuele voorlichting, conservatieve sociale normen, armoede en een latent mannelijk meerwaardigheidsgevoel, maakt seksuele intimidatie en seksueel geweld tot serieuze problemen in Egypte.

Volgens een onderzoek van HarassMap, een netwerk van vrijwilligers dat sinds 2010 strijdt tegen seksuele intimidatie en seksueel geweld tegen vrouwen, is meer dan 99 procent van de door hen ondervraagde vrouwen wel eens slachtoffer geweest van seksuele intimidatie en seksueel geweld – uiteenlopend van aanranding (59,5 procent van de ondervraagden is tegen haar wil 'aangeraakt') en verkrachting tot verbale intimidatie. Bijna de helft van de vrouwen die meededen aan het onderzoek, stelt bovendien dat dergelijke 'alledaagse ongewenstheden' meer dan één keer per dag plaatsvinden.

Het is dus niet geheel onlogisch dat vrouwen een centrale rol vervulden in de Egyptische revolutie. De strijd richtte zich met name tegen het leger, het ministerie en de broederschap, alle drie door en door patriarchale en seksistische instituten. Vrouwen zijn politiek gezien nog altijd de grootste minderheid in Egypte.

De kleuren die je draagt, je hobby's, je werk, de manier waarop je je in het openbaar dient te gedragen: alles is in Egypte gerelateerd aan je geslacht. Jongens mogen af en toe best losbandig zijn, zo zijn ze nu eenmaal, maar meisjes kunnen gemakkelijk de eer van de familie beschadigen – deze visie is gebruikelijk bij zowel moslims als christenen in Egypte. Toen een vriendin ooit op televisie wilde praten over een seksueel gerelateerd onderwerp, werd ze teruggefloten door haar familie. Iets wat met seksualiteit te maken heeft, is *'eib*, een schande, en daar kan niet over gepraat worden en al helemaal niet door vrouwen.

Na de val van Mubarak werd de relatieve politieke vrijheid door vrouwen vrijwel direct aangegrepen om hun positie aan te kaarten. Op 8 maart 2011 marcheerden vrouwen over het Tahrirplein om aan de wereld en aan de rest van het land te laten zien dat vrouwenrechten hoog op de agenda van het nieuwe Egypte zouden moeten staan. Maar de mars werd aangevallen door mannen die riepen dat vrouwen niets op straat te zoeken hadden.

Sindsdien gingen honderdduizenden vrouwen de straat op en lieten talloze vrouwen hun stem horen. Hoewel het revolutionaire sentiment zich vooral uitte in politieke en economische eisen, drong het ook door in de maatschappelijke verhoudingen. Er werd meer in twijfel getrokken dan alleen de dictatuur. De revolutie riep een opstandige cultuur in het leven en vrouwenemancipatie vormde een natuurlijk onderdeel van deze cultuur.

Vanaf november 2012 staken vrienden al hun energie in een nieuw initiatief om seksueel geweld tegen vrouwen tijdens protesten te bestrijden. Op het Tahrirplein of rondom het presidentieel paleis probeerden zij slachtoffers van seksueel geweld – waar mogelijk – uit de klauwen van hun belagers te redden.

Het initiatief, OpAntiSH genaamd, oftewel *Operation Anti Sexual Harassment,* werd opgericht als noodgreep na een vermeende toename van seksueel geweld tijdens protesten. Een kleine groep activisten zou zich mengen in de protesten met een roze lint om hun armen gebonden. Zij zouden fungeren als meldpunt voor seksuele intimidatie en interveniëren waar het kon. Selma, Lobna en Jasmina deden mee.

Hoewel zij vooraf wisten dat seksuele intimidatie een groot probleem was, waren ze niet voorbereid op wat er komen zou. De eerste dag dat OpAntiSH zich mengde in een protest, belandde een slachtoffer van seksueel geweld in het ziekenhuis. Het meisje was ernstig toegetakeld en verkracht door een groep vermeende 'mededemonstranten'. Voor de vrijwilligers was dat een schok en een openbaring. Hier was geen sprake van intimidatie, dit was geweld.

De verhalen die ze in de daaropvolgende dagen en weken tegenkwamen, waren werkelijk afschuwelijk. Het leek erop dat er georganiseerde groepen het plein op gingen met de intentie om vrouwen aan te vallen – wellicht met als doel de protesterende massa te verdelen en vrouwen af te schrikken. Het betekende in elk geval dat de interventies van de activisten verbeterd moesten worden. Ze besloten vuur met vuur te bestrijden.

Op 1 februari plaatste OpAntiSH een nogal expliciete video op YouTube van een groepsverkrachting op het Tahrirplein. In de video, die vanaf een balkon is gefilmd, is goed te zien hoe de aanvallers te werk gingen. Er waren jongens die omstanders met stokken en vlammenwerpers op afstand hielden terwijl anderen het meisje belaagden. In de video geeft een vrouwenstem kalmpjes uitleg. 'Dit is geen vechtpartij,' zegt de stem. 'In het midden van de kring bevindt zich een meisje. Het meisje wordt aangerand. Op dit moment zitten er drie of vier handen in haar broek, en drie of vier handen zitten onder haar blouse. Ongeveer tien mannen houden haar vast. Er is iemand die haar schoenen uittrekt zodat anderen haar broek makkelijker kunnen uittrekken. Een andere jongen houdt het meisje vast en zegt tegen haar dat hij haar zal beschermen, maar in werkelijkheid is hij ook een aanrander en bevinden zijn handen zich onder haar ondergoed.'[46]

Ondanks de afschrikwekkende beelden diende de video niet om vrouwelijke demonstranten angst aan te jagen, integendeel. Aan het eind van de video is te zien hoe vrijwilligers van OpAntiSH interveniëren en de aanvallers uiteendrijven. De stem in de video sluit af met de volgende boodschap: 'We zullen niet zwijgen. We zullen niet breken. We laten ons niet tegenhouden. In de omgeving van het Tahrirplein vinden groepsverkrachtingen plaats. Kom en help het verzet tegen de verkrachters omdat we niet van plan zijn om thuis te blijven. Het plein is ons plein, de revolutie is onze revolutie en deze strijd zullen we voeren tot onze laatste adem.' De video werd meer dan anderhalf miljoen keer bekeken.

Selma, Lobna, Jasmina en anderen vormden interventieteams en bedachten strategieën om zo efficiënt mogelijk te kunnen interveniëren. Deze strategieën werden vervolgens overgebracht op vrijwilligers tijdens trainingssessies waar vele tientallen mensen op afkwamen.

In de eerste maanden van 2013 zou OpAntiSH uitgroeien tot

een goed georganiseerde burgerwacht. De leden van de interventieteams gingen gekleed in witte T-shirts en droegen in sommige gevallen lichte wapens zoals stokken, tasers of pepperspray. Ze stonden opgesteld op duidelijk herkenbare of beruchte (slecht verlichte) locaties rondom het plein. Er was een zogenoemde controlekamer waar een noodtelefoon werd beantwoord door vrouwen. Het nummer van de noodtelefoon werd verspreid op flyers en via sociale media en stond met koeienletters op spandoeken die op verschillende punten op het plein hingen. In de buurt van alle uitgangen van het plein stonden bovendien vluchtauto's klaar om eventuele slachtoffers naar een veilige omgeving of spoedeisende hulp te brengen. In het gunstigste geval kreeg de controlekamer een belletje zodra een meisje in nood was. Vervolgens belde de controlekamer de locatie door aan een van de interventieteams, dat vervolgens het meisje probeerde te bevrijden.

Het was een uitputtende strijd. Hoe bekender OpAntiSH werd, hoe vaker de controlekamer werd gebeld en hoe meer incidenten er leken te zijn. De vijand was onherkenbaar, bewapend en hield zich schuil tussen de demonstranten. Het werd nooit duidelijk wie de vijand precies was, zaken werden nooit onderzocht, laat staan opgelost, OpAntiSH deed uiteindelijk alleen aan symptoombestrijding. Toch waren de acties een succes. De organisatie slaagde erin een bewustzijn te creëren omtrent seksuele intimidatie en seksueel geweld. De begrippen bereikten een breed publiek en werden op die manier bespreekbaar gemaakt. En dat was hoognodig.

Het huis waar ik samen met Philip was ingetrokken op de dag dat Morsi president werd, was allang niet meer de oase van rust waar wij aanvankelijk op hadden gehoopt. Als gevolg van de voortdurende onrust in de binnenstad veranderde onze straat van een relatief rustige zijstraat in een rommelige uitvalsbasis voor de veiligheidsdiensten. In plaats van ambtenaren op weg van en naar hun werk zagen we nu vooral jonge jongens afkomstig van het Egyptische platteland die, nauwelijks getraind, door de staat in zwarte uniformen waren gehesen om de protesten met wapenstokken en shotguns de kop in te drukken.

Overdag hingen de soldaten maar wat rond, rookten sigaretten, speelden met hun telefoons en sisten naar passerende vrouwen in afwachting van een volgende *tour of duty*. Tijdens rustige avonden hielden ze elkaar gezelschap rondom kleine kampvuurtjes gemaakt van de takken die ze van de weinige bomen in de straat trokken en sliepen ze gewikkeld in dekens in de beschutte hoekjes van de straat of onder de gepantserde politiebusjes, die er inmiddels flink gehavend uitzagen.

De straat was aan beide kanten afgesloten door rollen prikkeldraad en stalen wegversperringen. De Qasr Al-Ainistraat, waar mijn straat in het westen op uitkwam, was in beide richtingen afgesloten door enorme betonnen muren. Tussen deze muren, op wat voorheen een van de belangrijkste verkeersaders van de binnenstad was, stonden overdag tientallen auto's geparkeerd en leefde een contingent van de centrale veiligheidsdienst.

De kruidenierszaakjes op de hoek werden overeind gehouden door de troepen die er dagelijks hun brood, witte kaas, olijven, suiker en theezakjes kwamen kopen. Volgens de flegmatieke Mohamed, die samen met zijn broer een van de winkeltjes uitbaatte, was deze klandizie beter dan niets. Politiek interesseerde hem niets, riep hij altijd. Maar toen de veiligheidsmuren zijn klandizie afsneden en daarmee zijn inkomen halveerden, begon ook hij te mopperen op de politieke gang van zaken. De aanwezigheid van de veiligheidstroepen bracht hem enig respijt.

Aan de oostkant van de straat ging het leven zijn normale gangetje, al waren tekenen van de revolutionare tijd niet ver weg. De muren waren beklad met politieke leuzen, het vuilnis hoopte zich op en na zonsondergang maakten de straathonden er de dienst uit. Het verkeer was een nog grotere chaos dan voorheen door opstoppingen veroorzaakt door de veiligheidsmuren rondom het ministerie van Binnenlandse Zaken en vanwege de uitdijende informele markt rondom de metrohalte Saad Zaghloul. De politieke wanorde had op veel plekken in de stad vrijmarkten in het leven geroepen.

Het was opmerkelijk hoe snel men aan deze situatie gewend raakte. Verkeersstromen werden omgelegd en nieuwe doorgangen ontstonden bijna automatisch. Niet ver van mijn huis kropen honderden werknemers van banken en ministeries in de omgeving dagelijks door een gat in de muur om bij hun werk te komen. Mannen in pakken balanceerden over de provisorische doorgangen en sprongen, omgeven door uitgebrande auto's, van rotsblok naar rotsblok om niet te hoeven omlopen. Als er in de omgeving gevochten werd en de wind kwam uit de verkeerde hoek, reikten voorbijgangers routineus in hun binnenzak naar zakdoekjes of een mondkapje om vervolgens met tranen in hun ogen hun weg te vervolgen.

Maar de onrust vrat niet alleen aan de hoofdstad. Gelijktijdig met de hierboven beschreven straatoorlog tussen de nieuwe minister van Binnenlandse Zaken en jonge revolutionairen zou het centrale gezag in Caïro de controle verliezen over de havenstad Port Said. Dit drama is op de lange termijn wellicht bepalender geweest voor de positie van Mohamed Morsi en de houding van de militairen dan de ontwikkelingen in de hoofdstad. Met het verlies van Port Said dreigde het land uiteen te vallen.

———

Op de ochtend van 26 januari 2013 stond ik met een toen nog frisse Nazly, twee andere vrienden en een paar duizend voetbalsupporters voor het clubhuis van voetbalclub Al-Ahly op het eiland Zamalek, midden in Caïro. De menigte stond gespannen te wachten op een uitspraak in de rechtszaak omtrent het bloedbad in havenstad Port Said waarbij een jaar eerder ten minste 74 aanhangers van Al-Ahly om het leven waren gekomen.

Al weken was Egypte in de greep van de rechtszaak. De Ultra's

Ahlawy, de harde kern van supporters van voetbalclub Al-Ahly, zwoeren wraak te zullen nemen indien de verdachten vrijuit zouden gaan. Op muren in de stad, in metro's en op spandoeken schreven zij een dreigende boodschap: '26/01 Genoegdoening of Chaos.' Er stonden 73 verdachten terecht, vrijwel allemaal burgers en supporters van Al-Masry, de voetbalclub uit Port Said waar het bloedbad zich had afgespeeld. Van hen werden er die dag 21 ter dood veroordeeld.

Toen het vonnis via de krakerige transistorradiootjes die de supporters in hun handen geklemd hielden de wachtende massa in Caïro had bereikt, barstte een oorverdovend gejuich los. Supporters gehuld in de clubkleuren of met ontbloot bovenlijf klommen, bezeten door een uitzinnige vreugde, op de daken van het stadion, in bomen en lichtmasten en zongen liederen. De jongens feliciteerden elkaar, vielen elkaar in de armen en staken onder luid gejuich vuurwerk af – ze hadden iets te vieren, vonden ze.

Enigszins verbouwereerd nam ik de taferelen in me op. Eenentwintig burgers waren zojuist ter dood veroordeeld in een politiek erg beladen en dubieus verlopen rechtszaak en om mij heen vierden duizenden jongeren het vonnis als een overwinning.

Het was voor het eerst sinds het begin van de revolutie dat ik het moeilijk vond om sympathie op te brengen voor de emoties om me heen. Voor mij voelde het vonnis als een nederlaag, een sterk staaltje manipulatie waarbij Port Said werd opgeofferd om Caïro te pacificeren. De Ultra's Ahlawy werden afgekocht met het bloed van hun rivalen. De rivaliteit tussen de twee steden was blijkbaar sterker dan de revolutie, en dat viel mij tegen.

Nazly deelde mijn onbegrip, al kon ze tegelijk meer waardering opbrengen voor de juichende supporters. Haar broer was al jarenlang betrokken bij de harde kern van Al-Ahly, en enkelen van zijn vrienden hadden de uitwedstrijd in Port Said niet overleefd. Zij had het verlies van dichtbij meegemaakt en kon derhalve de opluchting beter plaatsen. Ze genoot van de blijdschap van de jongens nadat ze een jaar lang in rouw hadden geleefd.

In het stadion namen de supporters bezit van de omgeving. Het veld en de grootste tribune zagen zwart-rood van de mensen. Twee van hen werden op schouders gedragen en staken boven de menigte uit: een van de *capo's* (leiders) van de Ultra's en de vader van een van de slachtoffers. De duizenden aanwezigen hielden allemaal tegelijk de adem in. De capo zette aan en de rest herhaalde zijn woorden ' *Ya Rab!* [Letterlijk 'O Heer', maar gebruikt in een minder religieuze context dan de letterlijke betekenis doet vermoeden.] De hemel! – klap klap – o martelaar!' Al kon ik het niet begrijpen, indrukwekkend was het zeker.

In Port Said was de sfeer echter totaal anders. Families van de verdachten waren die ochtend samengekomen voor de deur van het politiebureau waar hun dierbaren werden vastgehouden om gezamenlijk het vonnis aan te horen. Zodra het vonnis was uitgesproken, braken er zware rellen uit waarbij ten minste dertig mensen om het leven kwamen. Volgens de ooggetuigen die ik later zou spreken, schoten sluipschutters vanaf het dak van het politiebureau lukraak op de menigte. Toen de slachtoffers een dag later werden begraven, braken er opnieuw ongeregeldheden uit. Zeven mensen vonden de dood. Inwoners van de stad waren nu verwikkeld in een openlijke oorlog met de politie en de politieke orde die zich erachter schuilhield. Leden van de broederschap die medeverantwoordelijk werden gehouden voor de acties van het regime, doken onder of verlieten de stad. De politie trok zich terug. Die avond – het was 27 januari – verscheen een enigszins verwilderde Mohamed Morsi op televisie. Met overslaande stem riep hij een dertig dagen durende noodtoestand uit in de steden rondom het Suezkanaal, Ismaïlia, Suez en Port Said. Het leger zou de orde handhaven in plaats van de politie, en van negen uur in de avond tot zes uur in de ochtend zou er een avondklok gelden.

Twee dagen later arriveerde ik samen met een vriend in het belegerde Port Said. We sliepen bij een vriend op de bank en elke avond om negen uur precies sloten we ons aan bij de massale demonstraties tegen het bewind van Mohamed Morsi, tegen de politie en tegen het nachtelijk uitgaansverbod. De demonstraties, waar een dwarsdoorsnede van de bevolking van Port Said aan meedeed, tartten het gezag van Mohamed Morsi. In plaats van de stilte van de avondklok weergalmden de strijdbare leuzen elke avond op het gepantserde staal van de tanks die roerloos langs de weg geparkeerd stonden.

'Het is negen uur, stelletje hoerenzonen!' zong men. '*Ya Morsi Kos Ommak, il hazr da 'and Ommak!* (Letterlijk: 'O Morsi, de kut van je moeder,' – maar gebruikt zoals *fuck you* in het Engels – 'een uitgaansverbod voor je moeder!')

De mensen in Port Said voelden zich gekrenkt. In hun ogen was de stad het slachtoffer van een politieke kosten-batenanalyse. Port Said, de trotse havenstad aan de monding van het Suezkanaal, als politiek offerdier – dat was moeilijk te verkroppen.

De stad werd gesticht op 25 april 1858, dezelfde dag waarop Ferdinand De Lesseps – de Franse ontwerper van het Suezkanaal – het startschot gaf voor de graafwerkzaamheden voor het kanaal. Sindsdien is de ontwikkeling van de stad vervlochten met die van een van de meest lucratieve ondernemingen van het land: het Suezkanaal. De inwoners van Port Said hebben zichzelf en hun inspanningen daarom altijd als een van de pijlers van het moderne Egypte beschouwd.

Toen Israël, Engeland en Frankrijk in 1956 gezamenlijk Egypte aanvielen nadat president Gamal Abdel Nasser het Suezkanaal had genationaliseerd, vonden de hevigste gevechten plaats in Port Said. Nasser had opdracht gegeven de bevolking te bewapenen en de inwoners van de stad boden hevig verzet. Deze gebeurtenis staat nog altijd in het collectieve geheugen van de stad gegrift.

In een van de houten koloniale koffiehuizen van de stad sprak ik op een avond met een blinde veteraan van die oorlog. Met veel handgebaren en instemmend gegrom van de andere aanwezigen vertelde hij hoe hij als dertienjarige jongen deelnam aan de strijd.

De man had als kind op de fiets munitie van wijk naar wijk gebracht. 'Iedereen deed mee aan die oorlog, er was niemand die zich afzijdig hield,' vertelde hij hoestend. 'Egypte,' zo ging hij verder, 'heeft een boel te danken aan de mensen van deze stad. President Morsi begrijpt dat niet. Hij weet niet wat ons nationaal belang is. Hij kent de geschiedenis en het belang van deze omgeving blijkbaar niet. Eerst laat hij ons ter dood veroordelen, dan laat hij zijn mensen op ons schieten en vervolgens stuurt hij het leger. Hij stuurt het leger naar Port Said, de stad die altijd bereid was te bloeden voor Egypte. Dat is onacceptabel. Morsi en de Moslimbroederschap hebben afgedaan voor ons, definitief. We hadden gehoopt dat zij met goede ideeën het land zouden regeren, maar ze bakken er niets van. Maar vergis je niet,' voegde hij er met een grijns aan toe. 'Verzet zit ons in het bloed. Wat je hier in de stad hebt gezien, zal zich verspreiden door heel Egypte. Het einde van de president is nabij.'

14

De onrust in Port Said duurde nog weken, net als in steden als Suez, Mansoura, Tanta en Alexandrië. Leden van de Moslimbroederschap en de Partij voor Vrijheid en Gerechtigheid hielden zich gedeisd uit angst voor agressie. Kantoren van de partij waren onherkenbaar geworden. Alle vlaggen en posters waren van de gevels verwijderd. 'Op het moment is het niet makkelijk om een Moslimbroeder te zijn,' vertelde een kennis die lid was van de broederschap met een vergoelijkende glimlach. 'Maar God weet dat wij voor hetere vuren hebben gestaan.'

De bezetting van het Tahrirplein duurde met korte intervallen tot mei, maar stelde politiek gezien niet veel meer voor. Morsi was de controle kwijtgeraakt over steden, een bezet plein meer of minder deed nauwelijks ter zake. De strijd voor een ander Egypte had onder Morsi een andere vorm aangenomen. De grandeur van het plein was verdwenen en de sfeer in het land was grimmig. De semipermanente nederzetting op Tahrir bestond uit enkele theekraampjes, wat tentzeilen, hekken, prikkeldraad en stoelen. Arme gewonden van de revolutie, straatkinderen, allerhande louche figuren, informanten voor de veiligheidsdienst en daklozen hielden er elkaar gezelschap. Elke ochtend ontwaakten zij onder een hoopje verfomfaaide dekens in het metrostation of langs de randen van het plein, in een beschutte hoek, achter houten theekraampjes of onder het zeil van een scheefgezakte, groezelige tent.

Dit domein, dat ooit voornamelijk werd betreden door ambtenaren, zakenlieden, dagjesmensen en toeristen, werd nu bewoond door de noodlijdende inwoners van de stad en het menselijk residu

van de Egyptische revolutie. Een van de pleinbewoners was de een-
benige Ahmed.

Ik ontmoette Ahmed op een nacht op het plein tijdens het bewind van de militaire junta. Ik had een afspraak met een vriend
en nam plaats op een plastic stoel terwijl ik wachtte. Met een zelfgemaakte houten kruk onder zijn oksel kwam hij mijn bestelling
opnemen.

Ahmed had tijdens de achttien dagen zijn linkeronderbeen verloren doordat een politiebus over hem heen was gereden. Sindsdien leefde hij op het plein, waar hij een houten kruiwagen had
ingericht als theekraam en met een gasfles en een brander thee en
oploskoffie bereidde. Met een stuk of zes plastic tuinstoelen tover-
de hij een aantal vierkante meter van het plein om tot een terras.
Ahmed kwam oorspronkelijk uit Haram, de buurt van de piramides, maar hij was al maanden niet meer thuis geweest. Op het plein
werd hij omringd door lotgenoten. Met zijn houten kruk hinkelde
hij om zijn kruiwagen en schonk hij zijn klanten thee. Maar hij
ging ten onder aan de ondergang van het plein. In de laatste maanden van het bewind van Morsi liep ik Ahmed nog sporadisch tegen het lijf. Elke keer zag hij er slechter uit en werden de littekens
in zijn gezicht talrijker en zijn kleren vuiler en werd zijn houding
sluwer. Uiteindelijk zou zijn theekraam bij een onduidelijke ruzie
tussen pleinbewoners in vlammen opgaan.

De laatste keer dat ik hem zag, ergens in mei 2013, bungelde er
een groot mes aan zijn riem en beheerde hij met een paar andere
jongens van dubieus allooi een door hen in het leven geroepen parkeerplaats voor het hek van de Mugamma' op het plein. De jongens
hadden een deel van het plein ontruimd en verdienden geld door
de auto's te bewaken – een lucratieve bezigheid.

Ook onder het plein waren de veranderingen ingrijpend geweest.
Het metrostation dat zich uitstrekte onder Tahrir was een wereld
op zich geworden. De lange, donkere gangen die leidden naar de
uitgangen in de hoeken van het plein werden permanent bevolkt

door straatkinderen, daklozen, bedelaars, kooplieden en de ontheemde jeugd van de revolutie. De hele ruimte stonk naar pis en zweet en het was er broeierig warm. De ventilatiesystemen, vrijwel alle lampen en de elektrische poortjes die toegang verschaften naar het spoor waren buiten werking. Doorgesneden elektriciteitskabels werden omgeleid naar provisorische marktkraampjes die zich langs de wanden van het station hadden genesteld; overdag bloeide onder het Tahrirplein een informele markt waar Chinees speelgoed, stropdassen, mondkapjes, revolutionaire prullaria, tasers, stiletto's, bivakmutsen, katapulten, groenten, fruit en soms zelfs vis werden verkocht. Aan de zuidkant van het plein had deze vrijmarkt inmiddels een weg naar buiten gevonden. De voorheen keurig afgesneden gazonnetjes van de Mugamma' werden eveneens bezet door een schare koopmannen en -vrouwen die met luide kreten de ambtenaren die zich tussen de kraampjes door wrongen op weg naar hun werk tot aankopen probeerden te verleiden.

Als er buiten werd gevochten, lagen er in de gangen van het metrostation vaak gewonden bij te komen. Ooit zag ik een jongen van een jaar of vijftien languit liggen op de stoffige tegels van het station. Zijn ogen waren dicht. Zijn haar was grijs van het stof. Om zijn nek hing een plastic Guy Fawkesmasker. Zijn mond was bedekt met een mondkapje en zijn rechterhand was gewikkeld in een bloederig verband. Hij sliep en de reizigers liepen achteloos om hem heen.

De muren rondom het plein en in het metrostation zaten onder de graffiti, af en toe recht door zee – 'Leugenaars' – en af en toe spitsvondig – 'Weg met de volgende president!' –, tegen Mubarak, tegen de militaire junta én tegen Mohamed Morsi. Jongens rookten er openlijk hasj, straatkinderen liepen er rond, high van de pijnstillers of lijm, en vochten er hun vetes uit. Het plein dat onder Mubarak was ingericht als façade voor toeristen en andere bezoekers, had het grimmige uiterlijk van het andere Egypte aangenomen. De façade was gevallen en niets telde, behalve het recht van de sterkste.

De toestand van het plein was voor veel mensen symbolisch voor de algehele chaos waar Egypte in was beland. De wetteloosheid had voor een enorme toename van het aantal geweldsdelicten gezorgd. De gruwelijkste verhalen deden de ronde. Egypte had altijd bekendgestaan als een relatief veilig land, maar nu werd straatroof een alledaags verschijnsel. In mei van dat jaar stelde het ministerie van Binnenlandse Zaken dat het aantal moorden met 130 procent was toegenomen, het aantal overvallen met 350 procent en het aantal ontvoeringen met 145 procent. Hoewel de cijfers naar alle waarschijnlijkheid niet nauwkeurig zijn, is de tendens duidelijk.

Door het gebrek aan orde en capabele instituties namen burgers op verschillende plekken het recht in eigen hand. Eind maart circuleerden er een paar angstaanjagende foto's in de Egyptische (sociale) media waarop te zien was hoe twee bloederige lijken in het busstation van het dorp Samanod, negentig kilometer ten noorden van Caïro, worden opgehangen terwijl een enorme menigte toekijkt. De twee werden ervan beschuldigd te hebben gestolen en waren gelyncht door inwoners van het dorp.

Bij een ander incident werd de zestienjarige zoon van een lokale leider van de Moslimbroederschap in de stad Zagazig door een mensenmassa uit zijn huis gesleurd en op straat doodgeslagen. De jongen werd ervan beschuldigd een man te hebben vermoord die zijn vader op Facebook had uitgescholden. In al deze gevallen was de politie in geen velden of wegen te bekennen. Het was alsof ze het land bewust liet afglijden richting een staat van gewelddadige anarchie.

Maar het geweld beperkte zich niet tot dergelijke schijnbaar willekeurige gevallen waarbij burgers voor eigen rechter speelden. Ook het politieke en het religieuze geweld leken toe te nemen. Vrijwel wekelijks kwam het ergens in het land tot hevige gevechten tussen voor- en tegenstanders van de president. Begin april leidde een ruzie tussen kinderen in de stad El-Khusus tot sektarische rellen tussen moslims en christenen waarbij ten minste zeven mensen om het leven kwamen. Tijdens de begrafenisdienst voor de christelijke slachtoffers in de Sint-Marcuskathedraal in Caïro, kwam het opnieuw tot geweld, waarbij twee doden vielen. Beelden van veiligheidstroepen die traangasgranaten in de richting van de kathedraal schoten, werden op vrijwel elk televisiekanaal herhaald – een schrikbeeld voor de christenen van Egypte.

In reactie op het geweld bloeide de ambulante wapenhandel. Het was niet ongewoon in die tijd dat mensen met messen, wapenstokken, slagstokken of tasers (voor ongeveer tien euro) in hun tas de straat op gingen. De angst om overvallen te worden was reëel. Bij (politieke) vechtpartijen werden bovendien steeds vaker handgemaakte pistolen, aangepaste jachtgeweren of shotguns gebruikt. In de binnenstad waren steek- en slagwapens op elke straathoek te verkrijgen.

Tijdens kerkdiensten organiseerden sommige kerken in de stad hun eigen bewaking. Onbekenden werden niet zomaar meer binnengelaten. Eind april sprak ik met Frances Shehata, de deken van de koptische Heilige Mariakerk in de wijk Dokki in Caïro. Volgens hem begon het geweld zorgwekkende proporties aan te nemen. Net als veel andere christenen zag hij de toekomst somber in. Het feit dat Morsi weigerde in krachtige termen afstand te nemen van het geweld, boezemde hem angst in. 'Langzaam wordt het schrikbeeld werkelijkheid dat we allemaal in ons achterhoofd hadden op het moment dat Morsi werd verkozen.'

Net als andere vermogende christenen had hij inmiddels een vluchtplan voor zijn gezin klaarliggen. 'Mijn tijd zal het nog wel duren,' zei hij, 'maar voor mijn kinderen heb ik een plan B opgesteld. Als het echt misgaat, zullen zij elders een toekomst moeten opbouwen.'

De economie, die sinds het begin van de revolutie aan het sputteren was, gleed ondertussen nog verder af. In mei 2013 belandde Egypte officieel in de ergste economische crisis sinds de jaren dertig van de twintigste eeuw. In die maand kwam de Egyptische mensenrechtenorganisatie EIPR met een rapport over de economische stand van zaken waarin het kortzichtige beleid van de opeenvolgende eindverantwoordelijken sinds 2011 werd aangewezen als hoofdreden voor de economische malaise.

'Elk bewind, gekozen of benoemd, heeft politiek punten willen scoren (...) in plaats van de structurele problemen in de economie aan te pakken. Bovendien, liever dan het ontwikkelen van een economisch en industrieel langetermijnplan blijven regimes dezelfde kortzichtige en onverstandige recepten presenteren gebaseerd op hervormingsplannen van het IMF,' staat te lezen in het rapport.

Om de Egyptische export aan te moedigen devalueerde de centrale bank de nationale munt.[47] Tussen januari en mei 2013 verloor het Egyptische pond bijna 10 procent van zijn waarde, wat leidde tot een plotselinge prijsstijging van geïmporteerde goederen. Tegelijkertijd zorgde een nijpend brandstoftekort in maart voor een scherpe stijging van de voedselprijzen. Volgens een onderzoek van de krant *Al-Masry Al-Youm*, uitgevoerd in april 2013, was het inkomen van 57 procent van de Egyptenaren niet voldoende om in hun basisbehoeften te voorzien.

Het was niet alleen de bevolking die op de rand van de afgrond balanceerde, ook de overheidsfinanciën waren nagenoeg uitgeput. Volgens het rapport van EIPR zou het begrotingstekort in 2013 uitkomen op grofweg 30 miljard euro, of 13 procent van het binnenlands product – vergelijkbaar met Griekenland op het hoogtepunt van de financiële crisis. Deze cijfers zijn helemaal verbijsterend als men bedenkt dat 80 procent van de Egyptische begroting gereserveerd is voor ambtenarensalarissen, subsidies en verplichtingen aan (buitenlandse) schuldeisers.

Door de politieke onrust werd de kredietwaardigheid van Egypte in februari voor de vijfde maal sinds het begin van de revolutie naar beneden bijgesteld. Investeringen bleven daarmee uit. Inkomsten uit de toeristensector bleven bovendien tegenvallen vanwege de lage prijzen die werden gevraagd. De buitenlandse valutareserves, die nodig zijn voor de import van brandstof en voedsel, raakten razendsnel op. In april 2013 zakten de buitenlandse reserves door een door de Centrale Bank gestelde ondergrens van vijftien miljard dollar en was het bewind van Morsi gedwongen om bij bevriende staten aan te kloppen voor goedkope brandstof om de energiecentrales draaiende te houden. Elektriciteit werd gerantsoeneerd.

In de maand mei viel de stroom bijna tweemaal daags uit, soms uren achtereen. Benzinepompen door het hele land stonden droog. Bij pompen die wel brandstof hadden, stonden de rijen dubbeldik en vervloekten de wachtende chauffeurs de dag dat ze op Morsi hadden gestemd.

Deze situatie zou er volgens het rapport van EIPR toe leiden dat het bewind van de broederschap op den duur uit de gratie zou raken bij de zakenelite van Egypte en dat de broederschap naar alle waarschijnlijkheid de volgende verkiezingen zou verliezen – geen onwaarschijnlijke verwachting.[48] Hoewel de Moslimbroeders als geen ander in staat waren om hun achterban te mobiliseren, was hun populariteit enorm afgenomen. Het eerste jaar van president Morsi was uitgelopen op een ongelooflijke deceptie en een ramp voor grote delen van de Egyptische bevolking.

De onvrede met de politiek werd echter niet meer onder stoelen of banken gestoken. Volgens een rapport van het Egyptische Centrum voor Internationale Ontwikkeling (CIO) werd in Egypte gedurende dat jaar, van 1 juli 2012 tot halverwege juni 2013, maar liefst 9427 keer om uiteenlopende redenen geprotesteerd. In het tweede deel van Morsi's eerste en enige regeringsjaar waren er door het hele land volgens het CIO gemiddeld 1140 protestacties per maand, ruim zes keer meer dan tijdens het laatste jaar van Mubarak. Egypte was hiermee wereldwijd koploper.

Volgens het CIO kwam 67 procent van de protesten direct voort uit sociaaleconomische omstandigheden. Veruit het merendeel van het protest bestond uit stakingen, demonstraties en sit-ins, maar er was een stijging van het aantal hongerstakingen, bezettingen van bedrijfs- en administratiegebouwen en ontvoeringen van leidinggevend personeel. De demonstranten waren dus wanhopiger en de protesten werden militanter.

De onderzoekers trokken droogjes de volgende conclusie: 'De demografische categorieën die deelnamen aan de protesten reflecteren de vijandigheid van het huidige regime ten opzichte van bijna alle delen van de Egyptische samenleving.'

Ondanks deze druk weigerde president Morsi af te treden of concessies te doen. In plaats daarvan bleef hij hameren op zijn eigen democratische legitimiteit en de corrupte aard van de politieke oppositie. Op 26 juni, tijdens een live uitgezonden toespraak die maar liefst drie uur duurde en door velen werd gezien als een laatste mogelijkheid om met een handreiking te komen, beet Morsi van zich af. Met gevoel voor drama noemde hij zijn politieke tegenstanders bij naam en beloofde hij een einde te maken aan de 'vijanden van de staat'.

Hoe meer Morsi in het nauw werd gedreven, hoe meer hij gedwongen was te leunen op het meest conservatieve smaldeel van zijn achterban – wat de oppositie tegen zijn bewind slechts vastbeslotener maakte. Voor politieke steun was Morsi in toenemende mate aangewezen op reactionaire randfiguren en religieuze hardliners die bereid waren hun achterban te mobiliseren voor de geplaagde president. Elf doorgewinterde islamisten werden door Morsi benoemd tot gouverneur; onder hen was Abdel el-Khayat, die benoemd werd tot gouverneur van Luxor. El-Khayat was een islamist van het eerste uur en voormalig lid van de Islamitische Groepering, de organisatie die verantwoordelijk werd gehouden voor een bloedige aanslag in hetzelfde Luxor in 1997, waarbij maar liefst 62 toeristen om het leven waren gekomen.

Op 15 juni, tijdens een massabijeenkomst in het stadion van Cairo, die in het teken stond van solidariteit met de Syrische revolutie, maakte Morsi bekend dat Egypte de diplomatieke banden met het Syrische regime zou verbreken. Voor Caïro was de Syrische oppositie (waar de Syrische broederschap een belangrijke rol in vervulde) de legitieme vertegenwoordiging van het Syrische volk, zei de president. Hoewel de bijeenkomst draaide om Syrië, was het een poging om de aanhangers van Morsi moed in te spreken door hun religieuze fanatisme aan te wakkeren en te wijzen op de internationale context van het project van de broederschap. Hoe meer de politiek van de broeders faalde, hoe meer zij leunden op religie.

De sprekerslijst van die dag sprak boekdelen. Naast de religieuze demagoog Safwat Hegazy, die tijdens de presidentscampagne van Morsi beweerde dat Morsi het kalifaat zou herstellen met Jeruzalem als hoofdstad, had de president onder anderen de bekende sjeik Mohamed Hassan en een voormalig voorman van de Islamitische Groepering gevraagd om hun zegje te komen doen. De twee sprekers riepen in het bijzijn van de president op tot een jihad (heilige strijd) in Syrië. Terwijl de menigte scandeerde dat soennitisch bloed niet goedkoop is, lieten de sprekers zich met stilzwijgende toestemming van de president in denigrerende termen uit over sjiieten.

Nog geen week later, op 23 juni, werden vier sjiitische Egyptenaren in een dorpje vlak buiten de hoofdstad uit hun huizen gesleurd en op straat doodgeslagen door een menigte die werd aangevoerd door een radicaal salafistische imam die de sektarische opruiing van de sprekers ter harte had genomen.[49]

In deze uiterst gespannen context van politieke tegenstellingen, groeiende religieuze onverdraagzaamheid en economische crisis kwam de Tamarodcampagne op stoom.

De Tamarodcampagne, die begin mei van start ging, was in wezen niets anders dan een ouderwetse handtekeningenactie. Het doel van de oprichters was om op 30 juni, precies een jaar na het aantreden van Morsi, vijftien miljoen handtekeningen te overleggen aan de president om daarmee zijn aftreden en vervroegde verkiezingen te forceren. Ook zou men de dertigste de straat op gaan om de handtekeningenactie kracht bij te zetten.

Het was een volledig gedecentraliseerd en uiterst laagdrempelig initiatief. Er waren geen leiders (hoewel de woordvoerders van de campagne de facto optraden als leiders) en nauwelijks instructies. Handtekeningenformulieren konden worden gedownload van internet. Vrijwilligers gingen vervolgens stad en land af om zo veel mogelijk Egyptenaren te benaderen. Ze zwierven door metro's, stonden urenlang in de zon op pleinen, markten en verkeersknooppunten van elke stad in Egypte. Iedereen met toegang tot internet kon de formulieren printen, met vrienden de straat op gaan en zich op eigen houtje aansluiten bij Tamarod.

De beweging was een ongekend succes. Slechts twee weken na de lancering van de campagne stond de teller al op drie miljoen handtekeningen. Alles en iedereen die tegen president Morsi was, maakte zich op voor 30 juni.

Een vrijwilliger van de campagne wist de situatie pakkend te verwoorden tijdens een gesprek in een koffiehuis vlak bij het Tahrirplein: 'De situatie in Egypte is zoveel slechter geworden de laatste twee jaar. Mensen zijn het zat. Bovendien hebben we alles geprobeerd. We hebben gevochten, we hebben gestemd, we hebben gedemonstreerd, we hebben gebloed en we hebben pleinen bezet. Nu halen we handtekeningen op. Als het lukt om vijftien miljoen handtekeningen op te halen en de president blijft aan, dan sta ik niet voor de gevolgen in.'

Pas in de dagen voor 30 juni begon de omvang van het aanstaande protest duidelijk te worden. Rode stickers verschenen in het straatbeeld. Op eentje stond: 'Ik ga 30 juni de straat op', op een andere: 'Politiek en religie gaan niet samen.' Obscure Facebookgroepen met namen als Tegen de Moslimbroederschap, die enkele maanden eerder klein waren begonnen, werden door honderdduizenden gevolgd en riepen hun volgers op om massaal de straat op te gaan.

Om zo goed mogelijk voorbereid te zijn op wat er ging komen, hadden Selma en Philip in de dagen voor 30 juni de nodige maatregelen getroffen in de omgeving van het presidentieel paleis. Zij dachten dat er een lange veldslag zou volgen en wilden voorbereid zijn op het ergste. Leden van de broederschap konden overgaan tot de aanval, zoals in het verleden was gebeurd. Ze konden het aan de stok krijgen met de politie en er was een mogelijkheid dat er gevechten zouden uitbreken in de demonstratie zelf. Alle demonstranten waren namelijk tegen de Moslimbroederschap en tegen president Morsi. Maar Philip, Selma, hun kameraden en revolutionaire organisaties (een minderheid op dat moment) waren vastbesloten om ook leuzen te scanderen tegen eventuele inmenging van het leger en er waren veel mensen die dat niet wilden horen.

In tegenstelling tot Downtown, waar hij elke steeg kende, was Heliopolis onbekend terrein voor Philip. Hij wist niet hoe hij moest vluchten als er iets gebeurde en hij had geen idee bij wie hij in de omgeving kon aankloppen. Er was geen infrastructuur waar hij bekend mee was, en dus ging hij met Selma op verkenning uit. Ze maakten plattegrondjes waarop stond aangegeven waar vrienden en kennissen woonden. Ze maakten kopieën van sleutels van appartementen van mensen die ze kenden, zorgden dat de koelkasten daar goed gevuld waren en dat er in die huizen een goede internetverbinding was zodat video's voor Mosireen direct internet op konden.

Het bleek allemaal overbodig.

De demonstraties, waar miljoenen mensen aan meededen, werden niet aangevallen. De politie liet de betogers met rust en sloot zich in sommige gevallen zelfs aan bij de protestmarsen. De aanhangers van de president bleven binnen de hekken van hun eigen sit-inprotest rondom de Rab'a El-'Adawiyamoskee en op het Nahdaplein, voor de deur van de universiteit van Caïro. De onenigheden binnen de protestmars bleven bovendien beperkt tot geduw en getrek.

Een dag later werd het hoofdkwartier van de Moslimbroeder- schap in Caïro aangevallen en in brand gestoken door demonstranten. Acht mensen kwamen daarbij om het leven. Het ministerie van Binnenlandse Zaken had geweigerd het gebouw te beschermen. Diezelfde avond kwam het Egyptische leger met een ultimatum. De regering van Morsi kreeg twee dagen om aan de wensen van het volk te voldoen, anders zou het leger gedwongen zijn de orde te herstellen.

Laat op de avond van 2 juli verscheen een opgefokte Mohamed Morsi op televisie. Met stemverheffing wees hij nogmaals op de legitimiteit van zijn bewind en prees hij de revolutie van 25 januari 2011. Tegelijkertijd probeerde hij aanspraak te maken op hetzelfde gevoel van nationalisme waaraan hij ten onder dreigde te gaan door te benadrukken dat het vaderland voor hem de eerste prioriteit was. Hij weigerde te buigen voor dreigementen, en alsof hij wist wat er zou volgen, riep hij zijn toehoorders op om zorg te dragen voor de revolutie.

De toespraak werd weggewuifd door de miljoenen betogers op de pleinen van Egypte en eindeloos herhaald op grote projectieschermen in de kampen waar aanhangers van de president zich hadden verzameld en men het ergste begon te vrezen.

Op de avond van 3 juli verscheen de minister van Defensie Abdul Fatah al-Sisi op televisie geflankeerd door de sjeik van El-Azhar, de koptische paus en vertegenwoordigers van het Nationale Reddingsfront. Met een ernstig gezicht vertelde Sisi dat Mohamed Morsi, de vijfde president van Egypte, niet aan de eisen van het Egyptische volk had voldaan. Het leger had daarom stappen genomen om de orde te herstellen. De president was afgezet en de grondwet was opgeschort. Er zou spoedig een nieuwe grondwet komen en daarna zouden nieuwe verkiezingen worden gehouden.

Die avond liep Jasmina vertwijfeld door de feestvierende menigte. Ze was uiteraard blij met het vertrek van Morsi, maar kon haar bezorgdheid niet onderdrukken. De mensen om haar heen waren blij op een dwingende, angstaanjagende manier. De sfeer was extatisch en agressief tegelijkertijd. Iedereen die niet uitzinnig van vreugde was, werd scheef aangekeken. Er was geen ruimte meer voor twijfel. Elke vorm van twijfel was verdacht.

Sisi had Egypte gered van de staatsgevaarlijke Moslimbroeders, en echte Egyptenaren waren daar blij mee. Wie dat niet was, was een verrader. Zo was het en niet anders. De staat had zich ontdaan van duistere krachten, Egypte was vrij. De kracht van deze redenering en de omvang van de mentaliteitsverandering werden voor Jasmina pas duidelijk toen ze die avond in de drukte Umm Mostafa (de moeder van Mostafa; in Egypte is het gebruikelijk om een vrouw op leeftijd aan te spreken met de naam van haar oudste zoon) tegen het lijf liep.

Jasmina en Umm Mostafa kenden elkaar nog uit de tijd van de militaire junta. Jasmina had haar getuigenis opgenomen voor de campagne Nee Tegen Militaire Tribunalen Voor Burgers. Haar zeventienjarige zoon Mostafa was in die periode namelijk gearresteerd en door een militaire rechtbank tot twee jaar cel veroordeeld. Aanvankelijk was Umm Mostafa verlegen en ontkende ze zelfs dat haar zoon iets met de protesten te maken had gehad. Maar later raakte ze meer en meer betrokken en ontpopte ze zich zelfs tot een ware activiste. Ze werd de steun en toeverlaat van moeders van andere gedetineerden en vocht voor de rechten van anderen. Ze kwam in die dagen vaak naar Cinema Tahrirvertoningen. Soms nam ze het woord en vertelde de toehoorders vol woede en met tranen in haar ogen over haar ervaringen. Ze was niet bang meer, ze was boos. Ze had haar angst en machteloosheid omgezet in actie en pleitte vurig tegen de vergaande macht van de militairen. Die transformatie was voor Jasmina het bewijs dat wat zij deed echt van belang was.

Enkele uren nadat Morsi door het leger was afgezet, zag Jasmina

Umm Mostafa met haar jongste zoon Yousef in de feestvierende menigte. Ze was buiten zinnen. Om haar hoofd had ze een lint in de kleuren van de Egyptische vlag en in haar handen hield ze een foto van generaal Sisi in legeruniform tegen de achtergrond van de Egyptische driekleur. Alle twijfels over het leger en haar strijd tegen de macht van de junta leken vergeten. Umm Mostafa werd net als miljoenen anderen meegesleept in de massahysterie van het moment. Het leger was opnieuw de redder van de natie. Dat was de nieuwe waarheid, ook voor Umm Mostafa.

Bijna vijf maanden later, in de vroege ochtend van 18 november 2013, verscheen interim-premier Hazem el-Beblawi, omringd door veiligheidspersoneel met bivakmutsen en automatische geweren en regeringsfunctionarissen in pak, op een rode loper op het Tahrirplein. De delegatie was die ochtend naar het geografische hart van de Egyptische protestbeweging gekomen voor een even symbolische als beladen daad. De mannen stonden op het punt een monument te onthullen ter ere van de martelaren van Egyptes twee revoluties, de helden die hun leven hadden gegeven in hun strijd tegen de verdreven despoten Hosni Mubarak en Mohamed Morsi.

In werkelijkheid was het monument een wapen in een vals propagandaoffensief. Het regime probeerde wat het 'de revolutie van 30 juni' noemde in het verlengde te plaatsen van de revolutie van 25 januari – de laatste minstens zo glorieus als de eerste. De opstand van 30 juni en de machtsovername van het leger werden gepresenteerd als een correctie in het revolutionaire traject, het noodzakelijke vervolg op deel één, de huidige politieke orde werd gepresenteerd als het triomfantelijke eindresultaat van deze twee revoluties. De martelaren waren gewroken, de strijd was geleverd, de overwinning was behaald.

Niet iedereen was het echter eens met deze voorstelling van zaken.

Diezelfde avond werd het monument door honderden revolutionairen aangevallen en toegetakeld. In een vlaag van woedend enthousiasme schopten zij tegen het glanzend roze marmer en probeerden ze met stenen de inscripties onleesbaar te maken. Het nieuwe regime, de veiligheidsdienst of het leger had het recht niet om de martelaren te eren. Zij waren immers verantwoordelijk voor hun dood. Het monument was volgens de revolutionairen een klap in het gezicht van de martelaren en een belediging van de strijd die zij al bijna drie jaar voerden.

Het was die dag precies twee jaar na de rellen in de Mohamed Mahmoudstraat en een jaar na de dood van Gika. Het was bovendien een van de eerste keren dat jonge revolutionairen (antileger, anti-Moslimbroederschap) in georganiseerde vorm de straat op gingen sinds de coup van Abdul Fatah al-Sisi en de bloedbaden die daarop volgden.

De volgende dag kwamen bij relatief kleine schermutselingen tussen betogers en veiligheidstroepen 2 activisten om het leven en vielen er 51 gewonden. De veiligheidstroepen waren bloeddorstiger dan ooit. Maar ditmaal leidden dodelijke slachtoffers niet tot massale verontwaardiging. Men was eraan gewend geraakt.

Sinds Mohamed Morsi was afgezet, draaide de veiligheidsstaat op volle toeren en regeerde het nieuwe bewind met ijzeren vuist en met een schijnbaar breed mandaat. De veiligheidsdiensten en het leger hadden, met steun van een groot deel van de bevolking, de controle over de straten terugveroverd en traden meedogenloos op tegen elke vorm van protest.

Aanvankelijk waren vooral leden van de Moslimbroederschap en aanhangers van Mohamed Morsi de dupe van de wraak van de autoriteiten. Bij acties van de veiligheidsdiensten waren honderden aanhangers van de verdreven president vermoord, duizenden waren gewond geraakt en nog eens duizenden waren gearresteerd.

Revolutionaire activisten hadden zich grotendeels afzijdig gehouden tijdens de bloedige confrontaties tussen de veiligheidsstaat en de broeders. Er was geen plaats voor hen in deze titanenstrijd en zij waren niet van plan hun leven te riskeren voor een ideologie waar zij niet in geloofden. Het regime van Morsi, de Moslimbroederschap en het leger hadden bovendien alle drie het bloed van de revolutie aan hun handen.

Maar de wrok van het nieuwe regime richtte zich nu ook op de seculiere activisten. De revolutie, de opstandige geest die al bijna drie jaar door Egypte waarde, moest eveneens voor eens en voor altijd terug in de fles.

Een week later, op 26 november 2013, stonden Nazly en Selma samen met een paar honderd anderen voor de deur van het Egyptisch parlement te protesteren tegen een artikel in een nieuw grondwetsontwerp dat het gebruik van militaire tribunalen voor burgers in stand hield. Gespannen riepen de activisten leuzen tegen de juridische bevoegdheden van het militaire apparaat en ze protesteerden tegen de noodwet die sinds augustus van dat jaar opnieuw was ingesteld. Daarnaast benadrukten de activisten dat ze tegen het militaire bewind ageerden, maar dat ze niets hadden met de Moslimbroederschap. Op de borden en spandoeken die ze meedroegen, stonden kreten als: NOCH EEN BEWIND VAN MILITAIREN, NOCH DE UITBUITERS VAN RELIGIE.

Aan de overkant van de straat stond een overmacht aan veiligheidspersoneel te wachten op een bevel om een einde te maken aan het protest. Tientallen mensen keken gespannen toe. Zonder enige waarschuwing volgde een charge. Met getrokken wapenstokken en ondersteund door waterkanonnen vielen de veiligheidstroepen aan. Meer dan vijftig betogers werden die dag gearresteerd.

De mannelijke arrestanten, 24 in totaal, zouden strafrechtelijk worden vervolgd voor het overtreden van een recentelijk aangenomen antiprotestwet die onaangekondigde samenscholingen van meer dan tien personen, het aanvallen van een officier, het vernietigen van publiek eigendom en het belemmeren van het verkeer verbood. Zij zouden tot drie jaar cel veroordeeld worden.[50]

De vrouwelijke arrestanten, inclusief Nazly en Selma, werden met geweld in de arrestantenwagen getrokken. Zij werden diezelfde nacht, ver buiten de stad, in de woestijn achtergelaten. Tijdens hun detentie werden ze aangerand door de politie. Toegesnelde vrienden pikten hen op in de woestijn en brachten hen thuis. Zowel Selma als Nazly was als lid van Nee Tegen Militaire Tribunalen Voor Burgers verantwoordelijk voor de organisatie van het protest. Toch werden ze nooit in staat van beschuldiging gesteld.[51]

Terwijl de demonstranten die middag zeiknat werden afgevoerd door de veiligheidsdiensten, applaudisseerden omstanders. Het land werd bedreigd door terreur, zo luidde de algemene opvatting, en er waren drastische maatregelen nodig om deze dreiging te weerstaan. Een luidruchtig deel van de bevolking steunde derhalve elk hardhandig optreden van de staat. Het was tijd voor eenheid, nu meer dan ooit, vond men. Protesteren was niet gepast, sommigen zagen het zelfs als verraad.

Alle demonstranten werden afgeschilderd als oproerkraaiers die zich weigerden neer te leggen bij de macht van het leger, het grote, trotse, eervolle, vaderlandslievende, Egyptische leger.

DEEL IV

Abdul Fatah al-Sisi en de wraak van de macht

3 JULI 2013-HEDEN

15

In een poging fouten uit het verleden te vermijden nam het leger niet zelf de touwtjes in handen. De herinnering aan de militaire junta lag immers nog vers in het geheugen. In plaats daarvan werd een civiel bewind geïnstalleerd.

Aan het hoofd van deze regering van 'nationale eenheid' bekleedde Adly Mansour, voormalig hoofd van het constitutionele hof, de functie van waarnemend president. Hazem el-Beblawi, voormalig oppositielid, werd premier. Mohamed Ibrahim, de oudgediende op het ministerie van Binnenlandse Zaken, die enkele maanden eerder door Morsi was aangesteld om de openbare orde te herstellen, bleef aan als minister. De grote roerganger, legerleider Abdul Fatah al-Sisi, behield eveneens zijn positie als minister van Defensie, maar was tevens vicepremier in het nieuwe kabinet. Hij was het gezicht van dit reactionaire regime.

Ondanks deze civiele façade lag de werkelijke macht uiteraard bij het militaire establishment. De militairen hadden de beslissende interventie in gang gezet en dirigeerden het verloop van de transitie. Desondanks werd het nieuwe regime gesteund door een breed scala aan maatschappelijke krachten. De salafisten, de koptische kerk, de nasseristen (aanhangers van het gedachtegoed van Gamal Abdel Nasser), het Nationale Reddingsfront onder leiding van Mohamed el-Baradei, die een tijdelijke positie als vicepresident aanvaardde, en het Azhar-instituut gaven hun fiat. Alleen de broederschap ontbrak. De woordvoerders van Tamarod werden eveneens aan boord gehaald en kregen een symbolische rol in het centrum van de macht. Zij mochten als zelfbenoemde vertegenwoordiging van 'de jeugd' zo nu en dan voor de camera's hun steun uitspreken voor de nieuwe orde, maar ze hadden verder weinig toe te voegen.[1]

De feloel, de zakenelite en een groot deel van de middenstand waren tevreden. De beloftes om de orde desnoods met harde hand te herstellen en een einde te maken aan de voortdurende en ontwrichtende protesten klonken hun als muziek in de oren. Om de arbeiders erbij te betrekken werd de veteraan van de arbeidersbeweging Kamal Abu Eita aangesteld als minister van Arbeid.[2]

Nationale eenheid en vaderlandsliefde waren de sleutelwoorden van het nieuwe regime. Volgens aanhangers van de militaire interventie had het leger slechts gehoor gegeven aan de wil van het Egyptische volk. Zij spraken van een 'corrigerende maatregel' bedoeld om de revolutie terug op het juiste spoor te zetten. Van een coup d'état was volgens hen absoluut geen sprake.[3]

Nochtans, enkele uren nadat Morsi was afgezet, kondigde het leger aan de media te zullen 'hervormen'. Terwijl de staatstelevisie die nacht oubollige propaganda uitzond over de militaire overwinning op Israël in 1973 en over het heroïsche verleden en onverwoestbare patriottisme van het Egyptische leger, werden drie televisiezenders die in meerdere of in mindere mate sympathiseerden met de Moslimbroederschap, waaronder de Egyptische versie van Al-Jazeera, uit de lucht gehaald. Medewerkers werden tijdelijk gevangengezet door het leger wegens 'het oproepen tot geweld'.

Een dag later werden verschillende kopstukken van de broederschap gearresteerd, onder hen de voorman van de Partij voor Vrijheid en Rechtvaardigheid, voormalig parlementsvoorzitter Saad el-Katatni, en de invloedrijke zakenman Khairat el-Shater. Zij werden overgeplaatst naar de beruchte Toragevangenis aan de zuidrand van de hoofdstad, dezelfde gevangenis waar voormalig president Hosni Mubarak zijn dagen doorbracht. Mohamed Morsi werd door de militairen op een onbekende locatie vastgehouden.

De Verenigde Staten leken te worstelen met een reactie. Ondanks het feit dat Sisi was opgeleid op Amerikaanse militaire academies, en nota bene ooit een scriptie had geschreven over democratie en de politieke rol van religie in het Midden-Oosten, was het contact stroef. Amerikaanse wetgeving stelt dat de Verenigde Staten geen financiële hulp mogen bieden aan landen waar de verkozen regering is afgezet door een militaire coup. De Amerikaanse regering veroordeelde daarom de actie van het leger, maar wrong zich in bochten om de interventie niet als staatsgreep te classificeren. De financiering stopzetten zou immers betekenen dat de Verenigde Staten invloed zouden verliezen.[4]

Saoedi-Arabië, de Verenigde Arabische Emiraten (VAE) en Koeweit maakten daarentegen luid en duidelijk hun steun aan het nieuwe regime kenbaar. Binnen enkele dagen na de val van Morsi kondigden de drie landen een gezamenlijk hulppakket aan ter waarde van twaalf miljard dollar.[5]

De broederschap – gesteund door Qatar – weigerde zich ondertussen neer te leggen bij de macht van de militairen en kondigde aan elke dag de straat op te gaan om de 'legitimiteit van de democratie' te verdedigen. Ze eiste dat het presidentschap van Mohamed Morsi in ere werd hersteld. Het was alles of niets voor de broeders.

Het was dus niet de vraag óf het tot geweld zou komen, maar wanneer.

Vrienden van mij kwamen in die dagen hun huis niet uit. Zij wilden part noch deel hebben aan het aanstaande conflict. Ze waren op 30 juni de straat op gegaan tegen Mohamed Morsi en vóór brood, vrijheid en sociale rechtvaardigheid. Ze voelden zich geen onderdeel van de komende tweestrijd. De revolutie waar zij al tweeënhalf jaar voor vochten, was voor hen meer dan een conflict tussen de broeders en het leger. Voor deze twee door en door conservatieve machtsblokken van weleer, die de Egyptische politiek al decennia domineerden, betekende de zogenaamde revolutie niets anders dan een mogelijkheid om hun greep op de maatschappij te verstevigen.

Zij vochten slechts voor hun eigen waarheden, hun eigen stabiliteit en hun eigen posities. Vrijheid, pluriformiteit en gelijkheid werden door beide gezien als een bedreiging. Nu stonden ze op het punt elkaar de kop in te slaan.

'Als het leger en de islamisten elkaar te lijf gaan, houd dan deuren en ramen gesloten en zet de televisie aan. We treffen elkaar wanneer de kruitdampen zijn opgetrokken,' grapte een vriend.

Op 5 juli 2013, twee dagen na de machtsovername van het leger, organiseerden aanhangers van de verdreven president een Vrijdag van de Verwerping. In een eindeloos lange stoet marcheerden ze over Salah Salem richting het hoofdkwartier van de Republikeinse Garde, waar volgens de geruchten hun president werd vastgehouden. De deelnemers aan de mars waren vastbesloten om Morsi te bevrijden en zouden alleen huiswaarts keren met hem op hun schouders, zo zongen ze.

De spanning was al dagenlang om te snijden. Het leger hield de grote wegen in de omgeving bezet en patrouilleerde in beige Apachehelikopters. F16's vlogen laag maar met een duizelingwekkende snelheid over de stad, wat voor een oorverdovend lawaai zorgde.

Voor de deur van de Republikeinse Garde stonden veiligheidstroepen met traangas en soldaten met machinegeweren en tanks opgesteld. Daartegenover stonden de betogers, ertussenin liep een spoor van bloed.

Op het moment dat ik arriveerde, werd ik aangeklampt door een middelbare man met een lange grijze baard en een bloedende arm die lege kogelhulzen voor mij uitstalde en zachtjes mompelde dat het leger zonder aanleiding begon te schieten. Drie betogers waren kort daarvoor door mitrailleurvuur om het leven gekomen. De menigte was in een staat van paniek. Het leger was blijkbaar bereid geweld te gebruiken tegen de broeders. De consequenties waren angstaanjagend.

Huilende mannen probeerden de stoïcijnse soldaten erop attent te maken dat ze vreedzaam aan het protesteren waren, alsof het een misverstand was. Anderen hielden een koran of een foto van Mohamed Morsi omhoog en zwegen. Weer anderen schreeuwden 'verraad' en 'wraak' en moesten door hun kameraden in bedwang worden gehouden.

In werkelijkheid was het leger nog maar pas begonnen. De moord op de drie betogers voor de deur van de Republikeinse Garde was een speldenprik vergeleken met wat er komen zou, een proefballon wellicht, om de reacties in het land te peilen. In de daaropvolgende weken zouden honderden aanhangers van Morsi worden vermoord door het leger en de veiligheidsdiensten. Maar voor het zover was, liet men de emoties nog wat oplopen.

In de volgende twaalf uur braken rellen uit in Caïro, Alexandrië, Zaqaziq, Fayyoum, Minya, Assiut en Luxor. Voor- en tegenstanders van Mohamed Morsi gingen elkaar te lijf met stenen en vuurwerk en schoten op elkaar met zelfgemaakte wapens, pistolen en automatische geweren. Volgens mensenrechtenorganisatie Human Rights Watch keken de veiligheidsdiensten in de meeste gevallen van een veilige afstand toe zonder te interveniëren. In heel Egypte kwamen die nacht 36 mensen om het leven. Duizend mensen raakten gewond.

In een moskee in de wijk Manial, op een eiland in de Nijl, werd de volgende dag een begrafenisdienst gehouden voor vijf slachtoffers van de avond ervoor. De vijf jongens hadden aanhangers van Morsi de doorgang door de wijk belet toen zij zich vanuit hun protestkamp voor de deur van de universiteit van Caïro wilden voegen bij een gevecht op het Tahrirplein tussen voor- en tegenstanders van de verdreven president. De hele buurt was uitgelopen voor de begrafenis. Mannen, vrouwen en kinderen huilden, riepen leuzen en droegen de houten kisten op hun schouders met daarin de stoffelijk overschotten van hun familieleden, gewikkeld in een Egyptische vlag. Omstanders hieven hun handen in de lucht en riepen in koor: 'Er is geen God behalve God, en de Moslimbroeders zijn zijn vijanden.' Even later sloeg rouw om in agressie toen een oudere man met een baard uit een passerende auto werd gesleurd nadat hij was herkend als een lokaal lid van de Moslimbroederschap. De man werd tot bloedens toe geslagen, en even later met een pistool tegen zijn slaap richting een nabijgelegen politiebureau gesleept.

De media rapporteerden ondertussen likkebaardend over het geweld. Hoewel de broederschap had aangekondigd vreedzaam te zullen demonstreren, werden de broeders gepresenteerd als bloeddorstige terroristen die met geweld 'de wil van het volk' (lees: de militaire coup) ongedaan wilden maken. Beelden van mannen met wapens in pro-Morsidemonstraties werden op televisie eindeloos herhaald. Tegelijkertijd werd het conflict dat al maanden gaande was in het noorden van de Sinaï toegeschreven aan de broederschap. Sinds Morsi was afgezet, waren de sporadische aanvallen op het leger en de politie in die regio namelijk uitgegroeid tot een permanente confrontatie, waarbij aan beide zijden dagelijks slachtoffers vielen. Volgens de media en de staat ging het om gewapende islamisten onder commando van de broeders. Zonder enig bewijs werd de gewelddadige organisatie Ansar Beit El-Maqdis ('Aanhangers van Jeruzalem') die in het gebied actief was tot een verlengstuk van de broeders bestempeld.

Deze terroristen moesten uitgeschakeld worden. De geesten waren rijp voor bloedvergieten.

In de vroege ochtend van 9 juli vond de eerste van een serie bloedbaden plaats.

De samenscholing voor de deur van de Republikeinse Garde, die was begonnen op 5 juli, was uitgegroeid tot een heus sit-inprotest. Ongeveer tweeduizend aanhangers van de verdreven president hadden zich verzameld en blokkeerden met tenten en barricades een van de grootste verkeersaders van de stad.

Nog tijdens het ochtendgebed, tussen drie en vier uur in de ochtend, vielen de veiligheidstroepen samen met de militaire politie van twee kanten aan. Volgens de officiële verklaring van het leger waren het de betogers die de aanval openden. Maar volgens ooggetuigen, overlevenden en onafhankelijk onderzoek van onder meer de Britse kwaliteitskrant *The Guardian* was er geen duidelijke aanleiding voor de bloedige aanval.

Veiligheidstroepen schoten traangas op de menigte en openden vervolgens het vuur. Vanaf de daken en vanaf de straat werd eveneens lukraak geschoten. Tegen zeven uur in de ochtend waren alle betogers verdreven en hield het leger de wacht in de met bloed besmeurde straten. Er raakten 435 betogers gewond, ten minste 51 werden er gedood, het hoogste dodental bij een enkel incident sinds het begin van de revolutie – maar niemand leek geïnteresseerd. De stemming in de stad was er een van schaamteloze medeplichtigheid. Mensen die normaal een enigszins afgewogen mening hadden gehad over politieke kwesties, bezigden van de ene op de andere dag oorlogszuchtige taal en waren bereid de gewelddadige dood van meer dan vijftig landgenoten goed te praten.

In een koffiehuis in Downtown waar ik die ochtend mijn koffie dronk, werd instemmend en met een zekere blijdschap gereageerd op het nieuws. 'Het regime van Morsi heeft ons niets dan ellende gebracht. De broeders zijn arrogant en begrijpen blijkbaar niet dat wij hen niet meer willen. Als ze dan gaan schieten op het Egyptische leger, dan kunnen ze verwachten dat ze er flink van langs krijgen. Dit verdienen ze en nog veel erger dan dit,' zei de doorgaans zachtaardige ober toen hij mijn koffie kwam brengen.

'Wie niet horen wil, moet voelen,' viel een andere klant hem bij. 'De broederschap is een terroristische organisatie die ons heeft misleid. Het leger en de politie hebben ons, godzijdank, van hen bevrijd. Nu is het zaak dat we korte metten maken met deze goddelozen die met behulp van buitenlanders hun wil proberen op te leggen,' zei de man met luide stem en op boze toon terwijl hij nauwelijks opkeek van zijn krant.

Elke tegenwerping van mijn kant werd beantwoord met een wegwerpgebaar of een anekdote om de verraderlijke aard van de broederschap te illustreren. Het was niet mijn vaste koffiehuis, maar ik had de mensen vaker gezien en ik was altijd uitgegaan van een zeker wederzijds begrip. Maar nu werd ik plotseling weggezet als de buitenlander die niet begreep wat er in Egypte speelde. Ik was naïef, idealistisch en een zachtgekookt ei ('een halve man' is de letterlijke uitdrukking in het Arabisch), zo werd mij verteld. De blikken van de overige klanten deden mij vermoeden dat ik beter mijn mond kon houden. Niemand zei het, maar ik voelde dat men twijfelde aan mijn intenties.[6]

De propagandamachine van de staat kwam nu pas echt op stoom. De broederschap kreeg van alles de schuld. De haperende economie, de benzine- en elektriciteitstekorten, de martelingen en de dood van betogers werden aan de broederschap toegeschreven. Er zouden bovendien hele horden jihadistische strijders uit Syrië en de Palestijnse Gazastrook op weg zijn naar Egypte om de broeders bij te staan. Op 5 juli werd de grensovergang tussen Egypte en Gaza gesloten. Drie dagen later werden restricties voor Syrische vluchtelingen in Egypte aangescherpt; plotseling moesten ze in het bezit zijn van een visum en een verblijfsvergunning – ook de circa driehonderdduizend Syrische vluchtelingen die volgens mensenrechtenorganisaties al in Egypte waren. Zonder deze documenten waren de Syriërs rechteloos.

Op 15 juli riep de demagogische televisiepresentator Tawfiq Okasha tijdens zijn show het Egyptische volk op om huizen van Syriërs te vernielen. 'Het Egyptische volk accepteert geen verraders in zijn midden,' blafte Okasha naar zijn kijkers. In het verleden werden dergelijke reactionaire types weggewuifd door het grote publiek. Dezelfde Okasha maakte zichzelf sinds het begin van de revolutie belachelijk met waanzinnige complottheorieën over zionisten en vrijmetselaars die achter de gebeurtenissen in Egypte zouden zitten. Maar deze keer lagen de verhoudingen anders en viel zijn xenofobe haatzaaierij in vruchtbare aarde. Syriërs en Palestijnen werden met de nek aangekeken. In Zes Oktober, een satellietstad van Caïro waar zich veel Syrische vluchtelingen hadden gevestigd, werden Syrische ondernemingen vernield. Bij checkpoints in het hele land werden Syriërs met argwaan benaderd, lastiggevallen en regelmatig zonder reden gearresteerd.

Een bevriende Syrische vluchteling werd in die dagen zonder aanleiding door een taxichauffeur uitgeleverd aan soldaten die op wacht stonden voor de deur van het ministerie van Binnenlandse Zaken. Pas na anderhalve dag en ellenlange ondervragingen werd hij vrijgelaten.

Het leger leerde ondertussen zijn les. De commotie over de moordpartij bij de Republikeinse Garde was minimaal gebleven. De propaganda had gewerkt, de broederschap was succesvol monddood gemaakt. De geesten waren rijp voor meer.

In de ochtend van 24 juli gooide een passerende motorrijder een handgranaat naar het hoofdbureau van de politie in Mansoura. Een agent kwam daarbij om het leven. Enkele uren later hield minister van Defensie Abdul Fatah al-Sisi een toespraak tijdens een militaire parade waarin hij alle 'eerlijke en betrouwbare Egyptenaren' opriep om twee dagen later de straat op te gaan om het leger en de politie een mandaat te verschaffen om op te treden tegen 'geweld en terrorisme'.

Miljoenen mensen gaven gehoor aan de oproep.[7] Sisi was de held. Hij werd gepresenteerd als de nieuwe Gamal Abdel Nasser, een charmante maar meedogenloze legerleider die luistert naar de wil van 'zijn' volk en die bereid is moeilijke beslissingen te nemen. De onbekende generaal die enkele maanden eerder door Morsi tot minister was gepromoveerd, werd opgehemeld door de menigte op straat. Hij was 'de redder van de natie' en 'de leeuw van het vaderland', zo stond te lezen op de borden die de mensen die dag meedroegen. De vrolijke menigte riep op tot moord en gaf het leger een volmacht om de orde met alle mogelijke middelen te herstellen. Het was de contrarevolutie in volle glorie. Op een groot spandoek boven een ingang van het Tahrirplein stond de boodschap van die dag: HET VOLK MACHTIGT HET LEGER EN DE POLITIE OM HET LAND TE ZUIVEREN VAN TERRORISME.

De autoriteiten voelden zich gesterkt.

De dag erna volgde een eerste poging om een einde te maken aan het sit-inprotest rondom de Rab'a El-Adawiyamoskee. Net als op 9 juli viel het leger vroeg in de ochtend aan, zonder directe aanleiding. Volgens de officiële cijfers van het ministerie van Gezondheid kwamen 82 mensen om het leven, maar volgens artsen die ter plekke in de veldhospitalen waren, vielen er die dag minstens 120 dodelijke slachtoffers. Hoe meer doden er leken te vallen, hoe meer verschillende versies van de gebeurtenissen werden verteld. Beide kanten gebruikten de aantallen voor hun eigen politieke gewin.

Op 14 augustus volgde het derde en ergste bloedbad. Deze keer slaagden de autoriteiten er wel in een definitief einde te maken aan het sit-inprotest. De twee protestlocaties – het Nahdaplein voor de deur van de universiteit van Caïro en de omgeving van de Rab'a El-Adawiyamoskee – werden met extreem geweld ontruimd door leger en politie. Bij de ontruimingen kwamen honderden aanhangers van Mohamed Morsi om het leven. De Moslimbroederschap en de Nationale Coalitie voor de Ondersteuning van Legitimiteit, een coalitie van sympathisanten van de broederschap, spraken van ten minste 2600 doden bij de Rab'a El-Adawiyamoskee alleen. Het ministerie van Gezondheid schatte het totale aantal dodelijke slachtoffers op 638, onder wie 43 politieagenten.[8] De waarheid ligt waarschijnlijk ergens in het midden. Er vielen bijna vierduizend gewonden.[9]

In een onderzoek van mensenrechtenorganisatie Human Rights Watch dat een jaar later werd gepubliceerd, werd de ontruiming van het protest een misdaad tegen de menselijkheid genoemd. Het onderzoeksrapport sprak tevens van 'het ernstigste incident van massale illegitieme moord in de moderne geschiedenis van Egypte'.

Op de avond van de ontruiming verscheen een triomfantelijke minister van Binnenlandse Zaken, de aloude Mohamed Ibrahim, op televisie. Tijdens een persconferentie vertelde hij op zakelijke toon dat het ministerie de twee sit-ins met succes had ontruimd en het aantal slachtoffers had weten te beperken. Terwijl de verkoolde resten van de ontruimde tentenkampen nog nasmeulden, de mortuaria uitpuilden en de verminkte, verbrande en met kogels doorzeefde lijken in de Rab'a El-Adawiyamoskee koel werden gehouden met grote blokken ijs, richtte premier Hazem el-Beblawi zich eveneens tot de natie en prees de zelfbeheersing van de veiligheidstroepen.

In reactie op het extreme geweld kwam het overal in het land tot ongeregeldheden. Aanhangers van Morsi en de Moslimbroederschap vielen politiebureaus, kerken en christenen aan. Volgens hen was de machtsovername van het leger een door christenen en liberalen georganiseerde samenzwering. Daarnaast waren de ongewapende christenen een makkelijker doelwit dan het leger. In heel Egypte gingen in de 24 uur die op de ontruimingen volgden 36 kerken in vlammen op en kwamen nog eens tientallen mensen om het leven. Alleen al in de stad Minya in het zuiden van Egypte werden achttien kerken, een cultureel centrum van jezuïeten en een franciscaner school in brand gestoken.[10]

Mohamed el-Baradei, winnaar van de Nobelprijs voor de vrede en volgens velen een matigende stem in het regime, diende zijn ontslag in. In zijn functie als vicepremier had hij naar eigen zeggen gepleit voor een vreedzame oplossing en dergelijke bloedige maatregelen kon hij niet langer verantwoorden. De noodtoestand werd in ere hersteld. Samenscholingen werden verboden verklaard en er werd een avondklok afgekondigd. Tussen zeven uur 's avonds en zes uur in de ochtend diende iedereen binnenskamers te blijven.

Twee dagen later had de broederschap een nationale dag van woede aangekondigd en weer vielen er heel veel doden. In heel Egypte kwamen 173 mensen om het leven door toedoen van de troepen van het ministerie van Binnenlandse Zaken, die hadden aangekondigd direct met scherp te zullen schieten op iedereen die betrokken was bij 'onrust'.

Nog eens drie dagen later kwamen 37 aanhangers van Morsi om het leven. De mannen – sommigen van hen hadden niets met de broederschap of met het protest te maken, zo zou later blijken –

waren gearresteerd bij de ontruimingen en stikten uiteindelijk achter in een arrestantenwagen nadat een agent een traangasgranaat had afgevuurd in de overvolle bus, die vervolgens urenlang in de brandende middagzon moest staan. De moordpartij vond plaats vlak buiten het politiebureau in het dorpje Abu Zabal, dezelfde plek waar Philip in 2009 werd ontvoerd door de veiligheidsdiensten.

Een deel van de slachtoffers in die weken bestond uit geharde partijkaders van de broederschap, die tijdens de dagen van Morsi bereid waren geweest het dodelijke geweld van de staat goed te praten. Er waren echter ook jonge activisten die simpelweg tegen het leger waren, journalisten die verslag deden van de gebeurtenissen en passanten die op het verkeerde moment op de verkeerde plek waren. Niemand werd ontzien door de troepen van het regime. Iedereen die zich inliet met de broederschap kreeg zijn verdiende loon, zo was de dominante denkwijze.

Een reactie kon logischerwijs niet uitblijven. Op 19 augustus werden 25 dienstplichtigen in het noorden van de Sinaï in een hinderlaag gelokt en in koelen bloede vermoord. De natie reageerde geschokt. President Adly Mansour kondigde drie dagen van nationale rouw aan. Vooraanstaande politici, politieke partijen en opiniemakers spraken hun afschuw uit en veroordeelden de 'terroristische daad' in krachtige bewoordingen. De aanval vormde de bevestiging van wat de staat verkondigde: de broeders gaven leiding aan een netwerk van terroristen en waren bereid geweld te gebruiken tegen de Egyptische staat. Ze moesten met wortel en al worden uitgeroeid.

In de daaropvolgende maanden liet de broederschap zich echter niet volledig uit het veld slaan. Hoewel duizenden leden en sympathisanten en vrijwel alle leiders van de organisatie werden gearresteerd, stonden aanhangers van de verdreven president meerdere malen per week langs drukke wegen van de hoofdstad met foto's van slachtoffers van het legeroptreden, met posters van Mohamed

Morsi 'de president' en met vier vingers in de lucht – het teken dat verwijst naar de slachtpartij bij de Rab'a El-Adawiyamoskee. Als de veiligheidsdiensten optraden, vielen er slachtoffers. Op 6 oktober, de nationale feestdag waarop de 'overwinning' van 1973 wordt gevierd, vielen er bijvoorbeeld tientallen doden nadat de veiligheidsdiensten een protestmars van de broederschap aanvielen.

Gewelddadige vergeldingsacties eisten eveneens slachtoffers. In september kwam één persoon om het leven bij een mislukte aanslag op Mohamed Ibrahim, de minister van Binnenlandse Zaken. Op 24 december 2013 ontplofte een bom buiten het hoofdkwartier van de veiligheidsdiensten in Mansoura waarbij zestien mensen de dood vonden.

Om een einde te maken aan de protesten van de broederschap werd de organisatie in september 2013 verboden verklaard. Alle bezittingen van de organisatie werden door de staat in beslag genomen. In november nam het kabinet bovendien een protestwet aan die alle vormen van onaangekondigd protest verbood.[11] Deze protestwet zou in de daaropvolgende maanden dienen als het voornaamste wettelijke wapen van de staat om elke vorm van verzet en protest te onderdrukken. In december volgde de juridische genadeklap met de kwalificatie van de Moslimbroederschap als terroristische organisatie. Leden konden nu worden gearresteerd en veroordeeld op basis van hun lidmaatschap van de organisatie.[12]

Halverwege augustus landde ik in Egypte na een familiebezoek van enkele weken. Ik trof een land in verwarring en een stad in staat van beleg.

De wegen waren stiller dan normaal; veel mensen bleven binnen uit angst voor het geweld. In de taxi vanaf het vliegveld luisterde de taxichauffeur zwijgend naar de populaire Engelstalige radiozender Nile FM. Tussen de slijmerige popsongs door verkondigde een serieuze stem elk kwartier de volgende boodschap: 'Egyptenaren zijn voor de vrijheid van meningsuiting maar verwerpen geweld en terrorisme.'

Langs de snelwegen waren nieuwe borden geplaatst. Elk bord had een andere korte tekst. 'Egypte boven alles', 'Lang leve Egypte', 'Wij danken het leger van deze natie', 'Het leger en volk zijn één' en 'Lang leve de revoluties van 25 januari en 30 juni'. Beide gebeurtenissen werden in één adem genoemd.

In de buurt van het Tahrirplein werden we staande gehouden door een stel zwaarbewapende militairen met zonnebrillen op. Het plein was verboden terrein, zo werd ons medegedeeld. In de verte zagen we de met prikkeldraad behangen barricades en de beige tanks van het leger. Aan de Zes Oktoberbrug hing een groot spandoek met daarop de tekst HET LEGER, DE POLITIE EN HET VOLK ZIJN ÉÉN.

Er heerste een agressieve sfeer van paranoia en totalitarisme, gevoed door de orwelliaanse logica die stelde dat Egyptenaren uit naam van de vrijheid draconische veiligheidsmaatregelen moesten accepteren. De revolutionaire kreten die de laatste drie jaar gemeengoed waren geworden, werden volledig overstemd door wapengekletter. De oorlog tegen terreur bepaalde het nieuwe paradigma. Als je niet met ons bent, dan ben je tegen ons, was het credo van de staat.

Om dit idee van nationale eenheid en een gemeenschappelijke vijand te bekrachtigen werden alle zeilen bijgezet. Staatsmedia droegen uiteraard hun steentje bij, maar ook media die voorheen als onafhankelijk of liberaal te boek stonden werden meegesleept in deze voorstelling van zaken. Zo liet de populaire televisiezender ONtv gedurende zijn programmering herhaaldelijk beelden zien van de ontruiming van het protest bij de Rab'a El-Adawiyamoskee. De bloederige details liet men achterwege en de beelden werden begeleid door een deuntje van *Rocky*, de bekende Amerikaanse actiefilm. De ontruiming was een heldhaftige onderneming geweest, zo luidde de boodschap. Vrijwel alle televisiezenders hadden bovendien rechtsboven in beeld een klein Egyptisch vlaggetje met daarin de tekst 'Egypte tegen terreur'.

Winkels, woningen en kantoren hingen trots de Egyptische vlag uit en overal in de straten hing de beeltenis van Sisi. Lang leve Egypte! In auto's, winkels, metrostations en op straat werden eindeloos nationalistische liederen herhaald. Er was de klassieker uit de jaren zeventig van de vorige eeuw waarvan het refrein een herhaling is van de zin 'O Egypte, mijn lieveling, mijn lieveling', en er was de nieuwe absolute tophit waarin de lof werd gezongen op het Egyptische leger 'Mogen de handen [van het Egyptische leger] veilig zijn'. Dat lied was echt altijd en overal te horen.

De eerste regels van het nummer gaan als volgt:

Dit is de held die zijn leven gaf
die de naam droeg van mijn land
en daarvoor het grootste offer bracht

Hij die ons land beschermt
moge hij veilig zijn
Hij die onze eer verdedigt
moge hij veilig zijn

Zij die Egypte altijd met trots 'mijn zonen' zal noemen
mogen die handen veilig zijn
Moge het leger van mijn land veilig zijn

Sla de geschiedenisboeken open
en laat iedereen weten wie zij zijn
Mogen onze priesters en sjeiks
iedereen laten weten wat 1973 betekent
Iedereen vertellen over hen die onze eer hebben behoed
toen uw god hen bijstond

Het was een ijzingwekkende gewaarwording. De doden waren nauwelijks meer te tellen en de daders werden bewierookt en bezongen.

Tijdens de dagen van Morsi zeiden we wel eens tegen elkaar dat de gebeurtenissen die wij de revolutie noemden niet te stoppen waren. Er was een revolutionaire geest die onverslaanbaar leek. Elke dode, elke tegenslag leidde tot meer woede en meer woede leidde automatisch tot meer protest. Wat begon met een grote demonstratie tegen de martelpraktijken van een dictatoriaal regime op 25 januari 2011 hadden wij zien uitgroeien tot een volksbeweging die vocht voor een andere vorm van politieke representatie, tegen de diepgewortelde economische en juridische ongelijkheid en tegen het chronische machtsmisbruik door de staat. Deze beweging was horizontaal – er was geen leiderschap – en daarom nauwelijks onder controle te krijgen.

De enige afloop die ik me al die tijd kon voorstellen, was een overwinning van de revolutie, in welke vorm dan ook, of een massamoord van ongekende proporties om de cycli van protest een halt toe te roepen, een bloedbad om de woede te stelpen en verontwaardiging irrelevant te maken. Stiekem was ik me er altijd van bewust dat de staat tot het uiterste zou gaan om een overwinning uit te sluiten. Massamoord was dus in werkelijkheid altijd de reële re optie geweest.

Onder het bewind van Morsi had de staat door middel van geweld geprobeerd een einde te maken aan de protesten, maar Morsi was toentertijd niet bij machte om de gewelddadige dood van honderden mensen te verantwoorden. Er was geen krachtig motief of verhaal waar genoeg mensen in geloofden. De angst, het gevoel van urgentie en de gemeenschappelijke vijand waren afwezig. Daarnaast was de staat in die tijd te verdeeld. Onder Morsi bestond te veel onenigheid tussen de verschillende instituties, men wantrouwde elkaar. Dit veranderde met de val van de broederschap. De strijd tegen terreur werd opnieuw van stal gehaald en deze mantra werkte als nooit tevoren. Een anonieme ambtenaar van het ministerie van Binnenlandse Zaken bekende in die tijd tegen een correspondent van persbureau Reuters dat de coördinatie tussen het leger, het ministerie van Binnenlandse Zaken en de verschillende inlichtingendiensten nog nooit zo goed was geweest als in de maanden na de machtsovername.[13]

'Het leger pleegt massamoorden om massamoorden uit het verleden te verbergen,' zei Jasmina. Het was de waarheid. In het verleden was het duidelijk wie de schuldigen waren, of althans, dat dachten we, en de doden hadden namen. Nu leek iedereen schuldig en de doden waren massa's. Wat voor zin had het om actie te voeren tegen marteling als het regime in een oogwenk honderden demonstranten kon vermoorden? Wat had het voor zin om martelaren te eren wanneer honderden martelaren naamloos bleven? En wat was een martelaar? Was een martelaar alleen iemand die dezelfde politicke ideeën verkondigde? Het waren walgelijke vragen, maar iedereen worstelde ermee in die dagen.

Was het de juiste beslissing om niet de straat op te gaan tijdens de confrontaties tussen het leger en de broederschap? Was het juist om tegen Morsi te ageren?

Volgens Lobna was de schade van het bloedbad bij de Rab'a El-Adawiyamoskee veel groter dan alleen de fysieke gevolgen. De moorden hadden volgens haar een verwoestend effect gehad op het gevoel van solidariteit onder de Egyptische bevolking. De staat had de revolutie verslagen door haar te verdelen. De revolutie was aanvankelijk tegen het geweld van de staat. Maar nu moedigde men de staat aan om geweld te gebruiken tegen een bepaald deel van de maatschappij. Dat was de ultieme overwinning voor het leger; het werd aangemoedigd om te moorden en de veiligheidsstaat in volle glorie te herstellen. 'Als de giftige propaganda van de staat ooit raakt uitgewerkt, moeten we de kloof die hierdoor is ontstaan proberen te overbruggen. Als dat niet lukt, hebben we voor eeuwig verloren,' zei ze. Het was een proces dat volgens Lobna jaren zou duren.

Daarnaast worstelde ze met haar eigen rol. Terwijl honderden mensen werden afgeslacht door de staat zat zij thuis. Ze kon dat voor zichzelf nog altijd niet verantwoorden. Ze had zich afzijdig gehouden terwijl honderden mensen werden vermoord omdat ze het politiek gezien niet met hen eens was. Dat feit op zich, dat ze ervoor koos om niets te doen omdat het niet 'haar mensen' waren, daar kon ze nauwelijks mee overweg. Het deed pijn. Het maakte haar machteloos, boos en ontzettend verdrietig.

Net als haar kameraden had zij de afgelopen jaren veel 'mortuariumwerk' gedaan: families op de hoogte stellen van het feit dat hun verwanten waren overleden, hulp en ondersteuning organiseren, de verhalen documenteren en campagne voeren. Onder de huidige omstandigheden was dat werk niet meer vol te houden. En dus bleef ze thuis, vol schaamte.

In tegenstelling tot in het verleden werkte de avondklok die het leger had ingesteld uitstekend. Na zeven uur 's avonds waren de straten van Caïro totaal uitgestorven. Het was een onwerkelijke ervaring. De stad die normaal niet stil te krijgen was, leek te zijn gereduceerd tot een spookstad waar slechts militairen en militaire voertuigen zich op straat lieten zien.

Desondanks en ondanks de overweldigende politieke tweestrijd tussen het leger en de broederschap probeerden activisten voorzichtig een derde perspectief te introduceren, een perspectief waarin stelling werd genomen tegen beide kampen. Twee vrienden van ons verzonnen de *masmou'* ('gehoord' of 'hoorbaar')-campagne. Het idee was om elke dag tijdens de avondklok, om negen uur, lawaai te maken met potten en pannen om de dichotomie van de broederschap en het leger te doorbreken.

Soms gingen we ondanks de avondklok 's avonds bij elkaar op bezoek. Het waren bedrukte bijeenkomsten waarin we probeerden de politieke realiteit te laten voor wat ze was. Maar veel anders was er niet te bespreken. De realiteit was overweldigend en verstikkend. Om negen uur sloegen we op potten en pannen, maar de campagne sloeg niet echt aan.

Na een lange, verwarrende stilte bracht mediacollectief Mosireen eind september 2013 een video uit met de titel *Gebed van de Angst.* De tekst bij de video is een gedicht geschreven door de Egyptische dichter Mahmoud Ezzat en geeft de stemming prachtig weer:

Verlos ons van het kwade
Bespaar ons deze beproeving
De strijd is deze keer niet gemakkelijk
De strijd is troebel
Slag na slag
En aan onze zijde, de generaal
De strijd is beangstigend

Als lijken stonden we te kijken naar het bloedbad
Het bloed op onze borst
Gaan we winnen?
Of zijn we op weg naar de slachtbank?
Is die vraag beschamend, of is stilte erger?
Moeten we ons rijk rekenen, of tellen we de doden?
Hebben wij de weg gebaand?
Of is het pad weggevaagd?
Kregen de martelaren de eer die hun toekwam?
Of wenen zij van pijn?
Alle eer aan de scherpschutter?
Of aan hem wiens hersenpan verbrijzeld is?
Bouwen wij een muur van trots, of een fontein van bloed?
Kan onrecht tot de lusthoven leiden?
Kan onderdrukking de poort naar gerechtigheid zijn?

Leid ons weg van het dieptepunt
Waar de monsters gromden en elkaar begonnen te verscheuren
Plotseling voelden we de geur van bloed in onze stem
En de giftanden in ons gezicht
En de monsters, dat waren wij...

Bespaar ons deze beproeving, de gekte
het grootse volkslied, de muziekkapel, het saluut
die weerklank vinden in de menigte
Het collectief gewelddadig gebrul, dat de angstkreten doet ver-
stommen
Wie weigert te juichen, zaait tweespalt
Een verrader, uit het gelid
misplaatst

Red ons van de eensgezindheid
De gelederen zijn verbroken en verwilderd
Verlos ons van het droombeeld
Zo helder als de stralende gebergten
Tussen blindheid en zicht
Het zijn waanbeelden

Verlos ons ervan zonder dat wij ten onder gaan
Schouders op voeten
Verlos ons ervan en laat ons zuiver blijven
Geen bloed aan onze handen
Verlos ons ervan, duizend
of honderd
of één
Die in het eindeloze doden
de vraag van de strijd vergeet
en de vraag stelt van de zachtmoedigen
en zegt: ik ben bevreesd
niet voor de nederlaag, maar voor de zege
waarvan het pad tot aan het paleis bezaaid is met lijken

Wij gaan er niet binnen en beschermen de eigenaren niet
Wij houden het beleg vol
onze namen onleesbaar
We schrijven de namen van de martelaren op de poort

Leid ons weg, naakt, zoals we binnentraden
Geen raadslieden of hovelingen
Geen erepenningen

Leid ons, als nieuw
Als toen we de straat op gingen
Jonge mensen die met elkaar op pad gingen
bang voor niemand
Verlos ons nu

Bespaar ons deze beproeving
De strijd is beangstigend
Bespaar ons deze beproeving
De strijd is beangstigend.[14]

16

Op 24 januari 2014, bijna drie jaar na het begin van de Egyptische revolutie, werd Caïro opgeschrikt door vier bomexplosies. De eerste vond plaats om halfzeven in de ochtend voor het hoofdkwartier van de veiligheidsdienst, en kon door iedereen in de stad worden gehoord. Er vielen vijf doden en enkele tientallen gewonden.

De volgende dag stond in het teken van machtsvertoon van de staat. De Apachehelikopters van het leger cirkelden laag over het centrum van de stad. Bij elke ronde trilden de ramen in hun kozijnen, stokte het gesprek en sloeg de angst eenieder om het hart.

Alle zintuigen waren overgeleverd aan de overweldigende aanwezigheid van de autoriteiten. Het leger, de staat en de luide massa domineerden de publieke ruimte.

Het driejarig jubileum van de revolte die begon als een schreeuw van woede tegen de politiestaat van Mubarak werd toegeëigend door de aanhangers van Abdul Fatah al-Sisi, die beloofde korte metten te maken met dissidenten. De straten werden bezet door een uiterlijk blije maar vanbinnen bloeddorstige menigte. Onder bescherming van de politie vierde de massa feest op het Tahrirplein. Tussen de Egyptische vlaggen, foto's van Sisi en haatdragende protestborden was her en der de beeltenis van voormalig president Mubarak te onderscheiden. Portretten van Khaled Saïd, Mina Daniel en Gika waren nergens meer te bekennen.

Elders in de stad demonstreerden de broeders tegen de coup. Kleine groepjes revolutionairen hadden bovendien protestmarsen georganiseerd tegen de broederschap én tegen het leger. Elke uiting van protest werd echter keihard onderdrukt. Tientallen tegenstanders van de coup kwamen om het leven. Volgens het ministerie van

Binnenlandse Zaken werden die dag 1079 'relschoppers' gearresteerd, onder hen – opnieuw – Nazly Hussein.

'Na veel verwarring, en na lang te hebben nagedacht, heb ik besloten op 25 januari deel te nemen aan de protestmars in [de wijk] Ma'adi. De martelaren en hun droom zijn mijn kompas,' had Nazly die ochtend geschreven op Twitter.

De kleine mars waar zij zich bij aansloot, werd vrijwel direct tot stilstand gebracht. Na een korte achtervolging door de straten van Ma'adi werd Nazly in het metrostation gearresteerd. Vanwege de vele arrestanten die dag werd Nazly drie dagen lang met vier andere vrouwen vastgehouden in een kleine cel voor tijdelijke opvang in een lokaal politiebureau op verdenking van het verbreken van de protestwet en het behoren tot een terroristische organisatie. Ze zouden uiteindelijk op borgtocht worden vrijgelaten. De gearresteerde mannen werden in maart 2014 tot twee jaar gevangenisstraf veroordeeld. In hoger beroep, een maand later, werd de hele groep echter vrijgesproken.

In de daaropvolgende maanden bleef Nazly zich met hart en ziel inzetten voor haar gearresteerde kameraden. Zij was nu twee keer gearresteerd – de eerste keer was in november, zoals beschreven – en twee keer vrijgelaten. Nazly had in drie jaar revolutie een dusdanig profiel gekregen dat de autoriteiten het niet aandurfden haar zomaar op te sluiten. Het zou voor veel onnodige commotie zorgen.

Elke avond ging ze tijdens het bezoekuur naar de gevangenis met zakken eten, schone kleren en andere benodigdheden. Het was deze routine die haar in die dagen nog enige richting gaf. Ze wist niet meer waar haar leven naartoe zou leiden en was alle richting uit het oog verloren. Zorgdragen voor de gevangenen gaf haar enig houvast, maar ze vreesde de toekomst.

De afgelopen jaren had ze alles laten vallen voor de revolutie. Ze had haar baan opgegeven en was veel van de vrienden die ze had vóór de revolutie uit het oog verloren. Behalve een verdrietig en onzeker bestaan als activist was er nu weinig over. De beweging die haar leven al die tijd houvast had gegeven, was verslagen.

Eenzelfde crisis bespeurde ze ook bij anderen. De jaren van de revolutie waren verwoestend geweest voor veel mensen. Relaties en vriendschappen waren gesneuveld. Een generatie was getraumatiseerd, richtingloos en ontmoedigd.

Hoewel Nazly het moeilijk vond om toe te geven, beschouwde ze de revolutie als voorbij. Volgens haar had Sisi iets in gang gezet wat ook hij niet in de hand kon houden. De haat, het bloed en het onrecht: het zou volgens haar de komende jaren een ontwrichtend effect hebben. Ze voorzag een vicieuze cirkel van geweld die de roep om een menselijke, leefbare maatschappij zou overstemmen. De onvrede zou toenemen zonder kanalen om die woede te uiten.

'Er is zoveel haat. Haat tegen de staat, maar ook tussen de verschillende groepen. Er is zo weinig bereidheid om te luisteren. Zoveel mensen hebben de moordpartijen van de staat goedgepraat. De kans dat dat ooit nog goed komt, lijkt zo verpletterend klein. Want te midden van die haat zal de revolutie worden vergeten en vertrapt. De revolutionaire eenheid en vastberadenheid keren voorlopig niet terug. Dat andere, het wantrouwen, dat zet door en daar zullen we nog jaren mee moeten leven. Kijk naar Mohamed Morsi, alles waarvoor hij is aangeklaagd heeft te maken met spionage en landverraad. Hij staat niet terecht voor de moorden en de martelingen van het ministerie tijdens zijn bewind. De politie en het veiligheidsapparaat komen er wederom zonder kleerscheuren van af. Sterker nog, de moordenaars en de meedogenlozen worden beloond met promoties. Het loont om meedogenloos te zijn in Egypte. Tegenwoordig, als ik een hond zie blaffen naar een agent, dan blaf ik mee. Dat zal niet meer veranderen, nooit meer. Dat geldt voor een heleboel van ons. Neem ons dat maar eens kwalijk.'

Tegen het einde van 2013 had de grondwetgevende vergadering, de zogenaamde Raad van Vijftig, de laatste hand gelegd aan een grondwetsontwerp waarin de nieuwe machtsorde werd vastgelegd. Artikel 74 stelde dat politieke partijen op basis van religie niet mochten deelnemen aan het politieke bedrijf. Een terugkeer van de islamisten werd daarmee de facto uitgesloten. De bevoegdheden van de strijdkrachten werden uitgebreid.

Op 14 en 15 januari vond het referendum over de grondwet plaats in een sfeer van intimidatie. De ja-stem domineerde het straatbeeld, nee was geen optie. Actievoerders van het nee-kamp werden gearresteerd en in staat van beschuldiging gesteld voor 'het plakken van posters met een ongewenste boodschap'. Langs de snelwegen in de stad hing aan elke lantaarnpaal een groot affiche waarop het woord 'JA' met koeienletters stond geschreven. Eronder was een simpele maar betekenisvolle leus te lezen: 'Egyptenaren houden van hun land.' Op radio en televisie praatten mannen urenlang gewichtig over de sterke inborst van de Egyptenaar en waarom 'ja' het goede vertegenwoordigde. Het was de plicht van iedere vaderlandslievende burger om in deze moeilijke tijden vóór de grondwet te stemmen, zo luidde de dwingende consensus.

Tegenstanders van de grondwet werden weggezet als aanhangers van de Moslimbroederschap en dat waren terroristen, punt. Gedurende het referendum moesten maar liefst tweehonderdduizend politiemensen en honderdzestigduizend militairen erop toezien dat de verketterde tegenstanders van de grondwet de oneerlijke en voorspelbare stembusgang niet zouden verstoren. Er stond namelijk meer op het spel dan alleen een grondwet.

Legerleider Abdul Fatah al-Sisi was erin geslaagd een numerieke meerderheid te behalen op de straten en de pleinen van Egypte, maar hij had nog geen verkiezing gewonnen. Zolang de nieuwe orde niet kon bogen op een verkiezingsoverwinning, was Mohamed Morsi met recht nog altijd de enige verkozen leider van Egypte. Die status moest hem met grote aantallen worden ontnomen.

Volgens de officiële statistieken zou uiteindelijk net iets minder dan 40 procent van het electoraat de moeite nemen om een stem uit te brengen. Een indrukwekkende 98 procent daarvan stemde vóór de nieuwe grondwet. De nee-stemmers waren massaal thuisgebleven. De grondwet was met een overtuigende marge aangenomen, maar de autoriteiten waren er niet gerust op. De opkomst was teleurstellend. Daarnaast waren de jongeren massaal thuisgebleven. Slechts 20 procent van de Egyptenaren onder de dertig had een stem uitgebracht.

Het was een teken aan de wand. Jonge Egyptenaren leden massaal onder een zekere apathie. De revolutie had hun het idee gegeven dat een betere toekomst tot de mogelijkheden behoorde of dat ze tenminste iets konden betekenen voor de toekomst van Egypte. De overwinning van het leger en vooral de manier waarop die overwinning werd bestendigd, betekenden het definitieve einde van die hoop. De legertop zou nooit de macht uit handen geven. Het eind van de repressie was niet in zicht.

Meer dan de helft van alle Egyptenaren was in 2013 onder de twintig en veel van hen waren geïnspireerd door de leuzen van de revolutie. Sinds de coup van juli waren Egyptes openbare universiteiten het laatste podium waar de geest van de revolutie voortleefde. Vrijwel wekelijks werden er protestacties georganiseerd tegen de repressieve maatregelen van het universiteitsbestuur, tegen de particuliere beveiligingsondernemingen op het universiteitsterrein of tegen het regime. Tussen september 2013 en maart 2014 kwamen zestien studenten op het universiteitsterrein door geweld om het leven en werden er maar liefst 1350 gearresteerd. Om een einde te maken aan de protesten had een rechter in februari bepaald dat de politie het universiteitsterrein mocht betreden. Studentenvakbonden werden ontbonden en activisten werden door het universiteitsbestuur geschorst.

Tegelijkertijd nam het aantal stakingen in de eerste weken en maanden van 2014 voorzichtig toe. Fabrieksarbeiders en ambtenaren begonnen het werk neer te leggen uit protest tegen de voortdurende verwaarlozing van Egyptes werkende klasse. Een week na het referendum hadden stakende buschauffeurs zich verzameld voor de deur van het Egyptisch parlement, tegenover mijn huis. De mannen eisten dat het minimumloon van 1200 Egyptische ponden (honderddertig euro), dat in september was aangekondigd door premier El-Beblawi, zou worden geïmplementeerd. 'We hebben "ja" gezegd tegen de grondwet, waar blijft nu ons minimumloon?' was een van de veelzeggende leuzen.[15]

Ondanks de overdonderende propaganda van de staat werden de arbeidersprotesten voor de deur van het parlement opnieuw een bijna dagelijks fenomeen. Volgens het Egyptische centrum voor Sociale en Economische Rechten was ruim 70 procent van al het protest in die maanden gerelateerd aan economische eisen.

Het regime reageerde voorspelbaar. Onder het mom van de strijd tegen terreur en uit naam van de nationale veiligheid werden stakingsleiders gearresteerd en protestacties op de werkvloer uiteengeslagen. De strijd tegen terreur werd gebruikt om vakbonden aan banden te leggen en arbeidsprotest te onderdrukken. Desondanks leek de kracht van de propaganda af te nemen. Het enthousiasme van de massa begon te slijten, en dat was niet verwonderlijk.

Vanaf de installatie van het nieuwe regime regeerde het op basis van angst. Behalve de bloedige onderdrukking van de Moslimbroederschap had de nieuwe orde uiterst weinig bereikt. Er was niets wat het enthousiasme en het vertrouwen van de hysterische Sisi-aanhang kon rechtvaardigen, behalve de angst voor terrorisme en chaos. De coup van 3 juli had een constante (vermeende) terreurdreiging in het leven geroepen, en de *raison d'être* van het nieuwe regime was om die dreiging met alle middelen te weerstaan. De staat misbruikte deze angst echter om een einde te maken aan de terugkerende stakingen en protesten. Dát was de drijvende kracht achter het nieuwe regime dat zich gesteund wist door de Egyptische heersende klasse en de belangrijkste instituties van de staat. Het leger, de inlichtingendiensten en het ministerie van Binnenlandse Zaken werden geleid door generatiegenoten en vertrouwelingen van Sisi die eensgezind te werk gingen. De orde was daarmee hersteld, maar problemen waren niet opgelost. Achter de nationalistische façade werd men stilaan ongeduldig.

De latente afkeer van de politieke orde bereikte een voorlopig hoogtepunt tijdens de presidentsverkiezingen die eind mei werden gehouden.

Na maanden van geruchten over zijn aanstaande kandidatuur maakte veldmaarschalk Abdul Fatah al-Sisi in maart bekend dat hij zich daadwerkelijk kandidaat zou stellen voor de presidentsverkiezingen.[16] Uit veiligheidsoverwegingen zou hij echter geen campagne voeren. Hij zou geen openbare verkiezingstoespraken houden en weigerde in debat te gaan met zijn enige rivaal Hamdeen Sabbahi. Een duidelijk verkiezingsprogramma was er bovendien niet. In plaats daarvan rekende Sisi op zijn reputatie als redder van de natie om de verkiezingen te winnen.

Zijn campagneteam werd zowel in Caïro als in Alexandrië aangevoerd door kopstukken uit de tijd van Mubarak. De media, een deel van de middenstand en de zakenelite van Egypte maakten in krachtige termen hun voorkeur kenbaar. Op elke straathoek verschenen posters en vlaggen waarop de lokale middenstand of een of ander vooraanstaand of vermogend persoon aankondigde de campagne van Sisi te steunen. 'Lang Leve Egypte – Aannemersbedrijf Mohamed Hatem en Zonen steunt het presidentschap van Abdul Fatah al-Sisi' stond op een van de vlaggen bij mij in de buurt. Het was een manier om de publieke opinie te bespelen en een illusie van eensgezindheid te creëren.

In de schaarse interviews die hij gaf, benadrukte de voormalige legerleider dat de focus tijdens zijn presidentschap zou liggen op veiligheid, stabiliteit en het herstel van de economie. Hij beloofde geen drastische hervormingen, maar sprak over een collectief offer dat de Egyptenaren moesten brengen. Stabiliteit, vaderlandsliefde en plichtsbesef zouden volgens Sisi leiden tot een gunstiger investeringsklimaat en dus tot meer investeringen.[17] Het economische herstel dat Sisi voor ogen had, was dus afhankelijk van stabiliteit. Tot zover niets nieuws onder de zon. In tegenstelling tot zijn voorgangers weigerde Sisi echter woorden als vrijheid, democratie en mensenrechten te gebruiken. 'Vrijheden mogen nooit tot chaos leiden,' stelde hij tijdens een interview op 12 mei. In een ander interview pochte Sisi dat er onder zijn bewind niets van de Moslimbroederschap zou overblijven. Allerhande ordeverstoringen konden rekenen op een gepaste reactie.

Eind mei stelde een rapport van het Egyptische Centrum voor Sociale en Economische Rechten dat er sinds juli 2013 meer dan 41.000 mensen gevangen waren gezet.[18] De gevangenissen van Egypte puilden uit met leden en sympathisanten van de broederschap, seculiere activisten, arbeiders, journalisten, toevallige passanten, studenten en scholieren.[19]

Desondanks was de verwachting dat de verkiezingen van 26 en 27 mei slechts een formaliteit zouden zijn. De mythe van Sisi die voorbestemd was om het Egyptische volk te dienen was dusdanig opgeblazen dat zelfs tegenstanders van de president geloofden dat heel Egypte lachend in de rij zou gaan staan om het leiderschap van de republiek officieel aan Sisi over te dragen. Niets bleek echter minder waar.

De tweedaagse presidentsverkiezingen zouden uitlopen op een blamage voor het regime, niet vanwege het percentage stemmen in het voordeel van Sisi, maar vanwege de opkomst. Ondanks de eindeloos herhaalde reclamespotjes op televisie over de noodzaak om te stemmen bleven de stemlokalen leeg. Naarmate de eerste dag verstreek, raakten de aanhangers van Sisi in paniek. Op televisie deden presentatoren en nieuwslezers emotionele en soms zelfs agressieve oproepen om toch alsjeblieft te gaan stemmen. 'Kom van die bank af. Het kost je maar een halfuurtje. Op deze manier verliezen we van de terroristen,' jammerde een vrouwelijke nieuwslezer. Anderen dreigden dat Egypte zou verworden tot een tweede Syrië als men niet naar de stembus zou gaan.

Tijdens de eerste verkiezingsdag verklaarde de nieuwe premier

Ibrahim Mehlab dat de volgende dag een feestdag was. De miljoenen staatsambtenaren kregen vrijaf en konden ongestoord naar de stemlokalen gaan. Diezelfde dag werd City Stars, het grootste winkelcentrum van de stad, gesloten en mocht iedereen gratis met de metro reizen. Aan het eind van de tweede dag besloot de voorzitter van de kiescommissie dat de stembussen nog een dag langer open zouden blijven.[20]

Onze analfabetische werkster had gedurende de hele revolutie nog niet één keer gestemd. Ze was door schade en schande wijs geworden en wist dat ze zich maar beter niet met de politiek kon inlaten. 'Arme mensen zoals ik krijgen uiteindelijk toch de rekening gepresenteerd,' zei ze vaak. Deze keer bekende ze met een schuldige glimlach dat ze wel naar het stembureau was geweest omdat de lokale imam haar had verteld dat ze verplicht was om te gaan. Mensen die niet stemmen, zouden vijfhonderd pond (vijftig euro) boete krijgen en een halfjaar de gevangenis in moeten, had de imam tegen haar gezegd. 'Ik wil niet naar de gevangenis,' zei ze verontschuldigend. Op wie ze moest stemmen, had de imam niet gezegd, maar dat Sisi de veilige optie was had ze wel begrepen.[21]

In de daaropvolgende maanden zou Sisi zijn verworven macht als president gebruiken om korte metten te maken met de verworvenheden van de revolutie. Zoals gezegd werden de veiligheidsmaatregelen op leerinstellingen aangeschroefd. Ook andere plekken waar jongeren samenkwamen werden onder toezicht geplaatst. Tussen de vele terrassen rondom de Egyptische effectenbeurs, waar elke avond duizenden mensen komen voor een kop thee of koffie en een waterpijp, en waar de afgelopen jaren menige demonstratie was bekokstoofd, kwam permanent een tank te staan. De beveiliging van de stad werd gemilitariseerd. Veiligheidspersoneel ging gekleed in zwarte bivakmutsen en wegen bij populaire protestlocaties werden afgezet met prikkeldraad.

De betonnen muren in de binnenstad waren inmiddels weggehaald en in de omgeving van overheidsgebouwen vervangen door betonnen anti-explosieschermen om de schade bij een eventuele bomaanslag te minimaliseren. Militaire checkpoints keerden terug in het straatbeeld. Maar waar enkele maanden eerder elke maatregel van het gezag gretig werd goedgepraat, begon men nu stilaan vraagtekens te plaatsen. De cynicus kon opnieuw rekenen op een publiek. De antiterreurmaatregelen van Sisi leken wel erg op de bangmakerij van het Mubarakregime.

De intenties van het regime waren bovendien opzichtig geworden. Het waren allang niet meer alleen de islamisten die vervolgd werden. Iedereen die afweek van de nationalistische standaard, was verdacht. Mensen die in het openbaar over politieke onderwerpen spraken werden gearresteerd door de politie of aangehouden door zogenaamde 'eervolle burgers'. Op televisie werd de loyaliteit van bekendere leden van de oppositie continu in twijfel getrokken. Homoseksuelen, atheïsten, kunstenaars en intellectuelen werden gezien als een bedreiging.

In de nazomer van 2014 nam het regime wetgeving aan die alle non-gouvernementele organisaties onder strikt toezicht van de staat plaatste. Mensenrechtenorganisaties die martelingen en machtsmisbruik van de staat in kaart probeerden te brengen, werden opgeheven. Hun medewerkers verloren hun baan en verdwenen in sommige gevallen achter de tralies. Degenen die een visum konden krijgen, vluchtten naar het buitenland. In november van dat jaar werden alle aantijgingen aan het adres van voormalig president Hosni Mubarak in hoger beroep van tafel geveegd: de ultieme vernedering van de revolutie.[22]

Om een idee van succes uit te dragen kondigde de president megalomane projecten aan die de economie een impuls moesten geven. Sisi sprak van een tweede Suezkanaal om meer staatsinkomsten te genereren en een miljoen wooneenheden voor jongeren met een laag inkomen.[23] Volgens analisten waren de economische cijfers in Egypte hoopgevend. De mondiale zakenelite was blij met de hervormingen van het regime.[24]

De revolutionaire beweging was verdeeld, vermoeid en opgejaagd. De Moslimbroeders waren buitenspel gezet. Men had gedemonstreerd, gestemd en gevochten. Twee presidenten waren ten val gebracht en wat restte was nog meer repressie. De uitzichtloosheid drong zich bij iedereen op. De staat van creatieve chaos waar Caïro in verkeerde tijdens de hoogtijdagen van de revolutionaire beweging was verworden tot de beklemmende sfeer van cynisme, verslagenheid en agressie. Er leek geen einde te komen aan de stroom verhalen over arrestaties, veroordelingen, hongerstakingen en depressies van activisten die in het verleden vurig strijd hadden geleverd tegen de dictatuur.

Mijn vrienden stemden niet tijdens het referendum en niet tijdens de presidentsverkiezingen. Natuurlijk stemden ze niet. De verkiezingen waren slechts een manier om een vleugje democratische legitimiteit te verschaffen aan een door en door dictatoriaal systeem.

De meesten van hen waren net als Nazly verward uit de strijd gekomen. Zij hadden hun leven tijdelijk op pauze gezet en probeerden te wennen aan een bestaan waarin politieke strijd niet centraal stond, en dat was lastig.

Selma reisde in de eerste maanden van 2014 naar Algerije, Turkije, Mexico en de Verenigde Staten om met activisten daar contact te leggen en om zich opnieuw op te laden, maar ze was naar eigen zeggen toe aan een lange vakantie. Om haar hoofd te legen was het noodzakelijk om een tijd afstand te nemen van de situatie in Egypte. Ze was overbelast, gestrest en depressief. Er was een noodzaak om goed en diep na te denken over Egypte en over haar leven. Ze sloot zich af voor het nieuws en wilde tijd nemen om de laatste drie jaar rustig te verwerken. Daarna hoopte ze fris terug te keren.

Toch betekende dat niet dat Selma zich niet meer met politiek bemoeide. Toen een vriendin van haar uit Alexandrië tot twee jaar celstraf werd veroordeeld voor haar deelname aan een demonstratie, stond Selma op straat te demonstreren voor haar vrijlating op de trap van het journalistensyndicaat, net als vroeger. Ze putte hoop uit degelijke bijeenkomsten. Ondanks de zware repressie bleef het netwerk dat de laatste jaren was opgebouwd bestaan.

Voor Ziyad gold min of meer hetzelfde. Ten tijde van de coup in de zomer van 2013 was hij al enkele maanden minder betrokken bij de politieke ontwikkelingen. Op 30 juni was hij weliswaar de straat op gegaan, maar daar bleef het bij. Hij werkte als editor aan een Egyptische speelfilm, maar was niet blij met zijn leven in Caïro en greep daarom elke mogelijkheid aan om de hoofdstad te verlaten. Zijn vrije dagen bracht hij door aan zee of thuis in zijn slaapkamer terwijl hij zon op manieren om langere tijd in het buitenland door te brengen. Hij verlangde naar vrijheid en liefde en had allebei nog steeds niet gevonden.

Hij had stilletjes gehoopt dat de revolutie op meer dan alleen politiek vlak een leidraad zou bieden. Het bleek valse hoop. Wat overbleef was de kille werkelijkheid en in die werkelijkheid voelde Ziyad zich eenzaam en onbegrepen.

Hij verwachtte dat de opgelegde orde van Sisi niet houdbaar zou blijken. Tegelijkertijd vreesde hij dat het moeilijker zou zijn om zonder vooringenomenheid deel te nemen aan toekomstig protest. Het feit dat mensen het ene jaar de straat op konden gaan tegen politiegeweld en twee jaar later de straat op konden gaan om een regime te steunen in een strijd tegen terreur, had zijn vertrouwen in mensen een deuk toegebracht. Het gemak waarmee de massa misleid kon worden, beangstigde hem bovendien.

Philip en Jasmina waren na een onderbreking van een aantal maanden weer bij elkaar en regisseerden samen hun eerste speelfilm. Hun *Out on the Street* zou in het voorjaar van 2015 verschijnen. Het is een experimentele film waarin de gevolgen van de privatisering van Egyptes industrie onder de loep worden genomen door een groep (ex-)arbeiders en jongeren die wonen in de omgeving van een gesloten fabriek. In de film spelen zij hun eigen ervaringen na tegen de achtergrond van de revolutie. De politieke ontwikkelingen volgden Philip en Jasmina van een afstandje.

Philip had in de afgelopen drie jaar zelden een inzinking gehad. Hoewel hij wel eens neerslachtig kon worden, bezat hij de kwaliteit om onafhankelijk van de gebeurtenissen zijn eigen pad te bewandelen. Hij raakte niet al te verward door de politieke tegenslagen. Zelf zei hij dat dat lag aan zijn ervaringen in de Gazastrook, waar hij tijdens zijn studie twee jaar woonde. Daar had hij naar eigen zeggen ervaren hoe een onwettig en onrechtvaardig systeem kan worden opgelegd aan een bevolking die zich ongeacht de prijs en ongeacht de kans van slagen zou blijven verzetten. Hij dacht bovendien nooit aan een overwinning, er was geen eindpunt in zijn politieke denken en dat maakte het wellicht makkelijker om tegenslagen te verwerken. Hij zag zichzelf als eeuwige oppositie, permanent aan de zijlijn.

Tegelijkertijd was Philip gedreven en gedisciplineerd. Hij voelde zich verplicht om zijn bevoorrechte positie te gebruiken om mensen te ondersteunen die getroffen werden door de structuren van onrecht. Zij vormden volgens hem de motor van sociale verandering. Zijn taak was om hen te assisteren in die strijd. Mede door deze instelling veranderde Philip in de afgelopen drie jaar van een enigszins elitaire en idealistische activist in een gerespecteerde, revolutionaire denker, gehard door de lessen van de Egyptische revolutie, aan de frontlinie van een wereldwijde strijd tegen kapitalisme en onderdrukking.

Hij benadrukte telkens dat de Egyptische revolutie niet op zichzelf stond. De situatie in Egypte was direct verbonden met de instabiele regionale situatie, én met de mondiale economische crisis. Egypte was immers nog altijd afhankelijk van buitenlandse financiering. De stabiliteit van Sisi zou uiteindelijk moeten leiden tot meer investeringen vanuit het buitenland. Overal in de wereld werden politieke en economische elites echter geconfronteerd met de woede van een gemarginaliseerde bevolking. Het gebeurde in Turkije, Brazilië, Griekenland en elders.

In zijn optiek was de opstand, zoals hij het nog altijd noemde, mede om die reden niet voorbij. Het verzet tegen de staat had alleen een andere vorm aangenomen. Het regime van Sisi leunde op een vaderlandslievendheid die aantrekkelijk is voor de middenklasse die hoopt te kunnen profiteren van een sterke staat en de stabili-teit die het belooft. Voor de miljoenen armen in de verpauperde en ongereguleerde wijken van de steden levert vaderlandsliefde echter niets op. Zij vallen buiten de boot en worden nog altijd als minder-waardig behandeld, hoeveel ze ook van hun land houden. De po-litie is er niet om hun belangen te behartigen. Zij hadden volgens Philip geen reden om zich vertegenwoordigd te voelen.

Het gewelddadige optreden van het regime had volgens Philip de opstand naar de achterbuurten verplaatst. De fase van de gro-te demonstraties en bezettingen van pleinen was voorbij, maar dat betekende volgens hem niet dat de opstand in zijn geheel voorbij was. Er wachtte slechts een nieuwe fase, een fase waarin wanhoop in plaats van hoop de boventoon zou voeren.

Onder Mubarak was er een alternatief, hoe vaag dat ook was. Er waren partijen en politici die beweerden integer te zijn en er was een protestbeweging op straat. Democratie was een vaag begrip, maar het bood op zijn minst het perspectief van het onbekende. Onder Sisi was de protestbeweging verslagen, democratie was een farce gebleken, alle politici bleken opportunisten en het buiten-land was medeplichtig. Het enige waar men om gaf, was stabiliteit en het feit dat de elitaire economische structuren overeind bleven. Wat was er nog om voor te vechten?

'Ik filmde niet zo lang geleden met een man van in de dertig,' vertelde Philip op een ochtend halverwege 2014. 'Hij was gewond geraakt tijdens de achttien dagen maar had de hele revolutie van dichtbij beleefd. Hij vatte het gevoel goed samen. Hij had gevoch-ten tegen Morsi en vierde feest toen de militairen de macht overna-men. Maar hij had inmiddels ingezien wat de nieuwe orde inhield en voelde zich verraden. De man stond tegenover me, staarde on-gemakkelijk naar de grond en bleef maar praten. Hij vertelde over de situatie in de achterbuurt waar hij woonde. Hij vertelde hoe de politie de buurt terroriseerde en de jeugd intimideerde. Hij en zijn vrienden waren onderdeel geweest van de strijd tegen Morsi. Ze hadden gevochten en gebloed. Nu, na de overwinning, lagen ze echter nog altijd onder vuur en schoot de politie met scherp. "Wij hebben jou aan de macht gebracht Abdul Fatah al-Sisi," riep de man in de camera, "en nu keer je je tegen ons? Je levert ons over aan de politie? Dat is verraad! Het leger was met ons en is nu weer tegen ons? Kom maar op, wij zijn niet bang meer. Waar was je toen wij stierven in de frontlinie?" De man riep dat hij een geweer zou kopen om op die manier de dood van zijn vrienden te wreken. Het was de enige optie die hij nog had. "We branden dit land tot de grond toe af," zei hij. Dat sentiment, dat gaan we vaker zien.'

TIJDLIJN

- 1928, oprichting Moslimbroederschap in Egypte.
- 15 mei 1948, stichting van de staat Israël.
- 23 juli 1952, de Vrije Officieren plegen een staatsgreep. Daarmee komt er een einde aan de koloniale overheersing van Egypte.
- Oktober 1956, Suezcrisis. Engeland, Israël en Frankrijk vallen gezamenlijk Egypte aan om toegang tot en zeggenschap over het Suezkanaal veilig te stellen.
- Juni 1967, Zesdaagse Oorlog tussen Israël aan de ene kant en een coalitie van Egypte, Jordanië en Syrië aan de andere kant. De oorlog eindigde in een verpletterende nederlaag voor de Arabische landen.
- Oktober 1973, Jom Kipoer- of Oktoberoorlog. Deze oorlog wordt in Egypte herdacht als een klinkende overwinning.
- 1979, Egypte sluit vrede met Israël. De vredesakkoorden zouden bekend worden als Camp Davidakkoorden.
- 6 oktober 1981, president Sadat wordt doodgeschoten door militante islamisten tijdens een militaire parade. Vicepresident Hosni Mubarak volgt hem op. De moord was aanleiding om een noodwet in te stellen die pas in 2012 zou worden beëindigd.
- 2000, Tweede Palestijnse Intifada.
- 2003, Amerika en een zogenaamde 'Coalition of the Willing' vallen Irak binnen.
- 2005, opkomst van Kifaya!.
- 2005, bij de parlementsverkiezingen wint de Moslimbroederschap 20 procent van de stemmen.
- 2006, eerste staking in El-Mahalla El-Kubra.
- 6 april 2008, het beleg van El-Mahalla.
- 27 december 2008-18 januari 2009, Israëlische aanval op de Gazastrook (Operatie Cast Lead).

- 2010 Khaled Saïd, een jonge man uit Alexandrië wordt door de politie doodgeslagen nadat hij beelden online had gezet waarop te zien was hoe agenten de opbrengsten van een drugsdeal onderling verdeelden.

- 1 januari 2011, bij een bomaanslag op een kerk in Alexandrië vallen 23 doden.

- 14 januari 2011, de Tunesische president Zine El Abidine Ben Ali gedwongen om zijn land te ontvluchten na wekenlang protest.

- 25 januari 2011, begin van de Egyptische revolutie. In Caïro en andere steden worden grote demonstraties georganiseerd.

- 28 januari 2011, een mijlpaal in de prille Egyptische opstand. Het regime trekt de veiligheidstroepen terug omdat de politie het volk niet meer in de hand heeft. Het leger wordt ingezet.

- 2 februari 2011, de slag van de kamelen.

- 11 februari 2011, Mubarak valt en een militaire junta neemt de macht over. De achttien dagen protest die ten grondslag lagen aan de val van Mubarak worden kortweg 'de achttien dagen' genoemd.

- Februari 2011, oprichting mediacollectief Mosireen.

- Februari 2011, oprichting campagne Nee Tegen Militaire Tribunalen Voor Burgers.

- 19 maart 2011, referendum over grondwetswijzigingen. Belangrijkste punt van de wijzigingen was dat parlementsverkiezingen zouden plaatsvinden vóór er een nieuwe grondwet zou worden geschreven. Dit referendum bepaalde het verloop en de uitkomst van de zogenaamde transitie.

- 28 juni 2011, de eerste grote rellen tussen demonstranten en veiligheidsdiensten sinds de val van Mubarak.

- 8 juli 2011-1 augustus 2011, een tweede sit-inprotest op het Tahrirplein mondt uit in een nederlaag voor de demonstranten. De gehoopte 'tweede revolutie' blijft uit.

- 9 oktober 2011, de eerste massamoord van het leger. Ten minste 27 koptisch christelijke demonstranten worden vermoord voor de deur van de Egyptische staatstelevisie. Een van de doden is activist Mina Daniel.

- 19 november 2011, begin van de rellen in de Mohamed Mahmoud-straat waarbij rond de vijftig doden zouden vallen.
- 28 november 2011, eerste ronde van de parlementaire verkiezingen.
- 23 januari 2012, eerste sessie van het nieuwe parlement. De Moslim-broederschap is de grootste partij, gevolgd door de salafisten.
- 1 februari 2012, massamoord in de havenstad Port Said. Meer dan zeventig voetbalsupporters van voetbalclub Al-Ahly vinden de dood.
- 23 & 24 mei 2012, eerste ronde van de presidentsverkiezingen.
- 2 juni 2012, oud-president Mubarak wordt veroordeeld tot een levenslange gevangenisstraf voor zijn rol bij de dood van demonstranten tijdens de achttien dagen.
- 24 juni 2012, de kiescommissie bevestigt dat Moslimbroeder Mohamed Morsi de presidentsverkiezingen heeft gewonnen.
- 30 juni 2012, Mohamed Morsi wordt beëdigd als vijfde president van de Arabische Republiek Egypte.
- 2 augustus 2012, president Morsi presenteert zijn eerste kabinet.
- 5 augustus 2012, militanten in de Egyptische Sinaïwoestijn vallen een basis van het Egyptische leger aan en vermoorden alle zestien aanwezige soldaten.
- 14 november 2012, Ahmed Jabari, het hoofd van de militaire vleugel van Hamas in de Palestijnse Gazastrook, wordt geliquideerd door het Israëlische leger. De moord leidde tot een felle maar korte oorlog – bekend onder de naam 'Pillar of Defense' – tussen Israël en Hamas.
- 17 november, in de zuidelijke stad Assiut botst een trein op een schoolbus. Eenenvijftig schoolkinderen komen om het leven.
- 20 november 2012, de zestienjarige demonstrant Gaber Salah, oftewel Gika, wordt vermoord door de veiligheidsdiensten.
- 22 november, Morsi vaardigt een decreet uit dat zijn macht van de ene op de andere dag vrijwel absoluut maakt.
- November 2012, oprichting OpAntiSH.
- 5 december, massale rellen tussen voor- en tegenstanders van de president voor de deur van het presidentieel paleis.
- 15 & 22 december 2012, referendum over de grondwet die was opgesteld door Moslimbroeders, conservatieve islamisten, afgevaardigden van de veiligheidsdiensten en het leger.

- 6 januari 2013, de roekeloze Mohamed Ibrahim wordt aangesteld als nieuwe minister van Binnenlandse Zaken.
- 26 januari 2013, 21 verdachten in de zaak omtrent de voetbaldoden in Port Said worden ter dood veroordeeld.
- 27 januari 2013, president Morsi roept de noodtoestand uit in Port Said en stuurt het leger naar de havenstad toe om de orde te herstellen.
- Mei 2013, Egypte belandde officieel in de ergste economische crisis sinds de jaren dertig van de twintigste eeuw.
- Mei 2013, begin van de Tamarodcampagne.
- 15 juni 2013, tijdens een massabijeenkomst in het stadion van Caïro wordt president Morsi bijgestaan door doorgewinterde islamisten die oproepen tot jihad in Syrië.
- 30 juni 2013, miljoenen Egyptenaren gaan de straat op om het aftreden te eisen van Mohamed Morsi.
- 1 juli 2013, minister van Defensie Abdul Fatah al-Sisi komt met een ultimatum: de politieke krachten moeten met een oplossing komen, anders neemt het leger maatregelen.
- 1 juli 2013, het hoofdkwartier van de Moslimbroederschap in Caïro wordt aangevallen en in brand gestoken. Acht mensen kwamen daarbij om het leven.
- 3 juli 2013, het leger arresteert Mohamed Morsi en neemt de macht over.
- 4 juli 2013, kopstukken van de Moslimbroederschap worden door het leger gearresteerd.
- 5 juli 2013, bij rellen tussen voor- en tegenstanders van Mohamed Morsi komen in het hele land 36 mensen om het leven.
- 9 juli 2013, sit-in van aanhangers van president Morsi ontaardt in een bloedbad nadat de veiligheidstroepen en de militaire politie interveniëren.
- 26 juli 2013, honderdduizenden gaan de straat op om het leger en de politie een mandaat te verschaffen om op te treden tegen 'geweld en terrorisme'.
- 27 juli 2013, eerste poging om een einde te maken aan het sit-inprotest. Tussen de 82 en 120 aanhangers van Mohamed Morsi vinden de dood.

- 14 augustus 2013, het leger en de veiligheidsdiensten ontruimen de twee grote protestlocaties waar aanhangers van Mohamed Morsi al weken bivakkeren. Tussen 638 en 2600 mensen komen om het leven.
- 15 augustus 2013, overal in het land komt het tot ongeregeldheden. Militante aanhangers van Morsi vallen kerken en christelijke instellingen aan. Ten minste 36 kerken gaan in vlammen op en tientallen mensen worden vermoord.
- 16 augustus 2013, tijdens betogingen van aanhangers van Mohamed Morsi komen 173 mensen om het leven. Onder hen de zoon van de opperste leider van de Moslimbroederschap.
- 18 augustus 2013, in het dorpje Abu Zabal stikken 37 mensen achter in een politiebus.
- 19 augustus 2013, in het noorden van de Sinaï worden 25 dienstplichtigen in een hinderlaag gelokt en in koelen bloede vermoord.
- 14 & 15 januari 2014, referendum over een nieuwe grondwet.
- 26 & 27 & 28 mei 2014, voormalig legerleider en minister van Buitenlandse Zaken Abdul Fatah al-Sisi wordt verkozen tot president van Egypte.
- 29 november 2014, in een nieuw proces wordt voormalig president Hosni Mubarak vrijgesproken van alle beschuldigingen.

NOTEN

DEEL I

1 Het gebruik van fosfor in gebieden waar burgers wonen is volgens de Geneefse conventie verboden.

2 In de jaren zeventig laaide het verzet tegen de dictatuur op onder studenten in Egypte. Sadat had in 1970 het stokje overgenomen van de populaire én populistische Gamal Abdel Nasser en was direct begonnen met een aantal flinke hervormingen. Hij brak met het Arabisch socialisme van Nasser, de Arabische, meer autoritaire variant van de verzorgingsstaat, omarmde de vrije markt en lieerde zich aan de Verenigde Staten in plaats van aan Rusland. Markthervormingen leidden in 1977 tot de 'Revolutie van de Dieven', waarbij Caïro en andere steden enkele dagen het toneel waren van hevige rellen. Sadat reageerde keihard en maakte een einde aan de seculiere protestbewegingen op de universiteiten door enerzijds repressie te gebruiken en anderzijds de islamisten aan te moedigen om het seculiere nationalisme van Nasser met wortel en tak uit te roeien.

3 Het feit dat ik mijn paspoort niet bij me had bleek achteraf een zegen. Alle andere buitenlanders die er die dag bij waren, journalisten en activisten, zijn sindsdien, ook na de revolutie, nog altijd persona non grata in Egypte. Die dag accepteerden de veiligheidsjongens mijn verlopen studentenpas, waarop geen paspoortnummer stond.

4 Deze generatie had de bloeiperiode van de studentenbeweging meegemaakt in de jaren zeventig, maar was buitenspel gezet door president Anwar Sadat, de voorganger van Mubarak, die het islamitisch activisme in universiteiten en vakbonden aanwakkerde om te kunnen breken met de linksige achterban van zíjn voorganger. Veel van hen werden gestraft voor hun activisme met jarenlange gevangenisstraffen. De kinderen van die ge-

neratie stonden echter in de frontlinie tijdens de Egyptische revolutie.

5   Volgens een onderzoek uit 2009 wordt er in Caïro gemiddeld 2373 uur per jaar gewerkt, 600 meer dan er gemiddeld in het Westen wordt gewerkt. In Nederland wordt bijvoorbeeld 'slechts' 1377 uur per jaar gewerkt. Deze cijfers zeggen overigens niets over productiviteit.

6   Uit David Sims, *Understanding Cairo: The Logic of a City Out of Control.*

7   Uit Max Rodenbeck, *Caïro, biografie van een stad,* p. 197.

8   Kedive is een term die van 1867 tot 1914 was bestemd voor de gouverneur van Egypte, die verantwoording moest afleggen aan de Ottomaanse sultan. Daarna werd Egypte een koninkrijk onder leiding van de Engelsen.

9   Rond 1900 was 96 procent van het kapitaal op de groeiende Egyptische aandelenbeurs in buitenlandse handen.

10   De metro's van Caïro hebben aparte vrouwencoupés zodat vrouwen met de metro kunnen reizen zonder lastiggevallen te worden door opdringerige mannen. Dit recht om mannenloos te kunnen pendelen wordt door de vrouwen met hand en tand verdedigd. Ik heb vaak gezien hoe een jongen door luid schreeuwende vrouwen de coupé uit werd geduwd.

11   In een rapport van het Amerikaanse ministerie van Buitenlandse Zaken uit 2002 wordt doodleuk melding gemaakt van het feit dat gevangenen in Egypte worden 'uitgekleed en geblinddoekt; opgehangen aan het plafond of aan een kozijn waarbij de voeten de vloer niet raken; geslagen met vuisten, stokken, metalen palen en andere voorwerpen; met stroomstootwapens worden toegetakeld; ondergedompeld in koud water [en] seksueel misbruikt'.

12   Deze overheidssubsidies op levensmiddelen werden tijdens de Tweede Wereldoorlog in het leven geroepen als noodmaatregel om de bevolking te voeden. Sindsdien zijn ze uitgegroeid tot een essentiële buffer voor miljoenen arme Egyptenaren en een enorme ongewenste uitgave voor de staat. In het boekjaar 2010/2011 ging 5,5 miljard dollar op aan staatssubsidies op etenswaren. Sinds jaar en dag gaan er vanuit de overheid en de internationale financiële instituten die Egypte van economisch advies voorzien, stemmen op om dit subsidiesysteem af te schaffen of te hervor-

men, maar dat blijkt lastig. Met een totale consumptie van 13,7 miljoen ton per jaar is Egypte de grootste consument van tarwe ter wereld. Zolang de overheid goedkoop brood levert, is ze verzekerd van een zekere sociale en politieke stabiliteit. Zo niet, dan gaat het mis, zo ondervond Anwar Sadat, de voorganger van Mubarak. Toen hij in 1977 op instigatie van het Internationaal Monetair Fonds de subsidies op levensmiddelen probeerde af te schaffen, braken er massale rellen uit. Na enkele dagen van onrust trok Sadat zijn besluit in en keerde de rust terug.

13 Volgens de Amerikaanse planoloog David Simms ligt slechts 34 procent van de gebouwen in Caïro aan een verharde weg.

14 Khaled Saïd, de jongen uit Alexandrië die in de zomer van 2010 werd doodgeslagen door de politie, had beelden online gezet van de manier waarop agenten de opbrengsten van een drugsdeal onderling verdeelden. Volgens sommige analisten beheersen de Egyptische veiligheidsdiensten de drugshandel in Egypte van A tot Z.

15 Op de ranglijst van Transparency International stond Egypte in 2010 op de achtennegentigste plaats (van 172) van meest corrupte landen ter wereld.

16 Sinds de jaren tachtig van de vorige eeuw heeft Egypte de grootste buitenlandse schuld op het Afrikaanse continent.

17 Deze oorlog, in het Westen en in Israël de Jom Kipoeroorlog genoemd, is cruciaal voor het verloop van de moderne geschiedenis van Egypte. De staat ontleende zijn legitimiteit aan wat het land zelf de glorieuze oorlog noemde. Meer hierover in de loop van het boek.

18 In vertrouwelijke diplomatieke documenten uit 2009 werd gesproken over het feit dat Egyptische democratie- en mensenrechtenactivisten weliswaar werden gedwarsboomd, maar dat de financiële hulp toch de belangen van de Verenigde Staten diende: 'Egypte is nog altijd op vreedzame voet met Israël, en het Amerikaanse leger heeft nog altijd voorrang in het Suezkanaal en in het Egyptische luchtruim.' De documenten werden vrijgegeven door WikiLeaks. Diplomatieke documenten uit hetzelfde jaar maken laconiek melding van het feit dat het hoofd van de inlichtingendienst Omar Suleiman en minister van Binnenlandse Zaken Habib el-Adly 'de binnenlandse beesten op afstand houden' en dat president

Mubarak zich weinig zorgen maakte over de tactieken die daarbij gebruikt werden.

19 Die dag in 1952, 59 jaar voor het uitbreken van de Egyptische revolutie, vonden 46 Egyptische politieagenten de dood tijdens een vuurgevecht met Engelse bezettingssoldaten in Ismaïlia, een stad aan het Suezkanaal.

20 Khaled Saïd was een zakenman uit Alexandrië die in juni 2010 op straat werd doodgeslagen door de Egyptische politie nadat hij een video online had gezet waarin te zien was hoe politieagenten de opbrengsten van een drugsdeal onderling verdeelden. Zijn dood leidde tot een verheviging van het protest. De uitzending van *Baladna* van 24 januari is te zien op www.youtube.com/watch?v=4ozc_jqsm3M (Arabisch gesproken).

21 De naam Mohamed staat symbool voor het islamitische deel van de bevolking. Bulis is een typisch christelijke naam in Egypte. De leus drukte de eenheid uit van Egyptenaren en de vastbeslotenheid om een einde te maken aan het bewind van Hosni Mubarak.

22 Voor sommigen waren dit ook toeristen. Via de toeristen konden ze de staat treffen en tegelijkertijd was het een manier om het Westen te raken.

23 Egyptische bedrijven als Mobinil en Etisalat, maar ook multinationals als Vodafone, schakelden zonder mokken voor vijf dagen hun diensten uit. Daarnaast ontstond er na de val van Mubarak ophef over het feit dat telefonieproviders pro-Mubarak-sms'jes hadden verstuurd aan gebruikers.

24 Hoewel het leger bij hoog en laag zou beweren dat het aan de zijde van het volk heeft gestaan tijdens die achttien dagen, zijn er situaties bekend waarin het leger op de menigte heeft geschoten. In Egypte is het nog altijd erg moeilijk om hierover te rapporteren.

25 Na de val van Mubarak kwam ik in contact met Ihab Ali, die met het volkscomité in de wijk Imbaba allerlei politieke activiteiten zou ontplooien. Een van de activiteiten bestond uit een boycot van de lokale vuilnisophaaldienst, die slecht werk leverde tegen hoge prijzen. Ihab en zijn kameraden moedigden mensen aan om hun vuilnis op te sparen en tijdens een aangekondigd evenement voor het huis van de gouverneur achter te laten.

26 Onderzoek wees later uit dat de mannen op de paarden en kamelen in

de toeristenindustrie werkten in de omgeving van de piramides. Zij hadden sinds het begin van de revolutie hun inkomsten zien opdrogen en waren dus makkelijk te mobiliseren door antirevolutionaire krachten. Ze waren opgehitst en betaald door hooggeplaatste lokale leden van de NDP om het protest aan te vallen.

27 De meeste gebouwen in de binnenstad van Caïro hebben een portier of *bawaab*. Deze draagt zorg voor het gebouw en zijn bewoners, houdt een oogje in het zeil en weet wat er speelt in de omgeving.

28 De EU is tegenwoordig de grootste handelspartner van Egypte.

29 Men spreekt over directe buitenlandse investeringen wanneer er direct in de productie van een ander land wordt geïnvesteerd, meestal door een bedrijf in dat land op te kopen of door een bedrijf op te starten. Flexibilisering van de regels rondom directe buitenlandse investeringen is een van de aanbevelingen die horen bij de Washington Consensus, een economische formule voor landen in crisis. Andere aanbevelingen zijn: begrotingsdiscipline, belastinghervorming, privatisering van staatseigendom en afschaffing van concurrentiebeperkende regulering. Tarweproductie is een mooi voorbeeld van de manier waarop liberalisering onder auspiciën van de Amerikanen eruitziet. Egypte produceert tarwe voor de wereldmarkt voor prijzen die hoger zijn dan wat Egyptenaren kunnen betalen. De geïmporteerde tarwe komt uit de Verenigde Staten. De armoedige Egyptenaren onderhouden op die manier de gigantische en door de Amerikaanse overheid gesubsidieerde landbouwbedrijven in de Verenigde Staten.

30 Dit probleem bestaat nog altijd. De oude vakbonden hebben de val van Mubarak overleefd en vormen nog steeds een essentieel onderdeel van de staat. Hoewel er sinds het begin van de revolutie steeds meer onafhankelijke vakbonden bij komen, is het moeilijk voor deze nieuwe organisaties om voet aan de grond te krijgen en vervolgens erkend te worden door het ministerie van Arbeid.

31 El-Naggar, A., 'Economic Policy: From State Control to Decay and Corruption', in: Rabab el-Mahdi en Philip Marfleet, *Egypt, Moment of change*.

32 In 2008 zei Egypte-expert Joel Beinin voor Middle-East Research

and Information Project dat het op den duur 'alsmaar lastiger zou worden voor het regime en zijn kapitalistische handlangers om zaken te doen zoals gewoonlijk'.

33 'Top reformers in 2006/2007', *Doing Business*, International Finance Corporation (World Bank).

34 Hoewel de acties in El-Mahalla El-Kubra gelden als de vonk die een stakingsbeweging ontketende, lijkt de centrale rol van de befaamde katoenfabriek in de Egyptische arbeidersbeweging ten einde. Activistische netwerken zijn opgerold en de meeste stakingsleiders zijn ontslagen en gearresteerd of gecoöpteerd door de fabrieks- of vakbondsdirectie. Omringd door een metershoge muur met prikkeldraad en met om de zoveel tientallen meters een wachttoren, heeft de fabriek tegenwoordig meer weg van een militair complex.

35 Hossam el-Hamalawy runt sinds zeven jaar de populaire website arabawy.org, een betrouwbare bron voor activistisch nieuws uit Egypte. Malek, een voormalig Moslimbroeder die zich rond die tijd begon te ontwikkelen tot anarchist, groeide sinds de revolutie uit tot een van de iconen van de strijd tegen Mubarak. Hij is een van velen die tijdens de gewelddadigheden in november 2011 een oog zouden verliezen door een politiekogel.

36 Selma zou nooit meer teruggaan naar haar baan. Na de achttien dagen was ze 24 uur per dag betrokken bij de revolutie in verschillende hoedanigheden. Ze was onder andere lange tijd fulltime in dienst bij Mosireen, een revolutionair mediacollectief.

37 Voormalig baas van de Egyptische geheime dienst Omar Suleiman was door Mubarak op 28 januari benoemd tot vicepresident. Het was een van de 'concessies' die Mubarak deed na de eerste drie dagen van protest. Maanden later werd bekend dat de benoeming van Suleiman als vicepresident een wens van de Amerikanen was geweest. De Verenigde Staten hadden goede ervaringen met de inlichtingenbaas. Sinds het zogenaamde *extraordinary renditions*-programma van de CIA bestonden er nauwe banden tussen de Amerikaanse inlichtingendienst en Omar Suleiman. Meteen diezelfde avond verschenen er echter spandoeken op Tahrir tegen Suleiman.

38 Zij die overleden tijdens de achttien dagen tegen Mubarak worden in Egypte officieel erkend als martelaren. Het lot van de martelaren en genoegdoening voor hun families zal nog regelmatig terugkomen.

39 Na de val van Mubarak veranderde de betekenis van de term 're-volutionair'. Zoals iedere Nederlander na de Tweede Wereldoorlog beweerde bij het verzet te hebben gezeten, zo had iedere Egyptenaar naar eigen zeggen de volle achttien dagen op het Tahrirplein doorgebracht. Iedereen was daarmee feitelijk een revolutionair. Ik gebruik het woord echter voor degenen die de revolutie niet als voltooid beschouwden na de achttien dagen en zich dus bleven verzetten tegen de overblijfselen van het Mubarakregime en de macht van het leger. Let wel, de meeste Moslimbroeders vallen hier dus níét onder – ook al vinden ze zelf van wel.

DEEL II

1 Tijdens de oorlog met Israël van 1973 was Mubarak een gevierd luchtmachtcommandant. Volgens de geschiedschrijving was het zijn rol in deze oorlog die hem uiteindelijk een positie als vicepresident opleverde. Ahmed Shafik was gevechtspiloot en vocht onder Mubarak.

2 Op 16 april werd de partij ontbonden op bevel van de rechter. Veel van de netwerken van de NDP bleven echter bestaan en gingen op in nieuwe partijen.

3 Ook Ramy Essam, 'de troubadour van de revolutie', eindigde in het Egyptisch Museum. Tijdens de achttien dagen had de vierentwintigjarige Ramy bekendheid verworven door de politieke leuzen van de betogers van een simpele gitaarondersteuning te voorzien. Vrijwel dagelijks zong hij met zware stem 'weg, weg met Hosni Mubarak' op een van de podia op het plein. Hij werd een vaste act en het onschuldige symbool van de Egyptische revolutie. Tijdens het protest in maart had Ramy zijn vertrouwde plek weer opgezocht, maar deze keer werd zijn optreden bruut onderbroken. In het museum werd Ramy gemarteld met stokken, elektriciteitskabels, riemen en zwepen.

4 In december 2011 oordeelde een rechtbank in Caïro dat de maagde-

lijkheidsonderzoeken onmiddellijk moesten worden stopgezet. Enkele maanden later werd Ahmed Adel, de militaire arts die verantwoordelijk was voor de onderzoeken, vrijgesproken door een militaire rechtbank.

5   De naam werd gekozen om enerzijds de eisen van de revolutie te reflecteren en anderzijds de verbondenheid met de AK Partij – Partij voor Rechtvaardigheid en Ontwikkeling – van de Turkse premier Recep Tayyip Erdoğan te benadrukken. Het democratische ideaal van de Moslimbroederschap was een rechtse, sociaal-conservatieve, neoliberale partij met islamistische wortels – net als de succesvolle AK Partij die in Turkije sinds 2002 de grootste partij is.

6   Bijna elke vrijdag na het vertrek van Mubarak werden er massademonstraties georganiseerd rond een bepaald thema. Met zuivering, of *tathir* in het Arabisch, werd verwezen naar het proces om de staat te zuiveren van elementen van het ancien régime.

7   Op YouTube is te zien hoe het leger die nacht aanviel: www.youtube.com/watch?v=k4IoQ5jLXFs; dit is gefilmd vanaf het appartement van de al eerder genoemde Pierre Sioufi.

8   *Mosireen* betekent letterlijk 'vastbeslotenen' of 'wij zijn vastbesloten', maar is in het Arabisch schrift ook een verwijzing naar het Arabische woord voor Egyptenaren, *masriyeen.*

9   Ahmed Urabi, Yousef el-Guindi, Saad Zaghloul en Hoda Shaarawi zijn enkele bekende namen. Laatstgenoemde was niet alleen een van de vrouwelijke leiders van de nationalistische strijd, samen met onder anderen Sophia Zaghloul, de vrouw van Saad, maar ze was tevens een pionier van het feminisme in Egypte.

10 De Wafd was de partij voor de Egyptische *effendiyya*, een klasse van hoogopgeleide, vooraanstaande professionals die een gematigd nationalisme bezigden. De partij bestaat nog altijd in de marge van het Egyptische politieke leven.

11 Volgens gerenommeerde (Israëlische) historici zoals Ilan Pappé en Benny Morris was er sprake van etnische zuivering. Pappé schreef het baanbrekende boek *The Ethnic Cleansing of Palestine.*

12 De Egyptische koningen stamden af van Mohamed Ali Pasja, de grondlegger van het moderne Egypte. Mohamed Ali Pasja was een Alba-

nese commandant in het leger van het Ottomaanse Rijk, maar schopte het in 1805 tot kedive van Egypte.

13 Het gebouw is vernoemd naar de bekende Franse Egyptoloog Gaston Maspero.

14 Tot op heden worden de bestuurlijke kringen van Egypte gekenmerkt door bureaucratische chaos, verborgen werkloosheid, verouderde papieren systemen en overbemanning. Prominent op het Tahrirplein staat het enorme, stalinistisch aandoende bureaucratische hart van de Egyptische staat, de Mugamma' genaamd, waar ambtenaren onderuitgezakt en tussen eindeloze stoffige stapels paperassen theedrinken en meer of minder geduldige bezoekers nonchalant te woord staan.

15 Pasja (Egyptisch meervoud *bashawaat*) was een Ottomaanse titel voor de hoogste ambtenaren en militairen met generaalsrangen. De titel werd in Turkije afgeschaft door Atatürk. In Egypte deed Nasser dat. Het woord *basha* bestaat als aanspreektitel nog wel en wordt veel gebruikt in het Egyptische dialect. De adellijke connotatie is verdwenen, het betekent meer iets als 'gozer' of 'gast'.

16 Gamal Abdel Nasser, *Filosofie van de Revolutie.*

17 Door samen te werken met zowel communisten als islamisten wist Nasser arbeiders en islamisten (tijdelijk) uit te schakelen. Daarnaast gebruikte hij natuurlijk de nodige terreur om ervoor te zorgen dat Egyptenaren de almacht van het leger zouden accepteren.

18 1956 was het jaar van de zogenaamde Suezcrisis. Engeland, Frankrijk en Israël vielen gezamenlijk de opstandige Nasser aan nadat deze het Suezkanaal had genationaliseerd. Amerika greep toen in en maakte een einde aan het geweld. In 1967 werd Egypte tijdens de Zesdaagse Oorlog in de pan gehakt door Israël; hierover later meer.

19 In binnen- en buitenland geldt Nasser tot op heden als de onbetwiste held van de Egyptische en Arabische onafhankelijkheid en zijn nalatenschap wordt door sommige Egyptenaren nog altijd hoog gehouden. Er zijn nasseristische studentenclubs en politieke partijen die hun partijprogramma's baseren op het gedachtegoed van Nasser. De meeste huidige aanhangers worden aangetrokken door het idee van Arabische eenheid en een sterke staat die voor de zwakkeren zorgt. Daarbij wordt vaak ver-

geten dat Nasser niet alleen een symbool is van onafhankelijkheid. Hij is tevens de grondlegger van een militaire dictatuur die tot het uiterste gaat om zichzelf te beschermen.

20 Deze steun is in werkelijkheid een indirecte subsidie van de Amerikaanse staat aan de wapenindustrie en bestaat uit tegoeden bij Amerikaanse wapenproducenten. Tussen 2009 en 2011 verdienden de Amerikaanse wapen- en technologiefabrikanten Lockheed Martin, DRS Technologies en L-3 Communications respectievelijk 259, 65,7 en 31,3 miljoen dollar aan de Amerikaanse steun aan Egypte. Naast militaire hulp ontvangt Egypte sinds de vrede jaarlijks ook aanzienlijke hoeveelheden humanitaire hulp. Ook de humanitaire hulp is zodanig ingericht dat vooral de Amerikaanse economie er wel bij vaart.

21 M. Heikal, 'The Road To Ramadan', p. 75.

22 Eentje heet daadwerkelijk 6 Oktober Stad, de andere heet 10 Ramadan Stad, vernoemd naar 6 oktober in de islamitische jaartelling.

23 Een vriend vertelde ooit dat hij geschokt was toen hij op reis in Engeland ontdekte dat Egypte de oorlog van 1973 niet had gewonnen, maar dat de VN hadden ingegrepen op het moment dat Israëlische troepen onder leiding van Ariel Sharon richting Caïro marcheerden.

24 De akkoorden waren het resultaat van dertien dagen geheim overleg tussen Jimmy Carter, Anwar Sadat en Menachem Begin, premier van Israël. Als gevolg daarvan moest Israël de Sinaïwoestijn geleidelijk verlaten en zou het aantal Egyptische troepen langs de grens streng gereguleerd worden.

25 Egypte is geen lid van de OPEC. Het land heeft relatief kleine olie- en aanzienlijke gasreserves.

26 Sinds begin 2011 is de gaspijpleiding naar Israël zeker vijftien keer opgeblazen – een indicator van de populariteit van deze historische overeenkomst.

27 Enkelen van hen en Mubarak zelf werden in de maanden na de val van de dictator aangeklaagd voor corruptie gerelateerd aan de gasdeal met Israël.

28 Verwijzingen naar de Palestijnse strijd waren tijdens de protesten tegen president Mohamed Morsi opvallend genoeg totaal afwezig. Deze

protesten waren dan ook nationalistischer van aard dan alles wat eraan vooraf was gegaan.

29 Selma Saïd zou later vertellen hoe het protest bij de Israëlische ambassade ervoor had gezorgd dat zij werd aangevallen via Twitter, vooral door Amerikanen. 'Plotseling waren we niet meer die gezellige revolutionairen van Tahrir, ze waren teleurgesteld in ons,' vertelde Selma lachend.

30 De directe aanleiding voor het protest was het feit dat Israëlische strijdkrachten drie Egyptische grenswachters hadden doodgeschoten nadat 'militanten' de grens waren overgestoken en acht Israëliërs hadden gedood.

31 Tijdens voedselrellen in 1977 en tijdens een opstand van veiligheidstroepen in 1986 moesten soldaten ingrijpen om de staat te behoeden voor een fiasco.

32 Een grap in Caïro luidt dat dienstplichtigen bij aankomst in de barakken in een rij moeten gaan staan. Een officier roept dat analfabeten een stap naar voren moeten doen, zij worden soldaten. Universitair geschoolden moeten een stap naar achteren te doen, zij worden officieren. Degenen die vervolgens nog in de rij staan en de orders niet hebben begrepen, worden overgeplaatst naar het ministerie van Binnenlandse Zaken.

33 De arbeidsomstandigheden in de militaire fabrieken waar tienduizenden vaak dienstplichtige arbeiders werken, zijn afschuwelijk. Lonen zijn laag en als arbeiders protesteren, zoals in 2010 gebeurde in Militaire Fabriek 99, worden zij berecht door militaire tribunalen wegens het prijsgeven van militaire geheimen of het in gevaar brengen van de staatsveiligheid.

34 Hoewel de militaire elite ook profiteerde van de liberalisering – (oud-) officieren wisten flinke bonussen of lucratieve posities te verwerven – bleef het militair-industrieel complex afgeschermd van dergelijk beleid.

35 Retributie voor de families van de martelaren zou een van de drijvende factoren achter de revolutie blijven, want met elke ronde van protest vielen er nieuwe slachtoffers. Retributie ging niet zozeer om een geldelijke vergoeding. De meeste familieleden van martelaren die ik heb gesproken, zeiden slechts op zoek te zijn naar erkenning voor het feit dat hun zoon of dochter een martelaar was. Daarnaast wilden ze dat de schuldigen zouden

worden vervolgd en veroordeeld en dat er een rechtvaardig bestuur zou komen in Egypte. Het belangrijkst was dat de idealen waar zij voor waren gestorven zouden worden gerealiseerd: brood, vrijheid en sociale rechtvaardigheid.

36 Zoals vermeld importeert Egypte meer dan 50 procent van zijn voedselbehoefte.

37 Sorour zou een aantal maanden later worden gearresteerd op verdenking van corruptie. Vrij snel daarna werd hij echter vrijgelaten.

38 Amerikanen, Britten, Israëliërs, Iraniërs, Palestijnen, Syriërs en zelfs Ethiopiërs waren allemaal op een bepaald moment lijdend voorwerp van deze xenofobe houding. De hetze tegen buitenlanders zou enkele maanden later een voorlopig hoogtepunt bereiken met een door de regering gefinancierd televisiespotje waarin Egyptenaren worden opgeroepen bedacht te zijn op buitenlanders met vragen.

39 Tijdens de rellen voor de deur van het theater werd een nieuwe held van de revolutie geboren, Mohamed Gad el-Rab genaamd, maar beter bekend onder zijn bijnaam Sambo. Naar eigen zeggen had Sambo nooit deelgenomen aan de achttien dagen. Maar toen hij hoorde dat families van martelaren slaags waren geraakt met de politie, kon hij niet langer toekijken. Tijdens de rellen voor het Balloon Theater wist hij een politieman te ontwapenen en schoot hij met rubberkogels op de veiligheidsdiensten. Zijn acties stonden op film en een aantal dagen later werd hij van zijn bed gelicht en tot vijf jaar cel veroordeeld in een militair tribunaal. Een muurschildering van hem met het politiegeweer in zijn hand sierde maandenlang de muren van de Mohamed Mahmoudstraat.

40 Politieke graffiti werd een ware kunstvorm in die dagen. El-Teneen had tot de achttien dagen niets met kunst gehad en ontpopte zich na de val van Mubarak binnen enkele maanden tot een van de trendsetters van deze nieuwe beweging.

41 Een vriend van ons werd die avond 'gearresteerd' door de obscure groep Ihna Asfien Ya Rayyis ('Het Spijt Ons Meneer De President'), een uitgesproken antirevolutionaire knokploeg, en uitgeleverd aan de militaire politie.

42 De Wasatpartij (centrumpartij) werd opgericht in 1996 als een afsplit-

sing van de Moslimbroederschap. Op 19 februari 2011 werd de partij erkend door een Egyptische rechtbank. Daarmee was het de eerste officiële politieke partij na de val van Mubarak.

43 In 2005 exporteerde Nederland 431 pantserrupsvoertuigen van het type YPR naar Egypte. Het is niet waarschijnlijk dat deze voertuigen een rol speelden bij de gebeurtenissen bij Maspiro in 2011, maar ongetwijfeld heeft het leger profijt gehad van het Nederlandse materieel in de strijd met de eigen Egyptische bevolking.

44 De term 'eervolle burgers' (*muwatinien shuraffa*) werd door het leger gebruikt voor mensen die op eigen initiatief in actie kwamen tegen 'onrust' op straat.

45 Ten tijde van de varkensgriep in 2009 nam het regime maatregelen die tegemoetkwamen aan de wensen van de islamitische oppositie; alle varkens in Egypte werden afgeslacht. Naar christenen werd niet geluisterd, ook al waren sommigen van hen economisch afhankelijk van de varkens.

46 Niet alleen de mensen op straat bleven stil over de gebeurtenissen, ook politici reageerden nauwelijks. Het was alsof men wel wist wat er was gebeurd, maar niemand het durfde uit te spreken. Dit zwijgen is blijven hangen bij de koptische gemeenschap.

47 In november van dat jaar ontmoette ik de Nederlandse minister van Buitenlandse Zaken Uri Rosenthal tijdens zijn bezoek aan Caïro. Toen ik hem vroeg naar een reactie zei hij dat hij alle vertrouwen had in het onderzoek van de militairen. Verder zei hij zijn ambtsgenoot te geloven wanneer die zei dat het leger de macht zou overdragen.

48 In de tussentijd was er nog een dode gevallen. Essam Atta was op 26 februari 2011 tot twee jaar cel veroordeeld door een militair tribunaal. Op 28 oktober van dat jaar werd hij dood achtergelaten op de stoep van een ziekenhuis. Hij was doodgemarteld door de politie. Enkele weken eerder had hij in een verklaring aan de campagne Nee Tegen Militaire Tribunalen Voor Burgers het volgende geschreven: 'Mijn naam is Essam Ali Atta. Ik werd gearresteerd omdat mijn familie arm is. Maar God zal mij niet zomaar in de steek laten.'

49 Het protest van die vrijdag was georganiseerd rondom het zogenaamde 'Selmi-document', een geesteskind van vicepremier Ali el-Selmi,

waarin werd voorgesteld dat de legertop vetorechten zou krijgen over de nieuwe grondwet. Het voorstel schoot alle politieke partijen in het verkeerde keelgat. De Moslimbroederschap was de motor achter het protest. Verzekerd van een meerderheid in het parlement zagen zij de eventuele vetorechten van het leger als een directe bedreiging.

50 De meeste traangasgranaten die in die dagen werden gebruikt, waren gemaakt in maart 2011 in de Verenigde Staten en dus verkocht aan de junta na de val van Mubarak. Dat was dus de werkelijke steun van Obama aan democratie in de regio.

51 Vlak na de aanval gingen soldaten langs alle huizen om filmcamera's in beslag te nemen. Onze Britse vriendin (tevens lid van mediacollectief Mosireen) wist haar geheugenkaart echter verborgen te houden.

52 Dit werd bevestigd door beelden die opdoken op internet en die gefilmd waren vanuit de linies van de veiligheidstroepen. Op de beelden is te zien hoe een soldaat met een shotgun mikt op het gezicht van een betoger, schiet en raakt. De betoger valt op de grond terwijl de soldaat een compliment krijgt van zijn meerdere.

53 Andere harde kernen volgden het voorbeeld. De harde kern van El-Masry heet bijvoorbeeld Ultra's Green Eagles en werd in 2009 opgericht.

54 De rivaliteit tussen Ultra's was groot. De harde kernen van El Ahly en Zamalek s.c. konden elkaars bloed wel drinken – tot aan de revolutie. Maar ook de twee clubs van die avond, Al-Ahly uit Caïro en El-Masry uit Port Said, kenden een geschiedenis van tweestrijd. Bij een eerdere confrontatie hadden aanhangers van El-Ahly het centrum van Port Said kort en klein geslagen; in Nederland zou men spreken van een risicowedstrijd. Maar extra politiebescherming was er niet.

55 De populariteit van het woord *gad'a* was tekenend. Het is typisch Egyptische straattaal en betekent iets als 'toegewijd', 'loyaal'.

56 Tijdens de dagen van Morsi zou Askar Kazeboen veranderen in Kazeboen bi ism el-dien ('Leugenaars uit naam van religie').

57 Nieuwe vakbonden rezen sinds de val van Mubarak als paddenstoelen uit de grond. Rond die tijd beweerde de Federatie van Onafhankelijke Vakbonden dat er tweehonderd vakbonden waren aangesloten bij de federatie. Die tweehonderd bonden vertegenwoordigden volgens de fede-

ratie bijna twee miljoen arbeiders. Dat was een overschatting. De nieuwe vakbonden ondervonden veel tegenstand van de staatsgeleide vakbonden uit de tijd van Mubarak en wettelijke obstakels. De staat erkende het potentiële gevaar van een onafhankelijke arbeidersbeweging.

58 Op de ochtend van het vonnis hadden duizenden tegenstanders van de president – activisten en families van slachtoffers die waren gevallen tijdens de achttien dagen – en enkele voorstanders zich verzameld op de parkeerplaats voor de academie. De blijdschap over het vonnis van Mubarak sloeg snel om in woede toen men hoorde dat zijn zoons en enkele handlangers waren vrijgesproken.

59 Emoties rondom de kandidatuur van Shafik liepen hoog op. Toen hij zijn stem ging uitbrengen in de eerste ronde, op 24 mei, werd hij aangevallen door een boze menigte.

60 Het vormen van de grondwettelijke vergadering werd gekenmerkt door verdeeldheid. Liberalen vonden dat de islamisten te veel domineerden en weigerden mee te werken.

61 Syriërs en Palestijnen werden geassocieerd met de Moslimbroederschap. Volgens anti-Morsipropaganda van nationalistische media had de broederschap bondgenoten uit de Gazastrook en uit Syrië laten komen om hen te steunen. Nadat Morsi zijn steun voor de Syrische opstandelingen had verkondigd, werden deze geruchten hardnekkiger.

62 Dit getal is nooit door onafhankelijke bronnen gecontroleerd en kan dus niet worden bevestigd. Wel is duidelijk dat er ontzettend veel handtekeningen waren opgehaald.

63 In Algerije leidde een interventie van het Algerijnse leger in 1991 tot een bloedige burgeroorlog die jaren zou duren. De interventie van het leger was bedoeld om de verkiezingsoverwinning van de islamisten, verenigd in de FIS, te dwarsbomen.

64 Zo stond Alaa Abdel Fattah volgens de geruchten op een van die lijsten van bekendste activisten in Egypte. Hij komt uit een familie van politieke activisten en werd voor het eerst gearresteerd in 2006 door het regime van Hosni Mubarak. Daarnaast zat hij tijdens het bewind van de Hoge Militaire Raad, onder Morsi én onder het interim-bewind van Adly Mansour in 2013 tijdelijk in de cel.

65 Omar, de zoon van de Egyptische schrijfster Ahdaf Soueif en Britse dichter Ian Hamilton, groeide op in Londen maar kwam voor de revolutie in Egypte wonen. Via zijn moeder was hij verwant aan de bekendste politieke familie van Egypte: activisten Alaa Abdel Fattah, Mona Seif en hun ouders, mensenrechtenactivisten en advocaten Laila Soueif en Ahmed Seif el-Islam.

66 Volgens een bijzonder gedetailleerd artikel van persbureau Reuters dat in oktober 2013 verscheen, genoot Tamarod van meet af aan steun van het ministerie van Binnenlandse Zaken.

DEEL III

1 Hoewel vrijwel al mijn vrienden atheïst of agnost zijn, staan ze geregistreerd als moslim dan wel christen. In april 2013 begonnen activisten in Egypte een campagne om het vakje religie op de ID-kaart te bedekken. De campagne Gaat Je Niets Aan was een reactie op een uitbraak van sektarisch geweld in een dorpje in de Nijldelta waarbij in totaal negen doden vielen.

2 De opengesperde rechterhand van Fatima, dochter van de profeet, dient als bescherming tegen het kwaad.

3 Sint Joris is een van de belangrijkste heiligen voor koptische christenen.

4 Zo is *allahu akbar* ('God is groot') regelmatig te horen tijdens demonstraties, bij verbazing, bij vrees of op momenten van euforie en tegenslag. In tegenstelling tot veel westerse interpretaties is dit echter geen teken van fundamentalisme. Het is een strijdkreet, een stopwoordje en een manier om elkaar moed in te spreken.

5 Deze zinnen vormen in hun geheel een citaat van Karl Marx.

6 In *Comparative Studies in Society and History*, vol. 40, nr. 1, voorjaar 1998, pp. 136-169.

7 De term *jihad* is een sleutelwoord in het vocabulaire van de broederschap. Het refereert zowel aan de gewapende strijd die nodig is om de islamitische landen te bevrijden van koloniale overheersing, als aan de innerlijke strijd die gelovigen dienen te ondernemen om zichzelf te bevrijden van minderwaardigheid, fatalisme en passiviteit.

8   De broederschap stond een transnationale organisatie voor ogen. In 1936 werd er een tak geopend in Libanon, een jaar later in Syrië en in 1946 in Transjordanië. Inmiddels heeft de organisatie afdelingen in bijna alle landen met een aanzienlijke islamitische populatie.

9   De invoering van het napoleontisch wetboek had in Egypte tot een vorm van vervreemding geleid, stelde hij.

10   Op basis daarvan wees Al-Banna de partijpolitiek af. Daarnaast vond hij de partijen van die tijd maar elitair en noemde ze terecht 'instrumenten van de Britse overheersing'.

11   Richard P. Mitchell, *The Society of the Muslim Brothers*, 1969, Oxford University Press, p. 27.

12   Tegelijkertijd zit daarin ook de weifeling van de autoriteiten die nooit wisten hoe ze met de broeders moesten omgaan. De reactie van de autoriteiten schipperde altijd tussen accommodatie en repressie.

13   Volgens de overeenkomst zouden de Britten het gebied verlaten, maar in geval van militaire nood zouden de bases weer bemand mogen worden.

14   De aanslag was een ongewoon doldrieste actie van de broederschap, maar volgens historici hoopten de broeders dat andere militairen die sympathieën koesterden voor de organisatie de positie van Nasser zouden overnemen.

15   Tegen het einde van zijn bewind, in de late jaren zeventig, domineerden de broeders de universiteiten in de grote steden en in de Nijldelta, en waren ze nadrukkelijk aanwezig op de universiteiten van Opper-Egypte.

16   Sadat moedigde tevens de tijdelijke emigratie naar Saoedi-Arabië en andere Golfstaten aan. In die landen werden Egyptische gastarbeiders blootgesteld aan de wahabitische ideeën van het koninkrijk. Bij terugkomst namen de Egyptenaren niet alleen geld, maar ook conservatieve opvattingen mee naar huis. De nikab, de alles bedekkende zwarte gezichtssluier, begon aan een opmars.

17   Onder de arrestanten bevond zich sjeik Omar Abdel Rahman, oftewel 'de blinde sjeik'. Abdel Rahman werd niet schuldig bevonden aan de moord op Sadat. Wel zou hij in 1995 in de Verenigde Staten tot levenslang veroordeeld worden voor het deelnemen aan een 'opruiende samenzwering'. Na de val van Mubarak organiseerden salafistische moslims een

maandenlange sit-in voor de Amerikaanse ambassade om de vrijlating van de sjeik te eisen. Ook Ayman al-Zawahiri werd gearresteerd. In een bekend videofragment is een jonge Al-Zawahiri te zien die vanuit zijn cel in de rechtbank de buitenlandse media in het Engels toespreekt. 'Wij hebben ons best gedaan om een islamitische staat en maatschappij te vestigen!' roept een geagiteerde Al-Zawahiri tegen zijn toehoorders. Ook hij werd uiteindelijk niet veroordeeld.

18 Dit conflict woedde vooral in de dorpen van Opper-Egypte waar militanten de wapens opnamen tegen de staat. Het aantal sektarische incidenten nam in die jaren eveneens toe.

19 Sinds de vroege jaren tachtig had de broederschap een (symbolische) parlementaire aanwezigheid gehad. Omdat de organisatie nog altijd verboden was, gingen individuele leden op persoonlijke titel lijstverbindingen aan met gevestigde partijen zoals de eerdergenoemde Wafd en de Sociaal Democratische Partij.

20 In 1993 greep het regime in en plaatste het alle syndicaten onder directe controle van de staat (vakbonden genoten dit privilege al jaren). Niettemin zou de invloed van de broederschap aanzienlijk blijven.

21 Het besluit om in 2009 alle varkens in Egypte uit te roeien, zogenaamd uit voorzorg tegen de varkensgriep, kan ook in dit licht worden bezien. Deze ingreep, die het leven beïnvloedde van duizenden christenen, was ingegeven door een lang bestaande wens van islamisten om het hoeden van varkens – een onrein dier volgens de islam – te verbieden.

22 Onder de gearresteerde leiders bevonden zich Essam el-Erian, voormalig parlementslid, voormalig vicevoorzitter van het syndicaat voor artsen en in 2011 vicevoorzitter van de Partij voor Vrijheid en Gerechtigheid, en Abdel Moneim Abul Fottoeh, voormalig secretaris-generaal van het syndicaat voor dokters en presidentskandidaat in 2011.

23 Volgens voormalig Moslimbroeder Haitham Abu Khalil hadden Mohamed Morsi en Saad el-Katatni al eerder geheim overleg gevoerd met het regime. Het regime wilde dat de broederschap zich zou terugtrekken. In ruil daarvoor zouden leden uit de gevangenis worden vrijgelaten en zou het verbod op de organisatie worden opgeheven. De overeenkomst werd op het laatste moment afgeblazen.

24 Hassan Malek, een vooraanstaande Moslimbroeder en zakenman, stelde in een interview in 2011 dat het regime van Mubarak op de juiste koers zat wat betreft economische hervormingen. 'We kunnen profiteren van economische beslissingen uit het verleden,' zei hij. Malek zou door Morsi worden aangesteld als hoofd van een Business Development Council die de president zou adviseren over het aantrekken van buitenlandse investeringen. Malek was een goede vriend en collega van Khairat el-Shater, de steenrijke adjunct geestelijk leider, en wellicht de belangrijkste strateeg en financier van de broederschap. El-Shater had een vermogen verdiend met onder meer de handel in meubels en textiel, maar zat sinds 2007 in de gevangenis wegens vermeende witwaspraktijken. In maart 2011 werd El-Shater vrijgelaten door de Hoge Militaire Raad. Volgens velen was zijn vrijlating onderdeel van een overeenkomst tussen de junta en de broederschap. Als wederdienst zou de broederschap het stappenplan van de junta steunen en zijn aanhang oproepen om 'ja' te stemmen tijdens het grondwettelijk referendum in maart.

25 Een prettige uitzondering op de nationalistische kritiek op de president was de immens populaire komiek en voormalig hartchirurg Bassem Yousef, die tijdens de achttien dagen was begonnen met uitzendingen op YouTube. Yousef werd een fenomeen op internet en op televisie en trok wekelijks rond de dertig miljoen kijkers.

26 Met het aantreden van Morsi vervagen deze begrippen nog meer. Moslimbroeders en aanhangers van de president vertegenwoordigden de macht en waren dus in de verste verte niet revolutionair. Maar ook lang niet alle tegenstanders van de president konden zich op dat moment vinden in de eisen van de revolutie. Veel van hen wilden een terugkeer naar een militair bewind. Degenen die zowel tegen de militaire junta als tegen Mohamed Morsi en vóór een verdieping van het revolutionaire proces waren, noem ik in dit deel revolutionairen.

27 Enkele weken voor de machtsoverdracht had het constitutionele hof het parlement wegens 'onregelmatigheden' ontbonden. Na zijn aantreden sommeerde Morsi per presidentieel decreet dat de volksvertegenwoordiging haar werk diende te hervatten. Twee dagen later verklaarde de rechtbank echter dat de president niet gemachtigd was om beslissingen van het

constitutionele hof ongedaan te maken. Het leger steunde het hof, maar pleitte voor een compromis. Daarmee werden de stellingen betrokken die de drie partijen – het leger, de rechtsprekende macht en de president – in de daaropvolgende maanden niet meer zouden verlaten.

28 De oude Egyptenaren hadden intense maar niet altijd even vriendelijke relaties met de Nubiërs aan hun zuidgrens. Van de zestiende tot de elfde eeuw voor Christus was het Nubische Koesj een provincie van het Nieuwe Rijk van Egypte. Tijdens de daaropvolgende Derde Tussenperiode begonnen de Nubiërs zich af te scheiden van de farao's. Het koninkrijk Koesj werd gesticht. Kashta, koning van Koesj, wist vervolgens Egypte te veroveren en stichtte de vijfentwintigste dynastie, die zou duren van 730 tot 657 voor Christus.

29 Elders in Noord-Afrika worstelen bijvoorbeeld ook de Amazigh (Berbers) in Marokko, Algerije, Tunesië en Libië met de eenheidsgedachte van de Arabisch nationalisten.

30 Manal el-Tibi zou enkele maanden later haar positie in de grondwettelijke vergadering opgeven. Ze stuurde een open brief waarin ze in krachtige bewoordingen oordeelde over het constitutionele proces. Volgens haar was de nieuwe grondwet een belediging voor de revolutie en zou die niet leiden tot meer rechtvaardigheid voor de armere delen van de maatschappij, 'waaronder mijn Nubische familie'.

31 Al jaren wordt de grond in de omgeving van het meer verkocht aan de hoogste bieder. Het meest schrijnende voorbeeld is het zogenaamde Toshkaproject vlak bij de Soedanese grens. Halverwege de jaren negentig geloofde het Mubarakregime dat een aantal kanalen vanaf het Nassermeer een nieuwe vallei zou kunnen irrigeren. Het was een ambitieus plan. Een deel van de Westelijke Woestijn zou worden omgetoverd in een vruchtbare oase, waar tegen het jaar 2020 ongeveer 20 procent van de Egyptische bevolking, met name jongeren, zich zou kunnen vestigen. Het regime sprak van een 'mars naar de woestijn', maar corruptie en slechte planning brachten de mars voortijdig tot stilstand. Anno 2014 is Toshka niets meer dan een zoveelste symbool voor het nepotisme van het Mubarakregime. Miljoenen overheidsdollars werden geïnvesteerd in irrigatiekanalen, pompen en (gebrekkige) infrastructuur, maar productie bleef

uit. Uiteindelijk werden slechts enkele agrarische bedrijven gerealiseerd – de bekendste is in handen van een Saoedische prins, die vooral goedkope arbeidskrachten uit Bangladesh in dienst heeft en de agrarische producten rechtstreeks naar de Arabische Golf exporteert, waar de prijzen vele malen hoger zijn. Het levert de Egyptische staat geen werkgelegenheid of inkomsten op, laat staan dat de Nubische gemeenschap van het project profiteert.

32 Eind 2013 zou Amr Shoura als initiatiefnemer van het platform Artsen zonder Rechten verkozen worden om plaats te nemen in het bestuur van de vakvereniging voor artsen, samen met Mona Mina, de moeder van Selma Saïd. Bij die verkiezingen werd de jarenlange dominantie van de Moslimbroederschap binnen de vakvereniging voor het eerst sinds jaren doorbroken.

33 Plotseling stond de gehele regio opnieuw in brand, zo leek het: Gaza, Jordanië, waar in die tijd dagelijks werd gedemonstreerd tegen het regime, Syrië natuurlijk, en Egypte. Maar dat gevoel kwam uit het niets. In de maanden ervoor leek er helemaal niets te gebeuren.

34 De declaratie begon met de mededeling dat het onderzoek naar de dood van de demonstranten tijdens de achttien dagen werd heropend. De verdachten zouden opnieuw worden berecht. Een nieuwe juridische autoriteit zou zich over de vonnissen buigen. De declaratie vermeldde expliciet dat alleen regeringsfunctionarissen in aanmerking zouden komen. De president wilde de politie kennelijk niet nog verder van zich vervreemden.

35 Bij de gevechten in Damanhour kwam de vijftienjarige Islam Masoud om het leven. Zowel voor- als tegenstanders van de president beweerden dat Islam een van hen was en beschuldigen het andere kamp ervan buitensporig geweld te gebruiken.

36 Halverwege november had het journalistensyndicaat de journalistieke afgevaardigden in de grondwettelijke vergadering teruggetrokken nadat hun suggesties waren genegeerd. Enkele van de stakende kranten publiceerden dagen voor de staking een grote advertentie op de voorpagina met de tekst 'Nee tegen dictatuur'. Op zich een prijzenswaardig standpunt, ware het niet dat dezelfde kranten maanden later de dictatuur zouden aanmoedigen.

37 Die avond werd journalist en voorvechter van een vrije pers Al-Hosseiny Abu Deif in zijn hoofd geschoten terwijl hij opnames stond te maken van de aanhangers van de president en de wapens die zij bij zich hadden. Abu Deif belandde in een coma en stierf enkele dagen later aan zijn verwondingen.

38 Een mooi voorbeeld van dit brede verzet was te zien op Qursaya, een eiland in de Nijl. Hoewel het eiland bijna midden in Caïro ligt, is het erg geïsoleerd; er zijn geen bruggen of wegen naar het eiland. In 2012 raakten de eilandbewoners in conflict met het leger, dat beweerde dat de grond militair eigendom was. Ondanks hardhandig optreden van het leger vochten de eilandbewoners terug en wonnen zij een rechtszaak tegen de militairen. Ten minste één bewoner van het eiland werd gedood door de militairen. Tientallen werden gearresteerd en zouden door militaire rechtbanken worden veroordeeld. Toch zou het leger geen voet aan de grond krijgen op het eiland.

39 Begin december – terwijl de straten vol waren met demonstranten – kondigde Morsi belastingverhogingen aan om het begrotingstekort met 11 procent terug te dringen, in lijn met de eisen van het IMF. Diezelfde avond trok de president de maatregelen echter weer in. Op de officiële Facebookpagina van de president meldde hij dat hij niet kon accepteren dat het Egyptische volk nog meer belast zou worden. Het cruciale referendum over de grondwet zou een paar dagen later plaatsvinden.

40 Het voortzetten van de economische koers van het Mubarakregime ging hand in hand met een geleidelijke verzoening met corrupte kopstukken uit die tijd. Hussein Salem, een vertrouwenspersoon van Mubarak en een steenrijke zakenman die veroordeeld was voor corruptie en sinds het begin van de revolutie ondergedoken zat in Spanje, was in die tijd in onderhandeling met het regime. In ruil voor de helft van zijn vermogen – dat geschat werd op enkele miljarden euro's – zouden alle aanklachten worden ingetrokken.

41 www.youtube.com/watch?v=b_ywo_XZh1s.

42 Twee dagen voor het tweejarig jubileum van de revolutie, op 23 januari 2013, maakte de Egyptische Black Block zijn aanwezigheid kenbaar. In het zwart geklede tieners met bivakmutsen en Guy Fawkesmaskers op

(bekend van de films *V for Vendetta* en *The Gunpowder Plot*) zwaaien in de video met anarchistische vlaggen en houden borden vast met daarop de afkorting A.C.A.B. (All Cops Are Bastards). De Black Block verklaarde dat onrecht tot chaos zou leiden. De Black Blocktactiek verspreidde zich razendsnel. Rondom de verschillende protesthaarden in de stad verschenen gemaskerde jongeren die in formatie opereerden en semigeorganiseerd de politie te lijf gingen. Op 29 januari vaardigde de openbaar aanklager een arrestatiebevel uit voor alle leden van 'de terroristische Black Block'.

43 De Europese Unie zegde in januari 2012 bij monde van Herman van Rompuy, voorzitter van de Europese Raad, een steunpakket van 5 miljard euro toe. Het kabinet van Rutte weigerde de steun in twijfel te trekken. Volgens minister Timmermans was de steun essentieel om 'het land in het spoor van de hervormingen te houden'. Toch wachtte de EU met het overmaken van het geld tot het investeringsklimaat gunstig genoeg was.

44 Kijk voor een video van Mosireen over Omar op www.youtube.com/watch?v=KO9e6DlX0xM.

45 President Morsi wrong zich ondertussen in bochten om de situatie onder controle te krijgen. De terreur van zijn minister bleek niet afdoende. Begin maart brachten de president en de minister van Binnenlandse Zaken gezamenlijk een bezoek aan een van de barakken van de veiligheidsdiensten. Het bezoek werd breed uitgemeten in de media en was bedoeld om het moreel van de troepen op te krikken nadat er stakingen waren uitgebroken onder het veiligheidspersoneel. De stakende troepen eisten betere wapens en bescherming om demonstranten tegemoet te treden en wensten bovendien niet langer ingezet te worden in wat zij omschreven als een politiek dispuut tussen de broederschap en de oppositie. Tijdens een toespraak voorafgaand aan het vrijdaggebed richtte Morsi zich vaderlijk tot de rekruten: 'Dit land houdt van jullie, omhelst jullie en beschermt jullie, maar verwacht dat jullie moed tonen en bereid zijn om offers te brengen.' Vervolgens stak hij de loftrompet over de historische verdiensten van het politiekorps en stelde hij – zonder blikken of blozen – dat de politie aan de basis had gestaan van de glorieuze revolutie van 25 januari 2011; een sterk staaltje geschiedvervalsing, bedoeld om de

slechte naam van de troepen te zuiveren en eenheid uit te stralen.

46 www.youtube.com/watch?v=KZy074ESr2s.

47 In een interview met persbureau Reuters onthulde Moslimbroeder Hassan Malek, die door Morsi was aangewezen om een nieuwe adviesraad voor te zitten die de president zou adviseren over het aantrekken van buitenlandse investeringen, dat de devaluatie een van de eisen was van het IMF.

48 Volgens het jaarlijks *Global Wealth Report* van een onderzoeksinstituut verbonden aan een Zwitserse financiële dienstverlener, zakte het aantal Egyptische miljonairs in een jaar tijd, midden 2012 tot midden 2013, van 25.000 tot 22.000.

49 Volgens schattingen leven er ongeveer een half miljoen sjiieten in Egypte. Zij worden nauwlettend in de gaten gehouden door de veiligheidsdiensten wegens vermeende banden met Iran en Hezbollah. Zowel voor Mubarak als voor de Moslimbroederschap vormde deze kleine gemeenschap een makkelijke zondebok.

50 De antiprotestwet zou uiteindelijk de noodwet vervangen en werd het voornaamste wapen van de staat om elke vorm van verzet en protest te onderdrukken.

51 Twee dagen later, op 28 november, werd een andere prominente activist die bij het protest aanwezig was geweest, de eerder genoemde Alaa Abdel Fattah, uit zijn huis gesleurd door een grote politiemacht. Alaa, die onder Mubarak, tijdens de militaire junta én onder Morsi in de gevangenis had gezeten, werd er valselijk van beschuldigd het protest op 26 november georganiseerd te hebben. Na 115 dagen in gevangenschap te hebben doorgebracht werd Alaa op 23 maart 2014 op borgtocht vrijgelaten. In de gevangenis schreef hij in een naar buiten gesmokkelde brief dat hij voor het eerst het gevoel had dat zijn gevangenschap 'betekenisloos' was. Alle andere keren was er hoop op een verbetering van de politieke situatie. Op 30 november werd bovendien Ahmed Maher, de voorman van de 6 Aprilbeweging, ontboden bij de openbaar aanklager. Op 22 december 2013 werd hij samen met activisten Ahmed Douma en Mohamed Adel veroordeeld tot drie jaar gevangenisstraf.

DEEL IV

1 Maanden na de machtsovername van het leger kwam naar buiten dat jongerenbeweging Tamarod vanaf het begin nauwe banden onderhield met het ministerie van Binnenlandse Zaken. Het ministerie faciliteerde de beweging en hielp actief mee met het verzamelen van handtekeningen.

2 Abu Eita was een van de oprichters van de eerste onafhankelijke vakbond in Egypte in 2009, die na een lange strijd en vele stakingen en andersoortige acties werd erkend. Sindsdien is hij een van de drijvende krachten achter de beweging van onafhankelijke vakbonden. Bij zijn aanstelling als minister riep hij de arbeiders echter op om hun recht op stakingen tijdelijk te laten varen. In de tweede helft van 2013 namen stakingen met 60 procent af.

3 Sisi benadrukt sindsdien in elk interview dat hij Mohamed Morsi achter de schermen herhaaldelijk had gewaarschuwd. Vanaf het moment dat Morsi in november 2012 zijn constitutionele decreet uitvaardigde, had Sisi geadviseerd een referendum te houden en met de oppositie te praten. Morsi had geweigerd en moest dus de consequenties accepteren.

4 De gebeurtenissen zouden leiden tot het tijdelijk opschorten van een aantal tegoeden. Egypte had zelfs een kortstondige flirt met de Russen, die bereid waren Sisi te steunen. Maar dit alles zou niet lang duren. In de aanloop naar de presidentsverkiezingen repten zowel Sisi als de Amerikanen over een volledig herstel van de relaties in de toekomst.

5 Deze drie Golfstaten, met name Koeweit en de VAE, hadden intern de nodige problemen met lokale varianten van de Moslimbroederschap. Daarnaast was de macht van de koningen van Saoedi-Arabië ten dele gebaseerd op hun status als hoeders van de islam. De ideologie van de broederschap betwist die aanspraak.

6 Het feit dat het project van de Moslimbroederschap kon rekenen op steun van het Westen uitte zich in die dagen in achterdocht jegens Europeanen en Amerikanen. De aanhangers van Sisi hielden regelmatig borden omhoog met daarop het gezicht van de Amerikaanse ambassadeur Anne Patterson met een streep erdoorheen. In werkelijkheid steunde het

Westen natuurlijk zowel de broederschap als het leger, maar dat werd voor het gemak verzwegen.

7   Volgens het Egyptische Centraal Bureau voor Openbare Mobilisatie en Statistiek waren er 26 miljoen mensen de straat op gegaan. Volgens de veiligheidsdiensten waren het er zelfs 29 miljoen. Deze cijfers zijn waarschijnlijk zwaar overdreven en bedoeld om het militair ingrijpen te verantwoorden.

8   Volgens een onderzoek van de Nationale Raad voor de Mensenrechten (NRM), een door het regime aangestelde instantie, dat in maart 2014 werd gepresenteerd, waren er 632 doden gevallen. Het rapport van de NRM legt de schuld vooral bij aanhangers van Mohamed Morsi vanwege de wapens die volgens de onderzoekers in de protestkampen aanwezig waren. Het rapport spreekt over gewapende elementen die zich schuilhielden te midden van vreedzame betogers.

9   Sinds de slachtpartij bij de Rab'a El-Adawiyamoskee houden leden en sympathisanten van de broederschap in binnen- en buitenland vier vingers in de lucht om hun protest tegen het Egyptische regime kenbaar te maken. De vier vingers verwijzen naar het woord *rab'a*, dat vier betekent.

10   In maart 2014 werden 529 mensen die ervan werden verdacht een rol te hebben gespeeld bij het geweld in één keer ter dood veroordeeld in showprocessen waarbij de advocaten van de verdachten niet eens werden gehoord. Opvallend is dat verdachten terechtstonden voor het in brand steken van een politiebureau en de moord op een enkele politieagent. Het vernielen van de kerken werd niet vermeld in de aanklacht.

11   Deze protestwet werd een stok achter de deur voor de autoriteiten om niet alleen de broederschap van de straat te halen, maar om een einde te maken aan alle protesten.

12   In maart en april van 2014 werden 720 leden van de broederschap ter dood veroordeeld.

13   http://goo.gl/UiLohp.

14   www.youtube.com/watch?v=vIXAFkXHHRs.

15   Niet lang na het begin van hun protest kregen de buschauffeurs voor het parlement gezelschap van een schijnbaar ad hoc gevormde proleger-betoging die de arbeiders overstemde met nationalistische liederen uit

een meegebrachte geluidsinstallatie. De buschauffeurs bleven echter staken en de staat zette soldaten in als stakingsbrekers.

16 Volgens analisten duurde het zo lang voordat Sisi zijn kandidatuur bekendmaakte omdat hij wachtte op financiële toezeggingen uit de Golf. Hij zou Egypte met geweld en financiële injecties pacificeren.

17 In maart werd een wet aangenomen die derden verbood in beroep te gaan tegen contracten die door de overheid zijn gesloten. De wet was een zoveelste maatregel om investeerders gerust te stellen en te beschermen tegen klachten van bijvoorbeeld vakbonden.

18 De prominente activist Alaa Abdel Fattah, die voor zijn veronderstelde deelname aan het protest voor de deur van het parlement op 26 november 2013 tot vijftien jaar cel werd veroordeeld, sprak van een oorlog tegen een generatie.

19 Een van de journalisten die gevangen werden gehouden was Abdullah el-Shamy, die werkzaam was voor Al-Jazeera. Op 21 januari besloot El-Shamy in hongerstaking te gaan om zijn onvrede met zijn detentie kenbaar te maken. Na een hongerstaking van 149 dagen werd hij in juni 2014 vrijgelaten door de autoriteiten. Tijdens zijn detentie kreeg hij tegen zijn zin eten toegediend.

20 Uiteindelijk had volgens het regime 46 procent van het electoraat gestemd. Maar volgens velen was dit cijfer zwaar overdreven. Volgens het Arabisch Observatorium voor Rechten en Vrijheden kwam niet meer dan 12 procent opdagen voor de verkiezingen.

21 Volgens officiële cijfers is 26 procent van de bevolking analfabeet. Zij ondertekenen documenten met een kruisje en worden doorgaans geholpen bij het stemmen.

22 Daarnaast begonnen voormalige kopstukken van het Mubarakregime grijnzend in het openbaar te verschijnen.

23 Twee Nederlandse bedrijven, Van Oord en Boskalis, zouden het kanaal gaan graven.

24 Christine Lagarde, hoofd van het Internationaal Monetair Fonds, zei tegen een Saoedische nieuwszender onder de indruk te zijn van de hervormingen van de Egyptische autoriteiten.

BRONNEN

De informatie in het boek is gebaseerd op mijn eigen ervaringen en die van mijn vrienden. Verder heb ik eindeloos veel gesprekken gevoerd met mensen die bij de ontwikkelingen betrokken waren: revolutionairen, feloel, Moslimbroeders en mensen die er niets mee te maken wilden hebben.

Aboul-Fadl, R., 'Mohamed Morsi Mubarak, the Myth of Egypt's Democratic Transition', in: *Jadaliyya*, 2013, www.jadaliyya.com/pages/index/10119/mohamed-morsi-mubarak_the-myth-of-egypts-democrati

Abu-Lughod, J., *Cairo, 1001 Years of the City Victorious*, 1971

Abul-Magd, Z., 'The Army and the Economy in Egypt', in: *Jadaliyya*, 2011, www.jadaliyya.com/pages/index/3732/the-army-and-the-economy-in-egypt

Adly, A., 'The Economics of Egypt's Rising Authoritarian Order', in: *Carnegie Middle East Centre*, www.carnegie-mec.org/2014/06/18/economics-of-egypt-s-rising-authoritarian-order/hdzr

Alexander, A., *Nasser, Life and Times*, 2005

Bayat, A., *Street Politics*, 1997

Bayat, A., 'Revolution without Movement, Movement without Revolution: Comparing Islamist Activism in Iran and Egypt', in: *Comparative Studies in Society and History*, vol. 40, no. 1, voorjaar 1998

Bayat, A., *Life As Politics, How Ordinary People Change the Middle East*, 2010

Bayat, A., 'Activism and Social Development in the Middle-East', in: *International Journal of Middle-Eastern Studies*, 34 (2002) 1-28

Beinin, J., 'Popular Social Movements and the Future of Egyptian Politics', in: *Middle East Research and Information Project*, 2005, www.merip.org/mero/mero031005

Beinin, J., 'Underbelly of Egypt's Neoliberal Agenda', in: *Middle East Research and Information Project,* 2008, www.merip.org/mero/mero040508

Brown, Nathan J., 'When Victory Becomes An Option', in: *The Carnegie Papers,* januari 2012, http://carnegieendowment.org/files/brotherhood_success.pdf

Brown, Nathan J., 'The Revolution in Crisis', in: *Egypt Independent,* 2012, www.egyptindependent.com/opinion/revolution-crisis

Cole, J., 'Egypt: Al-Sisi's run for President: Bonapartism and Gulf Oil Money', www.juancole.com/2014/03/sisis-president-bonapartism. html

Davis, M., *Planet of Slums,* 2005

'Egypt protests hit all-time high during Morsi's first year: Report', www. english.ahram.org.eg/News/74939.aspx

Ennarah, Karim M., 'The End of Reciprocity: The Muslim Brotherhood and the Security Sector', in: *The South Atlantic Quarterly,* voorjaar 2014

Eskandar, W., 'Brothers and Officers: A History of Pacts', in: *Jadalliyya,* 2013, www.jadaliyya.com/pages/index/9765/brothers-and-officers_a-history-of-pacts

Gladwell, M., 'Why the revolution will not be tweeted', in: *The New Yorker,* 2010, www.newyorker.com/reporting/2010/10/04/101004fa_fact_gladwell

Hamilton, Omar R., 'Everything was possible', in: *Mada Masr,* 2013, www.madamasr.com/opinion/everything-was-possible

Harvey, D., *A Brief History of Neoliberalism,* 2005

Heikal, M., *The Road to Ramadan,* 1975

Mahdi, R. el-, en Philip Marfleet, *Egypt, Moment of Change,* 2009

Mahfouz, N., *The Cairo Trilogy,* 1956-1957

Mitchell, R.P., *The Society of the Muslim Brothers,* 1969

Mitchell, T., *Colonising Egypt,* 1988

Mitchell, T., 'America's Egypt, Discourse of the Development Industry', in: *Middle East Research and Information Project,* 1991, www.merip. org/mer/mer169/americas-egypt

Mitchell, T., *Rule of Experts,* 2002

Nasser, G., *The Philosophy of the Revolution,* 1955

'NCHR releases full report on Rabaa sit-in dispersal', www.dailynewsegypt. com/2014/03/17/nchr-releases-full-report-rabaa-sit-dispersal/

Pappé, I., *The Ethnic Cleansing of Palestine*, 2006

Rizk, P., 'Egypt: the necessity of revolutionary violence', in: *Roarmag.org, reflections on a revolution*, 2013, www.roarmag.org/2013/04/egypt-violence-revolution-state-collapse/

Rizk, P., '2011 is not 1968, An Open Letter From Egypt', in: *Roarmag. org, reflections on a revolution*, 2014, www.roarmag.org/2014/01/egyptian-revolution-working-class/#comments

Rodenbeck, M., *Cairo. The City Victorious*, 1998

Rubin, B., en Thomas Keaney, *Armed Forces in the Middle East, Politics and Strategy*, 2003

Sadat, A., *In Search of Identity*, 1978

Sayigh, Y., 'Morsi and Egypt's Military', in: *Al-Monitor*, 2013, www.al-monitor.com/pulse/originals/2013/01/morsi-army-egypt-revolution. html#

Springborg, R., *Mubarak's Egypt, Fragmentation of the Political Order*, 1989

Tilly, C., *From Mobilization to Revolution*, 1978

Waterbury, J., *The Egypt of Nasser and Sadat, The Political Economy of Two Regimes*, 1983

Wickham, C., *Mobilizing Islam: Religion, Activism, and Political Change in Egypt*, 2002

Wickham, C., *The Muslim Brotherhood: Evoluion of Islamist Movement*, 2013

'World Bank Rapport – Doing Business 2008', www.doingbusiness.org/ reports/global-reports/doing-business-2008

www.mosireen.org

www.hrw.org

www.amnesty.org

www.tahrirdiaries.wordpress.com

www.eipr.org

www.ecesr.org/en

www.english.ahram.org.eg
www.dailynewsegypt.com
www.egyptindependent.com
www.madamasr.com

DANKWOORD

Dit boek wil ik opdragen aan alle dappere mensen op de straten van Egypte die de afgelopen jaren gestreden hebben voor een betere wereld. Jullie zijn een eeuwige inspiratie.

Dit boek was niet mogelijk geweest zonder de hulp van een heleboel mensen. Ten eerste wil ik mijn moeder Suzan de Wilde bedanken voor de aanmoediging en de opbouwende kritiek, en ook de rest van mijn familie: mijn zus Violet voor het eerste duwtje in de rug en voor de basis in Amsterdam, mijn broer Bram voor de kritische noot, de discussie en een politiek bewustzijn, en mijn vader Reinout voor zijn rol als discussiepartner en stabiele factor op het platteland. Verder wil ik een woord van dank richten tot de volgende mensen:

Philip Rizk voor een onvergetelijke en inspirerende vriendschap; Sara Ishaq voor haar steun, haar luisterend oor en haar vertrouwen; Jasmina Metwaly; Selma Saïd; Lobna Darwish; Ziyad Hawwas; Nazly Hussein; Sherief Gaber; Omar Robert Hamilton; Danya Nader; Yasmin el-Rifae; Yassin Gaber; Sharief Abdel Kouddous; Louis Lewarne; Mariam Kirolos; Mai Saad; Sara Badea; Ahmed Hefnawy; Selma Shukrallah; Mohamed Waked; Alex Ortiz; Salim al-Mamri; alle leden en vrienden van Mosireen; Hanan Abdallah; Khaled Abdallah; Aalam Wassef; Rasha Azab; Simon Hannah; Taha Belal; Adham Bakry; Sarah Carr; Matthew Cassel; Priyanka Motaparty; Abulkasim al-Jaberi; Essam Abdallah; Karim Abany; Robert Woltering; Ferida Jawad; Adel Abdel Moneim; vrijwel alle mensen van het NVIC; Bart Slot; Wouter Slot; Rogier Korterink; Sophie Renouard; Bonnie Dumanaw; Wil Hansen; Catharina Schilder; Lard Buurman; Janno Lanjouw; Helen Kranstauber; Joris van Grieken; Rein van

Grieken; Jorg Regoort; Rutger van Riemsdijk; Dennis Bijen; Nicolaas Vrijman; Annabell van den Berghe; Suzanne Veldhuis; Isabel Erisman; Tato Martirossian; Sophie Nelissen; Asma el-Fassi; en alle anderen die de laatste vier jaar lief en leed hebben willen delen.